Le livre de bord
de la
future
maman

LE LIVRE QUE VOUS TENEZ ENTRE LES MAINS

Depuis sa première édition en 1987 – et il fut le premier à le faire –,
cet ouvrage propose aux femmes enceintes une approche résolument scientifique
de la grossesse, présentant semaine après semaine, étape par étape, le
développement de l'embryon puis du fœtus, depuis la rencontre d'un ovocyte et
d'un spermatozoïde jusqu'à l'accouchement.
Parce qu'il est extraordinaire et émouvant pour une femme de comprendre,
d'accompagner et de suivre d'aussi près la croissance de cet enfant en devenir
qu'elle porte en elle.

Cet ouvrage a reçu en 1989 le prix Pierre et Céline Lhermite, attribué
par l'Académie nationale de médecine.

Illustrations : Iris Glon

© Marabout (Hachette Livre), 2015

Le livre de bord de la
future maman

Marie-Claude Delahaye

Marabout

Sommaire

Ce guide pratique de la grossesse va vous tenir compagnie pendant neuf mois. Il vous donnera de précieuses indications sur le développement de votre bébé et sur ce qui se passe en vous pendant cette merveilleuse aventure. Ce n'est en aucun cas un guide médical fait pour remplacer votre médecin. Il est, au contraire, conçu pour vous tenir en éveil, vous alerter des éventuelles anomalies qui pourraient survenir au cours de votre grossesse et vous inciter, au moindre malaise, à consulter au plus vite votre médecin. Tout au long de votre grossesse, votre seul et véritable guide reste le médecin qui vous suit.

De même, méfiez-vous des forums et autres sites Internet, aux témoignages souvent anxiogènes. Ce qui est valable pour l'une ne l'est pas forcément pour vous. Aussi, si vous avez des questions, des doutes, des peurs, parlez-en à la personne qui vous suit. Elle saura vous répondre et vous conseiller.

Bonne grossesse !

AVANT LA GRANDE AVENTURE

DONNER
LA VIE

Votre bébé est là, en vous. D'abord petite graine imperceptible, il grandit jour après jour, et votre ventre qui s'arrondit au fil des mois vous indique sa croissance. Vous êtes en train de vivre une aventure fabuleuse, celle de la vie.

Par ignorance, ne banalisez pas cette chance unique qu'est la création d'un nouvel être humain, mais, au contraire, vivez intensément cette période magique en sachant constamment ce qui se passe en vous. Comment cette cellule précieuse que vous portez depuis le jour de votre propre naissance va-t-elle aboutir, une fois fécondée et au terme de multiples remaniements, au bébé que vous découvrirez le jour de sa naissance ?

La grossesse vous semblera plus confortable si vous en vivez consciemment et avec passion chaque étape, si vous suivez, semaine après semaine, le développement de votre bébé. Vous serez étonnée de la rapidité de ses progrès. Et le jour de son arrivée dans le monde, quand enfin vous le serrerez dans vos bras, vous aurez le sentiment de le connaître déjà très bien. Il est vrai que vous aurez eu 266 jours pour cela !

VOTRE CORPS EST PRÉVU POUR DONNER LA VIE

Avant votre bébé, il y a vous : tout est prévu pour donner la vie. Savoir comment sont disposés et comment fonctionnent les organes nécessaires au développement d'une nouvelle vie va vous permettre de suivre l'évolution de votre corps et de comprendre comment cette aventure merveilleuse peut se réaliser.

Créer un être humain

Votre corps est conçu de façon à pouvoir créer. Savoir comment sont disposés et comment fonctionnent les organes nécessaires au développement d'une nouvelle vie va vous permettre de suivre l'évolution de votre corps, de surveiller votre grossesse et ainsi de réagir plus vite à la moindre anomalie.

Avec le vagin qui recueille la semence masculine, les ovaires et leur énorme réserve d'ovocytes, et avec les trompes de Fallope qui captent l'ovocyte émis et le font descendre jusqu'à l'utérus où il s'implantera, s'il est fécondé, pour se

L'appareil reproducteur féminin.

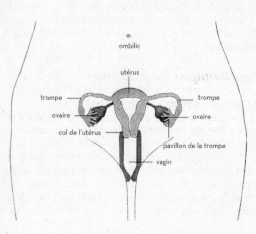

ombilic

utérus

trompe   trompe

ovaire   ovaire

col de l'utérus

pavillon de la trompe

vagin

développer pendant 9 mois : tout est en place pour l'élabora-tion d'un être humain.

Les ovaires

Les ovaires sont les glandes sexuelles féminines. De la taille et de la forme de deux grosses amandes – de 4 cm de lon-gueur et 2,5 cm de largeur environ –, ils sont situés à droite et à gauche de l'utérus, auquel ils sont attachés par un liga-ment souple. Un autre ligament les maintient aux trompes, à proximité du pavillon.

Le rôle des ovaires

Les ovaires sécrètent les hormones sexuelles féminines – les œstrogènes et la progestérone –, qui sont indispensables au bon déroulement des cycles menstruels, de la grossesse, ain-si qu'au bon fonctionnement des organes génitaux et de la physiologie de la femme en général.

Ils libèrent des ovocytes, également appelés « ovules », qui sont les cellules reproductrices féminines.

À sa naissance, une petite fille possède une réserve considé-rable d'ovocytes, de 700 000 à 2 millions. Un grand nombre d'entre eux va dégénérer au cours de la petite enfance ; à l'âge de la puberté, il n'en restera plus que 300 000 à 400 000. La nature voit grand ! Parmi ceux-ci, seuls 300 à 400 arrive-ront à maturité et deviendront des ovocytes fécondables. À raison de 13 par an – un tous les 28 jours –, pendant les 30 ans que dure environ la période de fécondité de la femme. Bien qu'ils soient tous potentiellement fécondables, il y aura peu d'élus !

> **BON
> À SAVOIR**
>
> Avant de commencer
> une grossesse, vérifiez
> que vous êtes à jour
> dans vos vaccinations
> obligatoires (DTP
> et BCG). Vérifiez
> également que vous
> avez été vaccinée
> contre la rubéole
> (voir page 61).

Les trompes de Fallope

Ce sont deux petits tubes creux et flexibles de 10 à 12 cm de longueur, dont le diamètre interne est à peine plus gros qu'un cheveu. Les trompes de Fallope partent de chaque côté du fond supérieur de l'utérus et se terminent au niveau d'un ovaire par un pavillon muni de franges mobiles desti-nées à capter l'ovocyte dès son émission par l'ovaire.

Une seule trompe en bon état suffit pour réussir une gros-sesse, à condition qu'elle soit placée du côté de l'ovaire quand il n'y en a qu'un.

Le rôle des trompes

Les trompes de Fallope permettent le transit des spermatozoïdes vers le lieu de la fécondation, qui est situé dans le
tiers supérieur de l'une d'entre elles.

Elles permettent à l'ovocyte de gagner le lieu de la fécondation, puis, si cette dernière n'a pas eu lieu, elles entraînent
l'ovocyte vers l'utérus, d'où il sera évacué.

Après la fécondation, elles assurent la survie et le transport
de l'œuf vers l'utérus, où il s'implantera. Le rôle des trompes
de Fallope est donc extrêmement important.

L'utérus

Muscle épais et virtuellement creux, de la forme et de la
taille d'une figue fraîche, l'utérus est grandement remanié
au cours de la grossesse : il mesure 6 à 8 cm de hauteur, sur
3 à 4 cm de largeur ; au voisinage du terme, sa hauteur est
de 30 cm ! Situé à l'extrémité du vagin, incliné normalement au-dessus de la vessie, il est retenu par des ligaments
souples qui lui laissent une certaine flexibilité mais l'empêchent de descendre dans le vagin. Du fond du corps utérin
partent de chaque côté les trompes de Fallope.

L'endomètre

À l'intérieur, le muscle utérin est recouvert d'une muqueuse,
appelée « endomètre ». Destinée à accueillir l'œuf fécondé,
riche en vaisseaux sanguins et en glandes, cette muqueuse
subit d'importantes variations en fonction de la période du
cycle menstruel et de l'âge de la femme. C'est elle qui est
périodiquement éliminée par le phénomène de la menstruation, ou règles, quand il n'y a pas eu de fécondation.

Le col de l'utérus

L'utérus est fermé à sa base par le col, un resserrement étroit
et dur de 3 cm de longueur environ, que l'on peut sentir avec
les doigts, au fond du vagin ; il présente au toucher une certaine mobilité. Le col est traversé en son milieu par un fin
canal qui met en communication le corps de l'utérus et le
vagin. C'est par ce canal que s'écoule le flux menstruel. C'est
par lui également que les spermatozoïdes déposés dans le
vagin passent dans l'utérus pour gagner les trompes, le lieu
de la fécondation.

Les cellules qui tapissent l'intérieur du col se modifient au cours du cycle menstruel. Au moment de l'ovulation, elles sécrètent une substance visqueuse, qui est appelée « glaire cervicale »; elle est indispensable aux spermatozoïdes pour monter dans l'utérus. Chez une femme qui n'a pas eu d'enfant, le col de l'utérus est rond, à ouverture étroite; chez celle qui a déjà accouché, l'ouverture est plus large, allongée transversalement.

La cellule: élément de base de l'individu

Tout être vivant est constitué de milliards de cellules. De tailles et de formes différentes selon leur fonction, les cellules de même type s'associent entre elles pour former les tissus et les organes. Le travail de chacune d'entre elles aboutit à l'édification de l'organisme. Excepté les cellules nerveuses, toutes les cellules se renouvellent régulièrement par division, leur durée de vie variant de 4 jours à 4 mois suivant les catégories cellulaires.

Toujours protégées par une membrane qui les entoure entièrement, les cellules sont constituées d'une substance protéique très hydratée: le cytoplasme. Le cytoplasme est parcouru par un ensemble de structures membranaires spécialisées, les organites, qui sont indispensables à la vie et au travail de la cellule, comme autant de machines nécessaires au bon fonctionnement d'une usine.

Au centre de la cellule, isolé du cytoplasme par une double enveloppe, siège le noyau. Le noyau de la cellule est le centre de commandement de l'usine. C'est de là que sont donnés tous les ordres, les ordres de fabrication et de division. Le commandant en chef est l'ADN. C'est lui qui dirige l'ensemble des manœuvres.

L'ADN

L'ADN (acide désoxyribonucléique) est une longue molécule formée de deux brins complémentaires disposés en hélice. Il est associé à des protéines qui vont l'aider à s'enrouler sur lui-même, formant ce qu'on appelle la « fibre de chromatine ». Présent dans chaque cellule, l'ADN joue un rôle essentiel dans le maintien de la vie:

- décodé, il est à l'origine de la synthèse des protéines, dont la présence est capitale pour le développement, la croissance et l'entretien de la cellule, donc de l'organisme tout entier;
- il est le gardien de l'hérédité grâce à la présence des gènes;
- il a pour particularité de se répliquer identique à lui-même, de se dédoubler en quelque sorte. Il assure ainsi, dans toute nouvelle cellule issue du processus de division, le maintien et la transmission des caractères héréditaires.

Les gènes

Les caractères héréditaires sont déterminés par les gènes. Or, un gène est tout simplement une portion d'ADN, une certaine séquence, qui contient l'information nécessaire pour coder, sous forme de message chimique, la synthèse d'un produit.

L'ensemble des synthèses réalisées au sein des cellules spécialisées, sous les ordres conjoints de plusieurs gènes, détermine finalement les caractères visibles. Par exemple, plus d'une vingtaine de gènes travaillent ensemble, au même moment, pour déterminer la couleur des yeux de votre enfant.

Les chromosomes

Au cours de la division cellulaire – moment particulier du cycle de vie de la cellule –, le long filament d'ADN et de protéines qui constitue la fibre de chromatine va s'enrouler de nombreuses fois sur lui-même. Ainsi raccourcie et épaissie, cette structure porte le nouveau nom de « chromosome ».

Chaque noyau cellulaire de la dizaine de milliards de cellules constituant un organisme humain possède 46 filaments de chromatine, soit 46 chromosomes associés par paires. Des 23 paires de chromosomes présentes dans chaque cellule, aucune n'est semblable à l'autre. De plus, 22 paires sont communes aux deux sexes, alors qu'une paire est propre à l'homme ou à la femme: c'est la paire de chromosomes sexuels.

Chez la femme, la paire de chromosomes sexuels comprend deux grands chromosomes, les chromosomes X. Chez l'homme, cette paire comprend un chromosome X et un chromosome Y, beaucoup plus petit.

Chacun de ces chromosomes porte, dans chaque cellule, toujours au même endroit, la même séquence biochimique, c'est-à-dire le même gène capable de coder et donc de déterminer un caractère précis. Pour les 46 chromosomes, cela représente des milliards de gènes différents ; un très grand nombre d'entre eux ne sera jamais utilisé.

Des cellules extraordinaires : l'ovocyte et le spermatozoïde

De tout l'organisme, seuls les gamètes, ou cellules sexuelles, c'est-à-dire les ovocytes et les spermatozoïdes, sont à 23 chromosomes. Parmi les 23 chromosomes de chacune de ces cellules, il y a 22 chromosomes plus un chromosome sexuel, ce qui donne une seule sorte d'ovocyte et deux sortes de spermatozoïdes.

Ovocyte : 22 chromosomes + X.

Spermatozoïdes : 22 chromosomes + X et 22 chromosomes + Y.

L'œuf né de la rencontre de l'ovocyte de la mère et du spermatozoïde du père sera de nouveau à 46 chromosomes avec, en héritage, les gènes portés par les 23 chromosomes du père et ceux portés par les 23 chromosomes de la mère.

BON À SAVOIR

Formules chromosomiques

◆ Femme : 44 chromosomes + XX

◆ Homme : 44 chromosomes + XY

L'ovocyte

L'ovocyte constitue la cellule la plus volumineuse de l'organisme humain : avec ses 150 millièmes de millimètre de diamètre, il est environ dix fois plus gros que n'importe quelle autre cellule de l'individu.

Issu de l'ovaire, l'ovocyte y est stocké sous une forme immature. Il est à noter que, dans le langage courant, le terme « ovule » est employé pour désigner la cellule sexuelle féminine. Selon son acception scientifique, le nom « ovule » ne devrait être donné qu'à l'ovocyte venant tout juste d'être fécondé. C'est au moment où un spermatozoïde commence à pénétrer dans l'ovocyte que ce dernier achève sa maturation et devient un ovule. Le stade ovule est très transitoire, puisque, rapidement, il y a fusion de son noyau avec celui du spermatozoïde.

Le spermatozoïde

Indispensable à la fécondation de l'ovocyte, la cellule sexuelle masculine, ou spermatozoïde, est la plus petite cellule humaine.

Les spermatozoïdes sont produits par les testicules, les glandes sexuelles masculines, en même temps que l'hormone mâle, la testostérone. Contrairement à la femme qui naît avec l'ensemble de sa réserve d'ovocytes, l'homme commence seulement à fabriquer des spermatozoïdes à l'âge de la puberté. Une production qui sera continue tout au long de son existence.

Les spermatozoïdes prennent naissance à partir des cellules qui tapissent les tubes séminifères – de très longs tubes filamenteux situés dans les testicules et embobinés les uns sur les autres. Ces cellules tout d'abord immatures vont subir une série de transformations successives qui aboutiront à la cellule mobile que constitue le spermatozoïde.

Les spermatozoïdes vont s'échapper dans la lumière du tube séminifère et passer dans l'épididyme – un tube contourné qui recouvre le testicule. Stockés là, ils vont achever leur maturation avant de se masser dans les vésicules séminales, deux petites poches situées de part et d'autre de la prostate. Lors d'un rapport sexuel, ils seront éjectés dilués dans un liquide sécrété par les vésicules séminales et la prostate – le tout formant le sperme.

Déposés dans le vagin, les spermatozoïdes peuvent vivre de deux à quatre jours dans les trompes où ils sont montés, et donc attendre éventuellement l'émission de l'ovocyte pour le féconder. Non évacués, ils survivent chez l'homme une trentaine de jours avant de mourir et d'être remplacés par d'autres.

Un spermatozoïde et un ovocyte au moment de la ponte ovulaire.

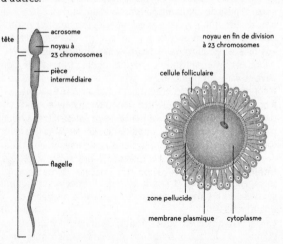

tête — acrosome
— noyau à 23 chromosomes

pièce intermédiaire

flagelle

noyau en fin de division à 23 chromosomes

cellule folliculaire

zone pellucide

membrane plasmique   cytoplasme

L'OVULATION

Vous terminez la deuxième semaine d'aménorrhée, c'est-à-dire sans règles. C'est une semaine capitale pour vous qui désirez un bébé, car l'un de vos ovaires va émettre un ovocyte qui ne demande qu'à être fécondé. Si vous souhaitez être enceinte, il est important que vous connaissiez les différentes phases de votre cycle, et notamment la période d'ovulation. Pour déterminer celle-ci avec précision, vous pouvez être attentive aux modifications de votre corps ou utiliser différentes méthodes.

Le cycle de l'ovaire

Les ovaires sont le siège d'une activité périodique. Tous les 28 jours environ, depuis la puberté jusqu'à la ménopause, un ovocyte va être émis alternativement par l'un ou l'autre ovaire.

Le cycle ovarien comporte trois phases bien distinctes, qui sont placées sous la dépendance directe des hormones émises par l'adéno-hypophyse, une petite glande appendue à la base du cerveau:

- la FSH, ou hormone de stimulation folliculaire, entraîne la maturation du follicule ovarien et régit le taux des œstrogènes sécrétés par l'ovaire;
- la LH, ou hormone lutéinique, provoque la rupture du follicule, ce qui entraîne l'ovulation. Elle déclenche une forte sécrétion de progestérone par le corps jaune, qui apparaît ensuite par transformation du follicule.

Ces deux hormones hypophysaires sont elles-mêmes placées sous la dépendance d'une neuro-hormone, la LH-RH, qui est émise par une région très importante du cerveau: l'hypothalamus.

VOUS

Période d'ovulation comptée à partir du 1er jour des dernières règles:

- pour un cycle normal de 28 jours: le 14e jour;
- pour un cycle long de 35 jours: le 21e jour;
- pour un cycle court de 22 jours: le 8e jour.

Date du 1er jour des dernières règles:

Date probable d'ovulation:

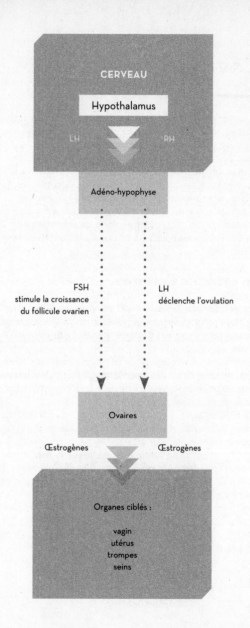

CERVEAU

Hypothalamus

LH   RH

Adéno-hypophyse

FSH
stimule la croissance
du follicule ovarien

LH
déclenche l'ovulation

Ovaires

Œstrogènes   Œstrogènes

**Le système
hormonal** féminin.

Organes ciblés :

vagin
utérus
trompes
seins

La phase folliculaire

Les 300 000 à 400 000 ovocytes qui sont présents dans les ovaires au moment de la puberté sont nourris et protégés du reste du tissu ovarien par une couche de cellules. Ce sont les follicules primordiaux.

Pendant la première partie du cycle – environ 14 à 15 jours comptés à partir du 1er jour des dernières règles –, un certain nombre de follicules sont activés sous l'action de l'hormone hypophysaire FSH. Quelques-uns d'entre eux arriveront à maturité, mais un seul libérera un ovocyte.

Tout d'abord disposées en une seule couche autour de l'ovocyte, les cellules folliculeuses se multiplient afin de former une assise cellulaire épaisse d'une dizaine de couches.

Dans ce follicule encore dense, de petites cavités apparaissent et se remplissent de liquide folliculaire. Elles se rejoignent pour former une seule et grande cavité qui repousse l'ovocyte en périphérie du follicule.

Le follicule, qui gonfle par accroissement de sa cavité, forme, à la surface de l'ovaire, un petit renflement de la taille d'une groseille.

Sous l'influence de l'hormone hypophysaire FSH, les cellules de l'ovaire, qui sont situées autour du follicule ovarien en maturation, sécrètent des œstrogènes. La quantité d'œstrogènes augmente au fur et à mesure que le follicule grossit. Elle atteint un taux maximal 24 heures avant l'ovulation.

Le follicule qui, au début de la phase folliculaire, mesurait 25 millièmes de millimètre de diamètre, mesure 15 mm à la fin de cette phase. Il porte le nom de « follicule de De Graaf ».

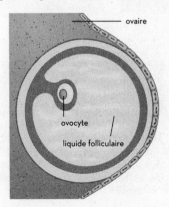

ovaire

ovocyte

liquide folliculaire

La maturation
du follicule.

L'ovulation

L'augmentation des œstrogènes dans le sang agit sur le complexe hypothalamo- hypophysaire et entraîne la libération massive de l'hormone LH par l'adéno-hypophyse. Sous l'action de cette hormone LH, la tension du liquide qui est contenu à l'intérieur du follicule augmente, et cela finit par provoquer sa rupture.

Tandis que le liquide folliculaire s'écoule lentement de l'ovaire, l'ovocyte se retrouve à sa surface par l'affaissement progressif de la paroi folliculaire : c'est la ponte ovulaire, ou ovulation. Encore entouré d'une couche épaisse de cellules, l'ovocyte est aussitôt aspiré par les franges du pavillon de la trompe de Fallope, qui balaient l'ovaire.

L'ovocyte, qui ne possède aucun moyen de locomotion propre, flotte dans le fluide de la trompe et avance lentement en direction de l'utérus grâce aux mouvements conjugués des parois musculeuses de la trompe de Fallope et des battements de cils vibratiles qui la tapissent à l'intérieur. Il va attendre là, dans la trompe de Fallope, de 12 à 24 heures au maximum, avant d'être fécondé. Passé ce délai, l'ovocyte non fécondé va dégénérer.

La rupture d'un follicule de De Graaf.

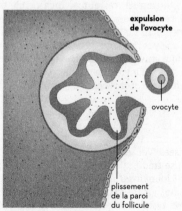

expulsion de l'ovocyte

ovocyte

plissement de la paroi du follicule

La phase luthéale, ou phase post-ovulatoire

Cette période qui précède les règles dure 12 à 14 jours environ. Aussitôt après la ponte ovulaire, l'ovaire présente une plaie minuscule, qui se cicatrise rapidement. Très vite, le follicule ovarien se modifie sous l'influence de l'hormone LH, dont le taux est très élevé. Tandis que les parois du follicule rompu s'affaissent, des capillaires sanguins se développent afin de le vasculariser. Ainsi, le follicule se transforme en une véritable glande : en raison de sa pigmentation, cette glande est appelée « corps jaune ».

Le corps jaune élabore des œstrogènes, ainsi qu'une quantité importante de progestérone. La progestérone a pour rôle de préparer la muqueuse utérine à la nidation de l'œuf. Très mince au début du cycle, la muqueuse utérine s'épaissit d'une manière considérable après l'ovulation, tout en se contournant en de nombreux replis. Cela a pour effet d'augmenter sa surface très riche en glandes et en vaisseaux sanguins.

Au 20e jour du cycle, l'utérus est prêt à recevoir l'œuf.

Si l'ovocyte a été fécondé et qu'une grossesse s'installe, la couche cellulaire externe de l'œuf, implanté dans la muqueuse utérine 8 jours environ après la fécondation, sécrète une hormone, appelée la « gonadotrophine chorionique » (HCG), qui maintient le corps jaune en activité pendant 3 mois. Sous la dépendance directe de cette hormone, le corps jaune augmente de volume et sécrète de plus en plus d'hormones – des œstrogènes et surtout de la progestérone, qui assure la poursuite de la grossesse. Au-delà de cette période, le relais sera pris par le placenta, et le corps jaune régressera.

Si l'ovocyte n'a pas été fécondé, il ne s'implante pas dans la muqueuse utérine. Le corps jaune cesse alors sa sécrétion de progestérone, puis dégénère. La chute brutale des hormones dans le sang provoque de petites contractions au niveau des vaisseaux sanguins de la muqueuse. Il s'ensuit une sorte d'asphyxie de la muqueuse, qui finit par se détacher en lambeaux, entraînant une succession de brèves hémorragies localisées. L'ensemble de ces petites hémorragies de l'endomètre se traduit par un écoulement sanguin, qui va durer de 4 à 5 jours, avec un maximum du flux au deuxième et au troisième jour. Ce sont les règles. Comme la nature est très bien faite, dès l'instant où l'ovule non fécondé est évacué, un nouveau follicule commence sa maturation pour en libérer un autre 14 jours plus tard. Un nouveau cycle de 28 jours commence. Il débute précisément le 1er jour des règles.

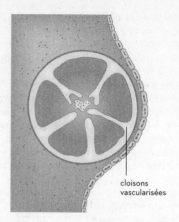

cloisons
vascularisées

Comment savoir si vous ovulez ?

L'ovulation peut être repérée à plusieurs signes :

- une tension des seins due à la production d'œstrogènes par le follicule ;
- une légère douleur au niveau de l'ovaire, à droite ou à gauche ;
- la présence, au niveau du vagin, d'un mucus incolore et inodore, produit par les cellules du col de l'utérus. Cette glaire cervicale, abondante du 10e au 14e jour, constitue un milieu d'accueil optimal pour les spermatozoïdes. Grâce à elle, ils peuvent pénétrer à l'intérieur de l'utérus et monter vers l'ovocyte pour le féconder ;
- un éventuel petit saignement.

Le test d'ovulation

Pour connaître votre période d'ovulation, vous avez à votre disposition une méthode extrêmement fiable : le test d'ovulation, qui est vendu librement en pharmacie. Il est fondé sur l'élévation du taux de l'hormone LH, qui déclenche l'ovulation et qui est présente dans l'urine.

Le plus souvent, le test se présente sous la forme d'un bâtonnet possédant à son extrémité une tige absorbante qui reçoit l'urine, une fenêtre de lecture et une fenêtre de contrôle. Le test doit être commencé dès le 11e jour du cycle – pour un cycle de 28 jours. Il sera répété tous les jours

VOS SYMPTÔMES

Apprenez à repérer les signes qui indiquent une ovulation. Dès lors, vous pourrez mieux connaître la date de votre fécondation.

24

jusqu'à ce qu'une ligne bleu foncé apparaisse dans la fe-nêtre de lecture. Cette ligne indique que le pic de l'hormone LH est à son maximum. L'ovulation aura lieu dans les 24 ou les 36 heures qui suivent. Le taux de fiabilité du test d'ovula-tion est de 98 % environ. À partir de tous ces signes et de ce que vous savez quant à la date de vos dernières règles, de la durée de vos cycles et de la fréquence de vos rapports, vous pouvez connaître avec la plus grande précision votre période d'ovulation, donc de fécondation.

TOUT AU LONG
DE LA GROSSESSE

___

Vous allez suivre l'évolution de votre bébé semaine après semaine. Pour que le stade de votre grossesse corresponde bien à votre lecture de cet ouvrage, notez la date du premier jour de vos dernières règles. Cette date, que toute femme connaît, si elle est un peu attentive, est considérée comme un point de repère essentiel.

Suivez l'évolution de votre bébé

La date du 1er jour de vos dernières règles – même si la grossesse ne commence qu'une quinzaine de jours plus tard, c'est-à-dire au moment de la fécondation, qui est l'instant précis de la conception du bébé – est le point de repère qui vous permettra de suivre, semaine après semaine, toutes les étapes de votre grossesse. Le développement de votre bébé, les modifications survenant dans votre corps, les conseils et les réponses aux questions que vous vous posez apparaissent dans l'ordre chronologique, à mesure qu'ils se présentent dans la réalité.

Cependant, n'oubliez pas que même si vous pouvez déterminer avec précision la date de votre ovulation, donc de votre fécondation, les indications sur la taille, le poids et le développement de votre bébé seront légèrement approximatives. Il s'agit d'une estimation moyenne de la croissance embryonnaire à ce moment-là, car il est impossible de connaître les données exactes concernant votre bébé à un moment particulier de votre grossesse.

Des progrès étonnants

Chaque nouvelle semaine, vous allez découvrir les progrès étonnants que fait votre bébé. Connaissant les phases principales de son élaboration, vous aurez à cœur de l'aider en suivant les conseils qui vous seront prodigués. À ce propos, ne vous laissez pas troubler par les pages qui mentionnent les maladies et autres complications liées à la grossesse. Ce sont avant tout des cas exceptionnels. Il faut néanmoins les signaler afin d'éviter des erreurs graves. Dans la majorité des cas, la grossesse et l'accouchement se déroulent tout à fait normalement, tout à fait naturellement.

En compagnie de votre «livre de bord», chaque jour, vous allez penser à votre bébé, vivre avec lui en communion physique et mentale, et faire de votre grossesse une succession de fabuleux moments.

La durée de la grossesse

Les statistiques montrent que la grossesse a une durée variable. En théorie, elle dure en moyenne 280 jours à partir du 1er jour des dernières règles, c'est-à-dire 266 jours à partir du moment de la fécondation. Ces 266 jours représentent approximativement 9 mois du calendrier, soit 38 semaines. Cela correspond à l'âge réel du bébé. La durée de la grossesse est calculée de deux façons :

- en semaines d'aménorrhée, c'est-à-dire sans règles, comptées à partir du 1er jour des dernières règles constatées ;
- en semaines de grossesse réelle : cette dernière débute au commencement de la 3e semaine d'aménorrhée, à la fécondation. C'est donc le nombre de semaines d'aménorrhée moins 2 semaines.

Les deux formules sont correctes et sont employées indifféremment dans la pratique courante. Néanmoins, c'est le premier calcul qui est retenu comme convention internationale pour tout ce qui concerne les données de la grossesse ; c'est lui qui est toujours indiqué par votre gynécologue. Il est en effet plus fiable, car une femme connaît avec précision le jour de ses dernières règles, alors que l'ovulation peut ne pas avoir lieu au 14e jour du cycle.

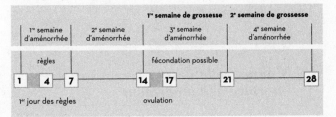

		1re semaine de grossesse	2e semaine de grossesse
1re semaine d'aménorrhée	2e semaine d'aménorrhée	3e semaine d'aménorrhée	4e semaine d'aménorrhée
règles		fécondation possible	
1 **4** — **7**		**14** **17** — **21**	**28**
1er jour des règles		ovulation	

← Le déroulement d'un cycle avec fécondation.

→

Votre grossesse
en SA, en SG
et en mois.

Semaines d'aménorrhée		Semaines de grossesse	Mois de grossesse
Les semaines d'aménorrhée, c'est-à-dire sans règles, se comptent à partir du 1er jour des dernières règles.			
1			
2	fécondation	0	
3		1	**mois 1**
4		2	
5		3	
6		4	fin du 1er mois
7		5	
8		6	**mois 2**
9		7	
10		8	fin du 2e mois
11		9	
12		10	
13		11	**mois 3**
14		12	
15		13	fin du 3e mois
16		14	
17		15	**mois 4**
18		16	
19		17	fin du 4e mois
20		18	
21		19	
22		20	**mois 5**
23		21	
24		22	fin du 5e mois
25		23	
26		24	**mois 6**
27		25	
28		26	fin du 6e mois
29		27	
30		28	**mois 7**
31		29	
32		30	fin du 7e mois
33		31	
34		32	**mois 8**
35		33	
36		34	fin du 8e mois
37		35	
38		36	
39		37	**mois 9**
40		38	
41		39	naissance
42		40	du bébé

Connaître la date de votre accouchement

....

Des tables de calcul utilisées par les médecins indiquent le terme de la grossesse, calculé à partir de la date des dernières règles. Vous pouvez également calculer cette date à l'aide d'une formule simple.

◆ Écrivez la date du 1er jour de vos dernières règles. Par exemple : 4/10 pour le 4 octobre.
◆ Soustrayez ensuite 3 pour le mois. Par exemple : 10 – 3 = 7.
◆ Ajoutez 7 au jour. Par exemple : 4 + 7 = 11. Votre bébé naîtra le 11 juillet.

La date de votre accouchement dépend de nombreux facteurs. Elle sera correcte :
◆ si vous vous souvenez avec certitude du 1er jour de vos dernières règles ;
◆ si vous avez ovulé et conçu exactement 14 jours après ;
◆ si vous accouchez 266 jours après votre fécondation.
Dans le pire des cas, la date pourra varier de 2 semaines, dans un sens ou dans un autre. Environ 90 % des femmes accouchent à terme, soit entre le 276e et le 296e jour de leur grossesse – vers la fin de la 40e et le début de la 41e semaine d'aménorrhée. Environ 7 % donnent naissance à des enfants prématurés, soit avant la 37e semaine. Environ 3 % accouchent après le terme, soit après la 41e semaine.
De toute façon, ne vous inquiétez pas, votre bébé sera là un jour !

POUR VOUS, LE FUTUR PÈRE

Vous êtes aussi au début d'une nouvelle et grande aventure. Vous allez vivre avec votre compagne neuf mois intenses, neuf mois d'attente où le bonheur, le doute et parfois l'angoisse seront mêlés. Tandis que la future maman sentira son corps se transformer et votre enfant devenir plus présent, votre attention et votre disponibilité constitueront les premiers pas vers votre nouveau statut de père. Rassurez votre compagne, communiquez-lui votre optimisme devant cette vie qui s'annonce. Puis, quand votre bébé commencera à se manifester, caressez-le à travers le ventre de sa mère. Parlez-lui le plus souvent possible. Il vous entend et, à peine né, il reconnaîtra votre voix. De même que la maternité, la paternité n'est pas un état inné. Alors que certains hommes se sentent déjà pères pendant la grossesse, d'autres ne ressentent cette réalité qu'à l'arrivée de leur enfant ; d'autres encore ont besoin de vivre des moments concrets avec lui. Quel que soit votre ressenti au cours de la grossesse de votre compagne, lorsque vous tiendrez votre bébé dans vos bras, puis, plus tard, votre enfant bien calé sur vos épaules ou courant à vos côtés, vous penserez : merci la vie !

Janvier	1	2	3	4	5	6	7	8	9	10	11	12	13	14	15
Oct.	15	16	17	18	19	20	21	22	23	24	25	26	27	28	29

Février	1	2	3	4	5	6	7	8	9	10	11	12	13	14	15
Nov.	15	16	17	18	19	20	21	22	23	24	25	26	27	28	29

Mars	1	2	3	4	5	6	7	8	9	10	11	12	13	14	15
Déc.	13	14	15	16	17	18	19	20	21	22	23	24	25	26	27

Avril	1	2	3	4	5	6	7	8	9	10	11	12	13	14	15
Janvier	13	14	15	16	17	18	19	20	21	22	23	24	25	26	27

Mai	1	2	3	4	5	6	7	8	9	10	11	12	13	14	15
Février	12	13	14	15	16	17	18	19	20	21	22	23	24	25	26

Juin	1	2	3	4	5	6	7	8	9	10	11	12	13	14	15
Mars	15	16	17	18	19	20	21	22	23	24	25	26	27	28	29

Juillet	1	2	3	4	5	6	7	8	9	10	11	12	13	14	15
Avril	14	15	16	17	18	19	20	21	22	23	24	25	26	27	28

Août	1	2	3	4	5	6	7	8	9	10	11	12	13	14	15
Mai	15	16	17	18	19	20	21	22	23	24	25	26	27	28	29

Sept.	1	2	3	4	5	6	7	8	9	10	11	12	13	14	15
Juin	15	16	17	18	19	20	21	22	23	24	25	26	27	28	29

Oct.	1	2	3	4	5	6	7	8	9	10	11	12	13	14	15
Juillet	15	16	17	18	19	20	21	22	23	24	25	26	27	28	29

Nov.	1	2	3	4	5	6	7	8	9	10	11	12	13	14	15
Août	15	16	17	18	19	20	21	22	23	24	25	26	27	28	29

Déc.	1	2	3	4	5	6	7	8	9	10	11	12	13	14	15
Sept.	14	15	16	17	18	19	20	21	22	23	24	25	26	27	28

16	17	18	19	20	21	22	23	24	25	26	27	28	29	30	31	Janvier
30	31	1	2	3	4	5	6	7	8	9	10	11	12	13	14	Nov.

16	17	18	19	20	21	22	23	24	25	26	27	28				Février
30	1	2	3	4	5	6	7	8	9	10	11	12				Déc.

16	17	18	19	20	21	22	23	24	25	26	27	28	29	30	31	Mars
28	29	30	31	1	2	3	4	5	6	7	8	9	10	11	12	Janvier

16	17	18	19	20	21	22	23	24	25	26	27	28	29	30		Avril
28	29	30	31	1	2	3	4	5	6	7	8	9	10	11		Février

16	17	18	19	20	21	22	23	24	25	26	27	28	29	30	31	Mai
27	28	1	2	3	4	5	6	7	8	9	10	11	12	13	14	Mars

16	17	18	19	20	21	22	23	24	25	26	27	28	29	30		Juin
30	31	1	2	3	4	5	6	7	8	9	10	11	12	13		Avril

16	17	18	19	20	21	22	23	24	25	26	27	28	29	30	31	Juillet
29	30	1	2	3	4	5	6	7	8	9	10	11	12	13	14	Mai

16	17	18	19	20	21	22	23	24	25	26	27	28	29	30	31	Août
30	31	1	2	3	4	5	6	7	8	9	10	11	12	13	14	Juin

16	17	18	19	20	21	22	23	24	25	26	27	28	29	30		Sept.
30	1	2	3	4	5	6	7	8	9	10	11	12	13	14		Juillet

16	17	18	19	20	21	22	23	24	25	26	27	28	29	30	31	Oct.
30	31	1	2	3	4	5	6	7	8	9	10	11	12	13	14	Août

16	17	18	19	20	21	22	23	24	25	26	27	28	29	30		Nov.
30	31	1	2	3	4	5	6	7	8	9	10	11	12	13		Sept.

16	17	18	19	20	21	22	23	24	25	26	27	28	29	30	31	Déc.
29	30	1	2	3	4	5	6	7	8	9	10	11	12	13	14	Oct.

I

LE PREMIER
TRIMESTRE

LE PREMIER
MOIS

Dès le début, votre corps va se transformer. D'une manière imperceptible, en profondeur et à votre insu. L'absence de règles marque ce bouleversement. Le fonctionnement de votre organisme, qui était cyclique, devient continu, entièrement dirigé vers cette finalité : la création d'un nouvel être vivant.

Ces changements dans votre corps sont placés sous la dépendance étroite des hormones de la gestation. Libérées en grande quantité, elles seront la cause directe des nausées et autres petits malaises bien connus des femmes enceintes.

Acceptez ces ennuis en toute connaissance de cause, en gardant présent à l'esprit votre objectif : votre bébé. Au cours de ce premier mois, il va faire des progrès étonnants : de simple cellule il va devenir un être de quelques millimètres, avec un cœur qui bat. L'histoire de votre bébé est si passionnante qu'elle vous fera oublier tous vos petits désagréments.

•

1er JOUR DE VOTRE BÉBÉ

Début de la **3e semaine** depuis le 1er jour de vos dernières règles

EN BREF
CETTE SEMAINE

VOTRE BÉBÉ

◆ Taille de l'ovocyte : 150 millièmes de mm

◆ Conception de votre bébé par la fécondation, c'est-à-dire la fusion d'un ovocyte et d'un spermatozoïde.

◆ Votre bébé n'est plus un œuf mais un embryon.

VOUS

◆ Ovulation

◆ Fécondation : un de vos ovocytes fusionne avec un spermatozoïde

Ce premier mois de grossesse est une période clé dans votre vie. Comme chaque mois, une petite cellule va apparaître à la surface de l'un de vos ovaires. Mais, cette fois, c'est différent, car elle va être fécondée ! Dès cet instant, un processus inéluctable s'amorce : vous allez devenir mère.

La fécondation

La fécondation est la rencontre des deux cellules essentielles, l'ovocyte et le spermatozoïde. Elle a lieu dans le tiers externe de la trompe qui a capté l'ovocyte.

Cette rencontre peut se faire le jour même de l'ovulation : soit parce que les spermatozoïdes déposés dans le vagin un ou deux jours auparavant attendent déjà l'ovocyte dans les trompes ; soit parce qu'un rapport sexuel a lieu le jour même de la ponte ovulaire. Elle peut être différée de 24 heures si, l'ovocyte étant émis, le rapport sexuel n'a lieu que 24 heures plus tard.

Des millions de spermatozoïdes

Lors de l'éjaculation, 2 à 5 cm³ de sperme sont déposés dans le vagin. Le sperme normal contient 30 à 100 millions de spermatozoïdes par cm³, ce qui fait environ 60 à 500 millions de spermatozoïdes déposés dans le vagin. Mobiles, munis d'un long flagelle, les spermatozoïdes s'engagent dans la glaire cervicale et traversent le col de l'utérus en 2 à 10 minutes. Aidés par les contractions de l'utérus et guidés par les mouvements de godille et de vrille de leur flagelle, ils avancent dans l'utérus à la vitesse de 2 à 3 mm par minute. Ils atteignent la partie supérieure des trompes, le lieu de la fécondation, en 1 h 30 à 2 heures. Au cours de ce voyage, les spermatozoïdes subissent, au contact des sécrétions muqueuses, quelques modifications qui leur assurent leur pouvoir fécondant.

La rencontre avec l'ovocyte

Peu d'élus

Nombreux sont les spermatozoïdes qui ne parviendront pas à destination. Seuls 100 à 200 au maximum arriveront dans la trompe, au voisinage de l'ovocyte ; très mobiles, ils se presseront autour de lui.

Sous l'effet d'une enzyme – une molécule chimique –, les cellules folliculaires toujours accrochées à l'ovocyte sont peu à peu détachées de la zone pellucide (voir le schéma page 18). Plusieurs spermatozoïdes y pénètrent grâce aux enzymes contenues dans leur acrosome (voir le schéma page 18). Par une réaction de surface de l'ovocyte, un seul d'entre eux peut franchir cette barrière. Il colle alors sa tête contre la membrane de l'ovocyte et, par fusion des membranes, les deux cellules entrent en contact.

Aucun autre spermatozoïde ne pouvant plus pénétrer dans l'ovocyte, les autres spermatozoïdes meurent progressivement sur place.

**BON
À SAVOIR**

La fécondation a lieu entre 1 h 30 et 3 jours après la ponte ovulaire.

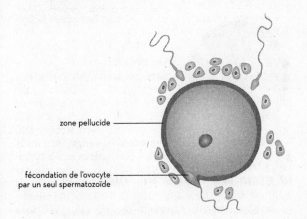

zone pellucide

fécondation de l'ovocyte
par un seul spermatozoïde

← La fécondation.

Une fois dans la place

Dès sa pénétration dans l'ovocyte, le spermatozoïde perd son flagelle, qui dégénère, tandis que le noyau qui, présent dans sa tête, contient les chromosomes, augmente de volume. Quant à l'ovocyte, il se trouve activé, sort de son état d'inertie et devient apte à se lancer dans la grande aventure de la création ; son noyau augmente également de volume. Les deux noyaux, celui du père et celui de la mère, se rapprochent l'un de l'autre dans la région centrale de l'ovule, se touchent et fusionnent. Un œuf, appelé « zygote », est ainsi formé : cette première cellule est le début d'une nouvelle vie.

→
Le zygote : 1ʳᵉ cellule de votre bébé.

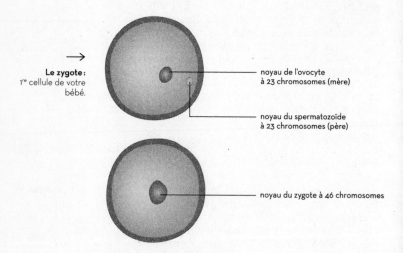

noyau de l'ovocyte à 23 chromosomes (mère)

noyau du spermatozoïde à 23 chromosomes (père)

noyau du zygote à 46 chromosomes

Le zygote : la première cellule de votre bébé

Cette vie qui débute est celle de votre bébé. Le zygote, c'est-à-dire cette cellule nouvellement constituée, porte dans son noyau, issu de la fusion des noyaux de l'ovocyte et du spermatozoïde, toutes les potentialités pour se développer et devenir un être humain.

Dans cette première cellule, à partir de laquelle dériveront toutes les autres, les chromosomes paternels et maternels se trouvent réunis. Ils sont porteurs de l'ensemble des gènes, ces chefs d'orchestre indispensables à la fabrication et à la coordination de l'intégralité des éléments du futur être.

Toutes les caractéristiques de votre enfant sont inscrites là, dans les chromosomes animés de mouvements lents, au centre du zygote. Ces caractéristiques sont en partie héritées des vôtres et de vos ascendants, et en partie de celles du père et de ses ascendants.

Dès cet instant, tout est déterminé pour votre bébé, et on ne peut plus rien changer : son sexe, ses particularités physiques telles que la couleur de ses yeux et de ses cheveux, la longueur de son nez, la forme de son visage, ainsi que ses traits mentaux fondamentaux sont d'ores et déjà programmés dans cette cellule unique que constitue le zygote.

Fille ou garçon ?

Dès ce stade de première cellule, le sexe de votre bébé est donc décidé. Le choix a été fait uniquement par le hasard, au moment de la fécondation : l'ovocyte, qui est toujours porteur d'un chromosome X, a été fécondé par un spermatozoïde qui possède soit un chromosome X, soit un chromosome Y. La formule chromosomique qui en résultera aboutira à la formation d'une fille ou bien d'un garçon (voir schéma page ci-contre).

Peut-on choisir le sexe de son enfant ?

Comme il naît autant de garçons que de filles – pour être vraiment précis, il naît en France 105 garçons pour 100 filles –, vous avez donc une chance sur deux environ d'avoir l'un ou l'autre. Mais est-il possible d'influencer le hasard et de choisir le sexe de son futur enfant ?

La réponse est non. Même si, d'une manière expérimentale, on sait aujourd'hui trier les spermatozoïdes « filles » des spermatozoïdes « garçons » – mais cela n'est pas applicable en pratique courante, ne serait-ce que pour des raisons d'éthique !

Des méthodes peu fiables

Il existe des méthodes traditionnelles, aléatoires, uniquement fondées sur l'empirisme et sans garantie de résultats, qui, de tout temps, ont cherché à forcer le hasard.

Ces méthodes consistent à changer le taux d'acidité du milieu vaginal par une injection pratiquée avant le rapport sexuel et composée d'eau diluée de vinaigre si l'on désire une fille ou de bicarbonate de soude si l'on préfère un garçon.

Une autre méthode, fondée sur un régime alimentaire différent selon le sexe voulu, pourrait être envisagée ; mais les contraintes qu'elle implique pour la mère, et surtout les risques de carences en vitamines et en minéraux qu'elle entraîne, ne méritent pas qu'on s'y attarde.

→
La formule chromosomique des cellules de l'organisme.

La seule méthode qui pourrait être fiable pour avoir un enfant du sexe désiré serait la réimplantation dans l'utérus d'un embryon choisi après fécondation *in vitro*. Mais cette technique n'a pas d'application clinique car, de nouveau, elle est indéfendable sur le plan éthique. La bonne question à se poser est peut-être celle-ci : pourquoi influencer le hasard et choisir le sexe de son enfant ? Un enfant n'est-il pas le plus beau des cadeaux que puisse offrir la nature ? Alors, laissons-la faire.

À qui ressemblera votre bébé ?

Dans le zygote, cette première cellule de votre bébé, le noyau reconstitué porte de nouveau les 46 chromosomes de l'espèce : 23 chromosomes paternels face à 23 chromosomes maternels. Chaque chromosome porte, à un endroit donné, un gène qui définira une caractéristique précise.

Dès à présent, votre futur enfant possède donc un capital génétique qui lui est propre, constitué pour moitié de celui de son père et pour moitié de celui de sa mère, donc pour un quart de celui de chacun de ses grands-parents, etc.

Dans le zygote, les chromosomes maternels et paternels vont, au hasard, s'associer par paires, et les gènes qui concernent la même particularité vont se retrouver face à face. Or, un même gène se présente sous deux formes : une forme dominante et une forme récessive. C'est le gène dominant qui s'exprimera.

La couleur des yeux

D'une façon générale, un gène qui détermine une couleur foncée est toujours dominant sur un gène qui détermine une couleur claire. Dans ce cas, comment expliquer que des parents ayant tous les deux les yeux marron puissent avoir des enfants aux yeux bleus ?

Du fait de la présence d'un même gène en deux exemplaires, les parents peuvent être porteurs de deux gènes dominants, ou bien d'un gène dominant et d'un gène récessif. Cela explique leurs yeux marron ; il suffit de voir s'il y a des yeux bleus parmi les ascendants ou les collatéraux.

Au cours de la fécondation, s'il y a rencontre des gènes maternels et paternels dominants, l'enfant aura les yeux sombres. S'il y a rencontre d'un gène dominant et d'un gène récessif, l'enfant aura les yeux sombres. S'il y a rencontre

Le gène déterminant la couleur marron (m) est dominant.
Le gène déterminant la couleur bleue (b) est récessif. C'est donc le gène marron qui s'exprime.

→

**La couleur
de ses yeux :**
bleue ou marron ?

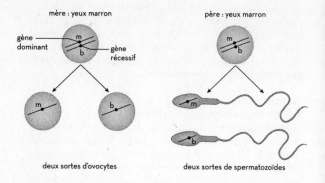

mère : yeux marron

gène
dominant

gène
récessif

père : yeux marron

deux sortes d'ovocytes

deux sortes de spermatozoïdes

Dans les cellules sexuelles, les chromosomes sont en un seul exemplaire.
Par la fécondation, il y a réunion, au hasard, des chromosomes paternels et maternels.

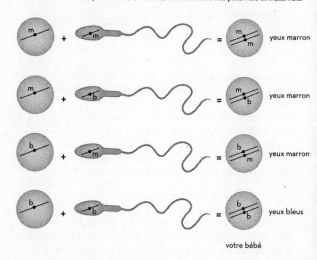

yeux marron

yeux marron

yeux marron

yeux bleus

votre bébé

des deux gènes récessifs, l'enfant aura les yeux clairs (voir schéma page ci-contre). Si cela est la règle générale, des modifications de gènes peuvent intervenir d'une génération à l'autre, ce qui joue sur les caractères de coloration et n'exclut pas l'apparition d'un enfant aux yeux sombres dans une famille où tout le monde a les yeux bleus. De plus, la couleur de l'œil est régie par plus d'une vingtaine de gènes, ce qui explique les différentes variantes possibles; la couleur des yeux d'un enfant est donc difficile à prévoir.

Un être unique
Au cours des générations se produit un gigantesque brassage des gènes. C'est la raison pour laquelle chaque individu est unique. Il est le résultat de la combinaison de milliards de gènes.
Dans ces conditions, un enfant peut très bien, au sein d'une famille, ne pas ressembler du tout à ses parents mais à ses grands-parents ou à ses oncles et à ses tantes. Au milieu de ses frères et de ses sœurs, il est également unique, car chaque gamète de ses parents – ovocyte et spermatozoïde – est, sur le plan génétique, différent de tous les autres.
Pour un organisme possédant n chromosomes, il y a production de 2^n gamètes différents. Dans l'espèce humaine, où $n = 23$, cela fait $2^{23} = 8,4 \times 10^6$ gamètes génétiquement différents, pour l'homme comme pour la femme; ce qui est considérable.
Alors, à qui va ressembler votre bébé ? C'est impossible à prévoir. C'est la surprise qu'il vous réserve pour le jour de sa naissance.

Et si c'étaient des jumeaux ?
Vous ne pouvez pas encore savoir si vous attendez des jumeaux. Pourtant, cela aussi est déjà décidé. Comme vous le savez, il existe deux variétés de jumeaux : les « faux » et les « vrais » (voir schémas ci-dessous).

Les faux jumeaux
Ils proviennent de la fécondation simultanée, au cours du même rapport sexuel, de deux ovocytes différents par deux spermatozoïdes différents. Il en résulte deux zygotes différents, qui iront s'implanter l'un à côté de l'autre dans l'utérus. Les deux enfants pourront être de même sexe ou

de sexe différent, selon la répartition au hasard des spermatozoïdes. Ils ne se ressembleront ni plus ni moins que des frères et sœurs.

Ces grossesses à deux zygotes représentent les deux tiers des cas de grossesses gémellaires.

→
Des faux jumeaux.

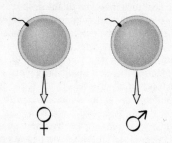

Les vrais jumeaux

Dans un tiers des cas, un seul spermatozoïde féconde un seul ovocyte, ce qui aboutit à un œuf unique. Sous diverses influences mal expliquées, cet œuf unique va se scinder en deux parties égales qui vont chacune se développer.

Absolument identiques, les deux œufs issus du partage vont donner naissance à deux enfants semblables car ayant reçu le même patrimoine génétique. Les vrais jumeaux sont toujours du même sexe et témoignent d'une ressemblance troublante.

→
Des vrais jumeaux.

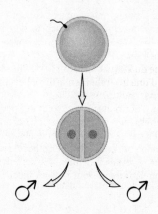

Quand la fécondation rencontre des difficultés

L'assistance médicale à la procréation (AMP)

Parfois, la fécondation rencontre des difficultés pour des causes liées à la future mère ou au futur père ; en matière de stérilité, les raisons d'un échec de la conception sont trois fois sur dix féminines, deux fois sur dix masculines et, dans 50 % des cas, elles sont partagées. L'assistance médicale à la procréation est là pour vous aider. Deux techniques sont utilisées : la fécondation *in vitro* et l'insémination artificielle. L'AMP est prise en charge à 100 % par la Sécurité sociale après entente préalable demandée par le médecin.

Pour bénéficier d'une fivete ou d'une insémination artificielle, il faut que le couple soit hétérosexuel, qu'il soit marié, pacsé, en concubinage ou en union libre – sans avoir à justifier de deux ans de vie commune au moins –, et que la femme soit âgée de moins de 43 ans. Depuis 2011, l'implantation d'un embryon est autorisée si le projet parental a été engagé, mais interrompu par le décès du père.

La fécondation in vitro et transfert d'embryons (fivete)

La fécondation *in vitro* est réalisée à l'extérieur de l'organisme maternel – par opposition à la fécondation *in vivo*, la fécondation naturelle – avec l'ovocyte de la mère et les spermatozoïdes du père.

Les indications d'une fivete sont notamment :

◆ une altération des trompes – bouchées ou abîmées, en particulier après des grossesses extra-utérines –,
◆ une endométriose,
◆ le syndrome du Distilbène (voir page 175),
◆ les échecs d'une insémination artificielle,
◆ des grossesses multiples.

Par injection d'hormones, on provoque l'ovulation en stimulant la croissance de plusieurs follicules. Les ovocytes sont recueillis par ponction des follicules prêts à s'ouvrir ; cette dernière ne nécessite plus de cœlioscopie. Les spermatozoïdes sont recueillis par masturbation. Ils subissent un traitement qui leur donne leur pouvoir fécondant.

Plusieurs ovocytes et plusieurs milliers de spermatozoïdes sont mis en présence dans une éprouvette contenant un milieu adéquat ; ils sont placés dans une étuve à 37 °C pendant 48 heures. La fécondation puis les premières divisions ont lieu. Un embryon de quatre à huit cellules est transféré chez la future mère : il est placé dans un tube très fin en plastique transparent, appelé « cathéter », qui le libérera dans la cavité utérine après être passé naturellement par les voies génitales. Si tout va bien, l'embryon s'implantera dans la muqueuse utérine, où il poursuivra son développement.

L'évolution de l'œuf est suivie par des dosages hormonaux fréquents, puis par des échographies quand l'embryon commence à grossir. À partir du 3e mois, on estime que la grossesse évoluera jusqu'à son terme. Le taux de réussite de la fivete est en moyenne de 20 % en France ; selon les centres de procréation médicalement assistée, il varie entre 10 et 30 %. Pour augmenter les chances d'une grossesse, plusieurs embryons peuvent être transférés, en général pas plus de trois ou quatre afin d'éviter les risques de grossesse multiple. Pour ne pas recommencer la stimulation des ovaires et le prélèvement des ovocytes, ils sont conçus *in vitro*. Ils sont congelés et gardés en vue d'une implantation ultérieure, en cas d'échec – ce qui pose quelques problèmes éthiques.

Le Gift, ou Gamete Intra Fallopian Transfert

Pratiquée sous cœlioscopie, cette technique est utilisée lorsque la trompe est bonne mais que son pavillon est incapable de capter l'ovocyte. Dans ce cas, on prélève l'ovocyte dans l'ovaire, puis on le place dans la trompe avec des spermatozoïdes préparés.

Le Zift, ou Zygote Intra Fallopian Transfert

Le petit embryon de quatre à huit cellules obtenu par fécondation *in vitro* est directement placé dans la trompe, sous cœlioscopie. Il descend naturellement dans l'utérus où, quelques jours plus tard, il s'implantera dans la muqueuse.

L'Icsi, ou Intracytoplasmique Spermatozoïde Injection

Cette technique tend à remplacer la fivete. Après prélèvement des ovocytes obtenus à la suite d'une stimulation ovarienne, on introduit à l'aide d'une pipette un seul spermatozoïde, choisi parmi les plus mobiles, dans l'ovocyte. Deux ou trois embryons nés de la fusion de ces deux cellules sont alors directement transférés dans l'utérus. 20 % des Icsi sont suivies de naissances. Ce chiffre est proche des conditions normales de procréation : on estime en effet qu'un couple fertile âgé de moins de 30 ans a 25 % de chances par cycle d'obtenir une grossesse.

L'insémination artificielle (IA)

Elle est pratiquée quand la difficulté est liée au futur père :
◆ s'il souffre d'impuissance, ce qui ne signifie pas qu'il est stérile ;
◆ si son sperme, trop pauvre en spermatozoïdes, nécessite d'être concentré.

L'insémination artificielle consiste en l'introduction, dans les voies génitales de la femme, de spermatozoïdes recueillis par masturbation. Le sperme peut être recueilli en une fois si les spermatozoïdes y sont assez nombreux, ou en plusieurs fois dans le cas contraire. Ils sont concentrés et traités de façon à acquérir leurs propriétés fécondantes, puis ils sont déposés à l'intérieur de la cavité utérine.

En cas d'échec, une nouvelle insémination aura lieu au cycle suivant. Avec du sperme frais, le taux de réussite est de 60 à 70 % dans les six mois. Avec du sperme congelé, il est de 50 à 55 %.

L'insémination artificielle avec donneur (IAD)

Dans le cas de stérilité du conjoint, l'insémination peut être pratiquée avec le sperme d'un donneur anonyme. Le couple désirant un enfant doit alors s'adresser à un Cecos, centre d'étude et de conservation des œufs et du sperme humains (voir en annexe les adresses utiles). Toujours anonyme, le donneur doit être âgé de moins de 45 ans, vivre en couple et avoir un enfant au moins. Les examens biologiques, sérologiques et génétiques qui contrôlent la normalité de son sperme sont gratuits. Son sperme sera congelé en attendant d'être utilisé.

Le don de sperme et d'ovocytes par une tierce personne

Il est réservé aux couples stériles ou à ceux qui présentent un risque de transmission d'une maladie grave. Le don de gamètes ne peut être effectué que par un couple ayant déjà un enfant. Il est anonyme et gratuit. Les gamètes ne seront utilisés qu'après congélation.

**BON
À SAVOIR**

Tous les 5 ans, afin de s'ajuster au développement des biotechnologies, une révision de la loi bioéthique est engagée. Avec un peu de retard, la loi de 2004 a été réexaminée et révisée en 2011.

Par acte signé devant un juge ou un notaire, le couple receveur reconnaît l'impossibilité d'établir tout lien de filiation avec le donneur. Il reconnaît aussi la filiation maternelle du fait de l'accouchement et ne peut contester la filiation paternelle. Les dons de sperme et d'ovocytes sont pratiqués uniquement dans les Cecos.

Pour un don de sperme, les délais d'attente sont de l'ordre de 12 à 18 mois ; pour un don d'ovocytes, il est de 3 ans.

Le diagnostic préimplantatoire (DPI)

Il consiste à sélectionner les embryons obtenus par fécondation *in vitro*. Il s'adresse aux familles ayant une anomalie génétique identifiée chez l'un des conjoints ou chez un frère ou une sœur de l'enfant à naître ; cela concerne quelques maladies héréditaires comme la myopathie, la mucoviscidose ou une anomalie liée au nombre de chromosomes.

Pris en charge par la Sécurité sociale, le DPI est actuellement réalisé dans quatre centres : l'hôpital Arnaud-de-Villeneuve à Montpellier, l'hôpital Antoine-Béclère à Clamart, le centre médico-chirurgico-obstétrical (CMCO) à Schiltigheim et, depuis 2011, le centre hospitalier universitaire Hôtel-Dieu de Nantes.

La loi bioéthique du 6 août 2004 a élargi l'accès du DPI aux parents d'un enfant atteint de certaines maladies afin qu'un petit frère ou une petite sœur issu d'un embryon sain puisse aider à guérir l'aîné malade.

RAPPEL DE LA LÉGISLATION

Sont interdits en France :

- le commerce de don d'ovocytes et de sperme ; le recours aux mères porteuses (autorisées aux États-Unis, au Royaume-Uni et en Belgique) ;

- la recherche sur l'embryon (autorisée seulement sur les embryons non utilisés après une période de 5 ans) ;

- le clonage, y compris thérapeutique, qui consiste à créer des cellules souches pour remplacer les cellules malades – autorisé pour la recherche au Royaume-Uni.

TO-DO LIST

jour
01

✓ Faites chez vous **un test de grossesse.**

SEMAINE DE GROSSESSE

3ᵉ semaine depuis le 1ᵉʳ jour
de vos dernières règles

EN BREF
CETTE SEMAINE

VOTRE BÉBÉ

♦ Taille de l'ovocyte :
0,1 mm

♦ Migration de l'œuf
dans l'utérus et
implantation dans
la muqueuse utérine.

VOUS

♦ La muqueuse utérine
modifiée par la
progestérone émise
par le corps jaune
est prête à accueillir
l'œuf.

♦ L'utérus a la taille
d'une figue.

Pendant cette première semaine la grossesse,
la première cellule de votre bébé à venir va traverser
quatre étapes importantes : la segmentation,
la migration, l'arrivée dans l'utérus et la nidation.

La segmentation : entre 30 et 50 heures après la fécondation

Peu de temps après la fécondation, la première cellule de
votre bébé va se diviser : c'est la segmentation. Cette division aboutit à la formation de deux cellules de taille égale,
appelées « blastomères ». Chacune de ces cellules va de nouveau se diviser en quatre vers la 50ᵉ heure, puis en huit vers
la 60ᵉ heure.
À la division suivante, votre futur bébé est constitué d'une
petite boule de seize cellules, appelée « morula », car elle
ressemble à une mûre.

La migration : entre la 72ᵉ heure et le 4ᵉ jour

Tout en se divisant, l'œuf se déplace du tiers externe de la
trompe, où a eu lieu la fécondation, vers la cavité utérine.
Le voyage va durer trois jours, trois jours pendant lesquels
les divisions se succèdent, augmentant le nombre de cellules dans la morula. À ce stade, le volume de la morula
est le même que celui de l'ovocyte initial au moment de la
fécondation ; ce n'est qu'après la sixième division cellulaire,
au stade de 64 cellules, que l'œuf commence à augmenter
de volume.
À ce stade de la division, il existe déjà une différence visible
entre les cellules de la morula. Les cellules périphériques,
de petite taille, entourent des cellules centrales, plus volumineuses, qui seront à l'origine du bouton embryonnaire.
D'ailleurs, cette petite sphère va se creuser en son centre
et former une cavité remplie de liquide qui abrite l'amas de

cellules que constitue le bouton embryonnaire. La morula est devenue un blastocyste.

Du bouton embryonnaire naîtra l'embryon, tandis que les cellules externes seront à l'origine de l'enveloppe qui le protégera. Une partie de cette enveloppe, appelée « trophoblaste », contribuera à former le placenta (voir le schémas pages 52-54). À ce stade, le blastocyste mesure 250 millièmes de millimètre.

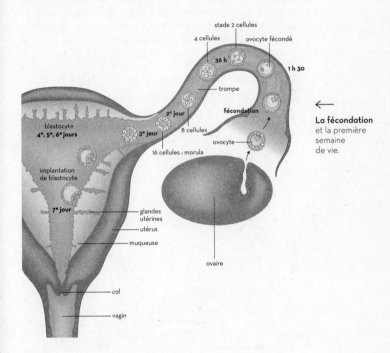

La fécondation et la première semaine de vie.

L'arrivée dans l'utérus : entre le 4ᵉ et le 5ᵉ jour

Au terme de sa migration, le blastocyste arrive dans la cavité utérine et y flotte librement le 4ᵉ et le 5ᵉ jour suivant la fécondation.

À ce moment, la zone pellucide qui entourait l'œuf disparaît, et il s'accole par son pôle embryonnaire à la muqueuse utérine. Celle-ci s'est épaissie et les vaisseaux sanguins qui la parcourent se sont développés d'une manière considérable. Les glandes chargées de glycogène se sont également multipliées. Elles vont servir à nourrir l'œuf dès son arrivée dans la muqueuse utérine, avant qu'apparaissent les premières ébauches du placenta.

Au niveau de l'ovaire, le corps jaune, édifié à partir du follicule qui a émis l'ovocyte, produit une quantité énorme de progestérone. Celle-ci empêche l'utérus de se contracter, comme il le fait au moment des règles, et assure donc la survie de l'œuf. Et comme tout est vraiment prévu, le trophoblaste sécrète pendant les premières semaines de la grossesse l'hormone gonadotrophine chorionique (HCG), qui va maintenir le corps jaune en activité.

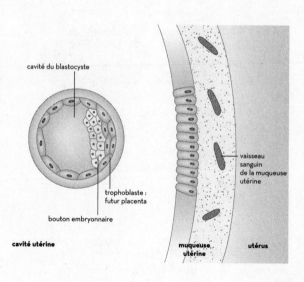

Les 4ᵉ et 5ᵉ jours : l'œuf flotte librement dans la cavité utérine.

cavité du blastocyste

trophoblaste : futur placenta

bouton embryonnaire

cavité utérine

vaisseau sanguin de la muqueuse utérine

muqueuse utérine

utérus

La nidation : le 7ᵉ jour

Sept jours après la fécondation – c'est-à-dire 21 ou 22 jours après le début de vos dernières règles –, l'œuf fécondé va pénétrer entièrement dans la muqueuse utérine. Les cellules externes de l'œuf commencent à s'insinuer entre les cellules de l'épithélium utérin. Ces travées de cellules, qui pénètrent en profondeur, marquent le début de l'implantation qui se déroulera effectivement pendant la 2ᵉ semaine de grossesse.

BON À SAVOIR

Jours 2 à 7 : segmentation, migration et nidation de l'œuf fécondé.

←

Le 7ᵉ jour : début d'implantation de l'œuf dans la muqueuse utérine.

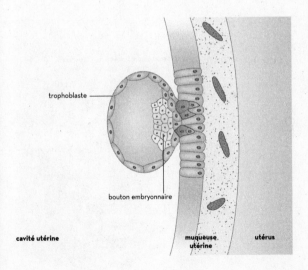

trophoblaste

bouton embryonnaire

cavité utérine

muqueuse utérine

utérus

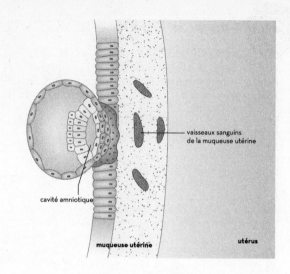

Le 8ᵉ jour : implantation de l'œuf dans la muqueuse utérine et formation de la cavité amniotique.

vaisseaux sanguins de la muqueuse utérine

cavité amniotique

muqueuse utérine

utérus

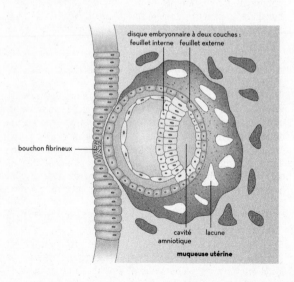

Le 10ᵉ jour : l'œuf est entièrement installé dans la muqueuse utérine.

disque embryonnaire à deux couches : feuillet interne   feuillet externe

bouchon fibrineux

cavité amniotique   lacune

muqueuse utérine

SEMAINE DE GROSSESSE

4ᵉ semaine depuis le 1ᵉʳ jour
de vos dernières règles

Si vous avez été fécondée, vous ne présentez encore aucun signe, même présomptif, de grossesse. Pourtant, votre corps s'organise. Il y a d'abord eu le zygote, cellule unique, issu de la fusion des gamètes parentaux, tel un micro-ordinateur dont le cerveau est l'ADN. Le programme était déjà tout prêt. Les innombrables séquences de l'ADN que sont les gènes vont être décodées les unes après les autres, tandis que les éléments ouvriers de la cellule travailleront à partir des ordres donnés.

Votre bébé

Le 8ᵉ jour qui suit la fécondation, le blastocyste – petite sphère creuse contenant le futur embryon (voir page 50) – continue de pénétrer dans la muqueuse utérine. Le 9ᵉ jour, le blastocyste a entièrement pénétré dans la muqueuse. Au 10ᵉ jour, la brèche formée par son introduction est refermée par un bouchon fibrineux provisoire, en attendant que de nouvelles cellules viennent reconstituer la paroi (voir schéma ci-contre).

Au tout début de cette 2ᵉ semaine, certaines cellules du bouton embryonnaire vont former une couche aplatie, et le blastocyste, petite balle creuse, va peu à peu prendre la forme d'un disque. Le disque embryonnaire est constitué tout d'abord de deux couches de cellules : un feuillet interne, qui apparaît le premier, et un feuillet externe, duquel dérivera, au début de la 3ᵉ semaine de grossesse, le feuillet médian. Le disque embryonnaire à deux couches possède une longueur totale de 0,1 à 0,2 mm.

Les annexes embryonnaires

Pour se développer, votre bébé a besoin de votre corps. C'est de vous qu'il recevra la nourriture et l'oxygène, c'est en vous qu'il rejettera les déchets dus au métabolisme de ses cellules. Ces échanges mère-enfant sont possibles grâce à un système complexe, les annexes embryonnaires.

VOTRE BÉBÉ

♦ Taille de l'ovocyte : 0,2 mm

♦ Formation du disque embryonnaire à plusieurs couches cellulaires qui seront à l'origine de tous les tissus.

♦ Votre bébé n'est plus un œuf mais un embryon.

VOUS

Le trophoblaste, couche externe de l'œuf, sécrète l'HCG qui maintient le corps jaune en activité.

Ces annexes, que constituent le placenta, le cordon ombilical et la cavité amniotique remplie de liquide et à l'intérieur de laquelle flotte le bébé, ne font partie ni de la mère ni de l'enfant. Elles sont là d'une façon transitoire, pendant tout le temps de la grossesse, puis seront éliminées après la naissance de l'enfant.

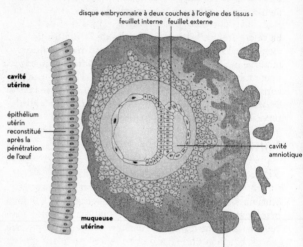

Le 13ᵉ jour : l'œuf est entièrement inclus dans la muqueuse utérine.

disque embryonnaire à deux couches à l'origine des tissus : feuillet interne   feuillet externe

cavité utérine

épithélium utérin reconstitué après la pénétration de l'œuf

cavité amniotique

muqueuse utérine

vaisseaux sanguins s'ouvrant dans les lacunes : ébauche du placenta

Le placenta

Le placenta est une structure dont le rôle majeur est de permettre les échanges nutritifs et gazeux entre le sang maternel et celui du bébé. Avant d'être un organe différencié, il passe par des stades progressifs. Au 9ᵉ jour, le trophoblaste, la couche de cellules la plus externe de l'œuf, se dissocie en deux couches de cellules. Dans l'une d'entre elles, des vacuoles apparaissent, grossissent et enfin confluent pour former des lacunes.

Douze jours après la fécondation, les capillaires – les très petits vaisseaux sanguins qui irriguent la muqueuse utérine –, érodés par les cellules de la couche profonde du trophoblaste, se rompent, et du sang maternel remplit les lacunes, qui fusionnent au 13ᵉ jour. Un contact entre le blastocyste et la circulation maternelle est ainsi établi : c'est l'ébauche du placenta.

L'autre couche de cellules issues du trophoblaste finit par entourer entièrement l'œuf et prend le nom de « chorion », tandis que la muqueuse utérine dans laquelle le blastocyste a pénétré complètement devient la caduque, car elle sera entièrement éliminée après la naissance.

L'œuf, qui, en se développant, fera de plus en plus saillie dans la cavité utérine, se trouve recouvert de deux couches de tissus : la caduque et le chorion.

La cavité amniotique

Plus couramment appelée « poche des eaux », la cavité amniotique est le lieu dans lequel vivra votre bébé pendant neuf mois.

Parallèlement aux premiers remaniements, elle se forme au 8e jour, par l'éloignement du bouton embryonnaire et du trophoblaste – la couche externe de l'œuf. Les jours suivants, elle s'agrandira progressivement. La cavité amniotique est limitée par une membrane, appelée « amnios ».

Vous

Vous ne savez toujours pas si vous êtes enceinte. Vous l'espérez, c'est tout. À la fin de cette semaine, vous devriez avoir vos règles. Viendront-elles ?

Les tests de grossesse

Si vous ne pouvez vous résoudre à attendre, dès le premier jour de retard de règles, faites chez vous un test de grossesse. Vendus en pharmacie, non remboursés, les tests sont fiables à 99 % ; ils sont fondés sur une réaction immunologique entre l'hormone HCG (voir page 22) et un réactif. Choisissez un test sensible à 50 UI/litre, car ceux qui réagissent à un taux plus bas peuvent donner de faux espoirs. Faites-le le matin au lever, après avoir évité de boire la veille au soir après 20 heures, afin que vos urines soient plus concentrées. Il peut arriver que le résultat soit faussé par un traitement contre la stérilité. Le test peut également indiquer un résultat positif trois semaines après une fausse couche ou un avortement médicamenteux.

Et si vous avez pris la pilule du lendemain, attendez 17 jours avant de pratiquer un test de grossesse.

Votre corps s'organise

Au niveau de l'ovaire, le corps jaune, placé sous la dépendance directe de l'hormone gonadotrophine chorionique (HCG) sécrétée par le trophoblaste, augmente de volume et produit de plus en plus d'œstrogènes et de progestérone, assurant ainsi une nidification parfaite et la poursuite de la grossesse.

En réponse à l'implantation du blastocyste et avant qu'apparaissent les ébauches du placenta, les cellules de la muqueuse utérine deviennent plus volumineuses; chargées de réserves, elles nourrissent la petite boule de cellules qu'est pour le moment votre bébé.

Au quotidien
....

Vous ignorez si vous êtes enceinte. Ne commettez pas d'imprudence pour autant. À ce stade précoce de développement qu'est le disque embryonnaire, les cellules germinales qui le composent sont très sensibles aux agents pouvant provoquer des anomalies.

Attention aux rayons X

Refusez tout examen radiologique, car une exposition aux rayons X peut avoir des conséquences graves sur le futur embryon; selon la dose de rayons émis et le moment de la grossesse, elle peut entraîner des malformations. Le risque est plus grand au cours du 1er trimestre.

Prenez garde aux médicaments

Ne recourez pas à l'automédication, mais si un traitement vous est prescrit, suivez-le strictement, le bénéfice ayant été pris en considération du risque encouru, notamment pour une pathologie grave; à sa naissance, votre bébé fera l'objet d'une prise en charge particulière.

Les médicaments d'usage courant à proscrire

◆ À partir du 2e trimestre de grossesse, les antalgiques de la classe des anti-inflammatoires non stéroïdiens, comme l'aspirine et l'ibuprofène, sont susceptibles d'entraîner des atteintes rénales ou cardiaques chez votre bébé.

⚠ ATTENTION

Vous ignorez si vous êtes ou non enceinte. Aussi, ne commettez pas d'imprudence. Attention aux rayons X, aux médicaments, à la respiration de produits chimiques. Ils peuvent nuire gravement à la santé de votre bébé.

- À la fin de la grossesse, les somnifères et les tranquillisants de la famille des benzodiazépines risquent de perturber les mécanismes d'adaptation respiratoire et alimentaire du nouveau-né ; 20 à 30 % des bébés dont les mères ont pris des antidépresseurs pendant leur grossesse présentent des signes d'agitation, d'irritabilité, et des troubles du tonus musculaire et de la succion.

- Ne prenez jamais de médicaments contre le rhume (ils contiennent des vaso-constricteurs, qui peuvent provoquer une hypertension, voire un retard de croissance fœtale), ni des antihistaminiques (qui endorment la mère et le fœtus).

- N'utilisez pas de sirop contre la toux, souvent à base de morphiniques et d'antihistaminiques.

- Si vous êtes enrhumée, faites des lavages du nez avec du sérum physiologique ou une préparation à l'eau de mer ; si vous avez de la fièvre, consultez votre médecin.

Ne manipulez pas de produits chimiques

N'utilisez pas de solvants, colles, détachants, teintures, peintures et, d'une façon générale, tout produit chimique en bombe pulvérisatrice, pouvant être facilement inhalé. N'utilisez pas de diffuseur de parfum d'ambiance. Réduisez l'emploi des produits d'entretien ; utilisez de préférence des produits naturels tels que le vinaigre blanc, ou des produits d'entretien biologiques. Aérez tous les jours vos pièces. Par ailleurs, de plus en plus d'études mettent en garde contre certains additifs contenus dans des produits courants tels que les cosmétiques, crèmes hydratantes, gels douche, shampooings, teintures pour cheveux... S'ils sont transmis par la mère au début de la grossesse, ils présentent un risque pour le développement du fœtus. Dans la mesure du possible, évitez tout produit de beauté contenant des éthers de glycol : lisez attentivement la composition chimique qui figure sur l'étiquette.

Gare aux tiques et à la maladie de Lyme

Évitez de vous promener sous les arbres ou dans les hautes herbes pour ne pas risquer d'être piquée par une tique. En effet, les tiques peuvent être infectées par une bactérie qui communique la maladie de Lyme. Cette dernière se mani-

Pour aller plus loin
Retrouvez tous les conseils du toxicologue p. 390.

ATTENTION
À signaler à votre médecin :
- une piqûre de tique ;
- un contact avec un rubéoleux ;
- une douleur abdominale de côté persistante ;
- attention également à la varicelle.

feste par de la fièvre, et ses conséquences sont encore mal connues sur le fœtus ; on pense qu'il pourrait exister une incidence cardiaque. Si vous avez été piquée, la tique est fichée dans votre peau par son rostre et forme une petite boule noire. Anesthésiez-la avant de la retirer avec une pince à épiler, en vérifiant que le rostre vienne avec le reste du corps. Signalez tout de suite cet incident à votre médecin.

À surveiller

Attention aux maladies infantiles

Sans tomber dans la paranoïa, la prudence conseille d'éviter tout contact avec un enfant malade. En effet, de nombreux virus de maladies infantiles risquent d'avoir des conséquences graves, provoquant des avortements ou induisant des malformations.

La varicelle

De loin la plus fréquente des maladies infantiles, la varicelle est transmissible 14 jours avant l'éruption cutanée et jusqu'à la cicatrisation.

Outre le risque d'entraîner une fausse couche, la varicelle est préoccupante au 1er trimestre, période de formation des organes, et à l'approche de l'accouchement. La mère qui a contracté la maladie près du terme peut se trouver en détresse respiratoire, tandis que son bébé peut développer une varicelle très grave, les anticorps de la mère n'apparaissant qu'au 5e jour de l'éruption et alors que son système immunitaire est encore immature.

Que faire si vous êtes en contact avec un enfant ayant la varicelle ? Si votre grossesse est au 2e ou au 3e trimestre, vous ne risquez rien. Si vous êtes au 1er trimestre, consultez votre médecin, qui fera une demande de recherche d'anticorps. Si le résultat est négatif, signe que vous n'êtes pas immunisée, toutes les précautions sont à prendre : ne touchez pas les lésions de votre enfant et lavez-vous les mains très souvent ; des échographies répétées s'assureront du bon développement du fœtus.

Heureusement, la varicelle présente moins de complications que la rubéole. Parmi les bébés de mères contaminées, moins de 1 % souffriront d'hypotrophie ou de malformations, contre un bébé sur deux dans le cas de la rubéole.

BON À SAVOIR

Après le vaccin ROR (rougeole, oreillons, rubéole) recommandé pour les nourrissons de moins de 2 ans, un vaccin contre la varicelle est disponible en France depuis 2004, mais la recommandation systématique pour tous les enfants n'a pas été retenue par le Conseil supérieur d'hygiène publique.

La rubéole

La rubéole est une maladie assez bénigne qui se traduit par de petites taches roses sur le visage et aux plis de flexion du corps. Mais ses effets sont très graves pour le futur enfant lors d'une contamination de la mère pendant les trois premiers mois de la grossesse.

Si l'infection a lieu à la 6e semaine de grossesse, elle provoque une anomalie oculaire, la cataracte ; à la 9e semaine, de la surdité ; entre la 5e et la 10e semaine, des malformations cardiaques ; entre la 6e et la 9e semaine, des malformations dentaires.

La prévention impose de vacciner, avant toute grossesse, les femmes qui ne sont pas immunisées. Une contraception rigoureuse doit être appliquée un mois avant et pendant les trois mois suivant la vaccination.

Si vous venez d'être en contact avec un rubéoleux, vous ne craignez rien si vous avez été vaccinée pendant votre adolescence. Si vous avez déjà eu la maladie antérieurement, vous ne risquez rien non plus. Dans un cas comme dans l'autre, vous êtes immunisée. Si vous n'êtes pas sûre de l'être, faites faire un sérodiagnostic, remboursé par la Sécurité sociale.

Si vous êtes immunisée, vous possédez dans votre sang des anticorps, qui sont la réponse de votre organisme à l'agent infectant que constitue le virus de la rubéole. Les anticorps vous protègent contre une nouvelle infection.

Si vous n'êtes pas immunisée et si vous êtes en contact avec un rubéoleux, ce qui est fréquent si vous travaillez dans l'enseignement, signalez-le immédiatement à votre médecin. En effet, la période d'incubation, c'est-à-dire le temps entre le contact avec le malade contagieux et l'éruption, est de 15 jours. Cela signifie que si vous ne prenez aucune mesure, vous risquez d'avoir la maladie 2 semaines plus tard, une période essentielle pour votre bébé puisqu'il sera en train de former ses organes.

Pour éviter cela, votre médecin vous prescrira des immunoglobulines qui agiront pendant la période d'incubation et bloqueront le développement de la maladie. Dans le cas où une rubéole est reconnue d'une façon incontestable au cours des quatre premiers mois, une interruption médicale de grossesse est autorisée.

La grossesse extra-utérine

La grossesse extra-utérine (GEU) est l'implantation et le développement de l'œuf en dehors de la cavité utérine.

La forme la plus courante est la grossesse tubaire, c'est-à-dire dans la trompe. L'ovocyte, fécondé dans le tiers externe de la trompe, est entraîné normalement vers la cavité utérine. S'il rencontre un obstacle, il va s'arrêter là et s'implanter dans la muqueuse de la trompe. Il va poursuivre son développement sur place pendant deux, trois, voire quatre semaines, jusqu'à ce que la trompe hyperdistendue finisse par se rompre, entraînant une grave hémorragie interne. L'obstacle dans la trompe peut être dû à une anomalie congénitale ; le plus souvent, c'est le résultat d'une infection des trompes ayant laissé des adhérences cicatricielles.

ALLEZ CONSULTER

En cas de douleur pelvienne brutale.

Les GEU en augmentation

Étant donné la recrudescence des maladies sexuellement transmissibles, les salpingites – inflammation des trompes – aiguës et chroniques qui en résultent sont en nette progression : aujourd'hui, en France, 2 % des grossesses sont extra-utérines ; depuis une dizaine d'années, leur fréquence a fortement augmenté. Le tabagisme constitue un facteur de risque important. Considérée comme une urgence chirurgicale, la grossesse extra-utérine est la première cause de mortalité maternelle au cours du 1er trimestre.

Les symptômes d'une GEU

Si l'absence de règles et le dosage sanguin de l'hormone gonadotrophine chorionique (HCG, voir page 22) indiquent une grossesse, une douleur pelvienne brutale, persistante, doit faire penser à une grossesse extra-utérine. Voyez tout de suite votre médecin.

Dans ce cas, il y a intervention d'urgence. Une échographie de l'utérus est pratiquée afin de vérifier s'il contient ou non un œuf ; comme il peut y avoir à la fois grossesse intra- et extra-utérine, l'examen est complété par une cœlioscopie qui a pour but d'examiner les trompes. Selon l'avancée de la grossesse et l'état de la trompe, on pourra extraire l'œuf ou administrer localement une substance qui le résorbera.

Dans le cas où la trompe très abîmée doit être retirée, une future maternité ne sera pas compromise, puisqu'une seule trompe suffit pour assurer une grossesse. Néanmoins, la nouvelle grossesse sera particulièrement surveillée, car le risque de récidive est important. L'usage ultérieur du stérilet sera proscrit afin d'éviter tout risque d'infection pouvant endommager la trompe restante.

SEMAINE DE GROSSESSE

5ᵉ semaine depuis le 1ᵉʳ jour
de vos dernières règles

Cette semaine est capitale pour votre bébé. Tout d'abord, sa taille augmente d'une façon vertigineuse, passant de 0,2 mm à 1,5 mm grâce aux divisions cellulaires qui s'accélèrent.
De plus, les différenciations cellulaires se précisent et aboutissent à la formation des lignées cellulaires, qui seront à l'origine de tous les organes.

Votre bébé

À ce stade du développement, le disque embryonnaire n'est encore constitué que de deux couches : le feuillet interne et le feuillet externe. Du 15ᵉ au 17ᵉ jour suivant la fécondation, le feuillet externe s'épaissit selon un axe qui va délimiter la tête et la queue. Cette étroite rainure présentant des renflements est la ligne primitive à partir de laquelle se différencie le feuillet médian. Le disque embryonnaire est donc à présent constitué de trois couches de cellules. Il mesure 1,5 mm de longueur totale. Ces trois couches de cellules sont très importantes, car c'est à partir d'elles que dériveront toutes les autres cellules, donc tous les organes de votre bébé à naître.

La formation des organes

Du feuillet interne résulteront les organes de l'appareil digestif : l'estomac, l'intestin et la vessie, avec les glandes qui s'y rattachent telles que le foie et le pancréas, ainsi que les organes de l'appareil respiratoire.
À partir du feuillet externe seront formés le système nerveux, les organes des sens et les tissus de revêtement – la peau, les ongles, les poils et les cheveux.
Le feuillet médian sera à l'origine du squelette, excepté le crâne, des muscles, du système circulatoire, du cœur et des vaisseaux, et des glandes sexuelles – les testicules ou les ovaires.

Au milieu de la 3e semaine, c'est-à-dire du 17e au 19e jour du développement, l'extrémité crâniale de la ligne primitive se renfle pour former un épaississement de cellules à partir duquel sera édifié le système nerveux central. D'abord cordon cellulaire plein, il se creuse secondairement en gouttière. La partie frontale de ce tube se fermera ensuite pour créer un cerveau primitif.

Autre performance de votre bébé : à la fin de la 3e semaine, il a un cœur, certes très imparfait, mais qui bat ! En effet, à partir de la ligne primitive, dans la région située près de la tête, se différencie, du 19e au 21e jour, une ébauche cardiaque sous la forme de deux tubes. Très rapidement, ces tubes sont animés de battements rythmiques. Ces contractions se produisent avant même l'apparition des cellules contractiles spécialisées et avant toute innervation des tubes cardiaques. Les premiers vaisseaux sanguins font leur apparition. Les battements rythmiques de cette ébauche de cœur mettent en mouvement le liquide des vaisseaux. Ils ne contiennent pas encore de globules rouges mais des cellules primitives, mères de la lignée des cellules sanguines. Néanmoins, le groupe sanguin de votre bébé est génétiquement défini depuis le zygote, sa première cellule.

À partir du feuillet médian, des blocs de tissus, appelés « somites », apparaissent par paires. Les muscles, les ligaments, le cartilage, la peau et quelques os dériveront de ces somites. Les premières cellules germinales qui, après une longue maturation, aboutiront aux cellules sexuelles, sont déjà là. Très vite, votre bébé se structure. Alors que vous avez encore des doutes sur sa présence !

BON À SAVOIR

Votre bébé n'est plus un œuf. C'est un embryon qui a déjà des battements cardiaques !

Le placenta

Depuis que votre bébé mesure 1,5 mm de longueur, il est trop grand pour être alimenté par l'intermédiaire de votre sang qui circule uniquement dans les lacunes du trophoblaste. Il lui faut désormais un système sanguin plus élaboré, qui lui apporte ses nutriments et le débarrasse de ses déchets ; il faut que s'élabore une structure permettant des échanges entre votre sang et le sien. Pour cela, dès la fin de la 2e semaine du développement, les cellules du trophoblaste poussent en formant des excroissances très fines et ramifiées, appelées « villosités ». Pendant ce temps, les lacunes contenant le sang maternel fusionnent, formant des petites chambres entre les villosités.

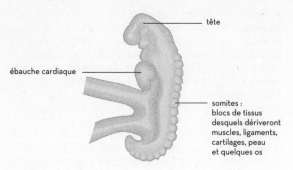

Votre bébé à la fin de sa 3ᵉ semaine (une semaine de retard des règles).

tête

ébauche cardiaque

somites : blocs de tissus desquels dériveront muscles, ligaments, cartilages, peau et quelques os

Vous

Le début de cette nouvelle semaine est marqué par un événement d'une importance majeure : l'absence de vos règles. Elle n'est pas en soi une preuve de grossesse, mais si vous avez habituellement des cycles réguliers et que vous avez fait ce qu'il faut pour avoir un bébé, il y a de fortes présomptions pour que vos espoirs se réalisent.

En revanche, si vous avez des saignements, n'éliminez pas l'éventualité d'être enceinte. Ils peuvent être provoqués par l'érosion des vaisseaux sanguins de la muqueuse utérine pendant l'implantation de l'œuf.

Les petits signes cliniques qui commencent à apparaître confirment vos doutes :

◆ vos seins sont gonflés et tendus ;
◆ au lever, vous commencez à ressentir quelques nausées ;
◆ dans le cours de la journée, vous vous sentez fatiguée ;
◆ vous êtes nerveuse, irritable.

Il s'agit là des signes caractéristiques d'une grossesse débutante mais déjà bien installée. La production d'hormones par le corps jaune de l'ovaire et par le trophoblaste de l'embryon, pour son maintien dans votre muqueuse utérine, en est directement la cause.

Au quotidien

Faites de nouveau un test de grossesse

Faire chez vous un test de grossesse, en cette fin de 5ᵉ semaine depuis le 1ᵉʳ jour de vos dernières règles, est tout à fait judicieux (voir page 57).

Prenez rendez-vous chez votre gynécologue

Bien que la première visite médicale obligatoire soit fixée par la Sécurité sociale au 2e mois, n'attendez pas pour vous faire examiner par votre médecin. Il vous prescrira des examens de laboratoire, dont les résultats gagnent à être connus dès le début de la grossesse pour une meilleure surveillance. Dès aujourd'hui, demandez donc un rendez-vous pour la semaine prochaine.

Repensez votre hygiène de vie

À présent que vous attendez un bébé, vous devez agir en pensant à lui. C'est au cours des deux premiers mois de grossesse que se constitue l'ensemble de ses organes. C'est par conséquent une période à haut risque pour lui. Il mérite que vous fassiez quelques sacrifices en vous montrant attentive à tout ce qui, dans votre conduite, pourrait lui nuire.

Arrêtez de fumer

Pendant la grossesse, le tabagisme de la mère accroît les risques de retard de croissance *in utero*; après la naissance, il augmente la fréquence des troubles bronchio-pulmonaires de l'enfant, ainsi que le risque de mort subite du nourrisson – le risque est multiplié par deux ou trois selon le nombre de cigarettes fumées. De plus, les bébés de fumeuses naissent plus souvent prématurément ou se présentent par le siège au moment de l'accouchement.

Si vous séjournez dans une atmosphère polluée par la fumée de tabac, vous serez presque autant imprégnée que les fumeurs eux-mêmes par les substances toxiques contenues dans la fumée. Alors, faites attention au tabagisme passif.

Pour vous aider dans votre démarche, tournez-vous avant tout vers des méthodes d'accompagnement psychologique; des consultations d'aide au sevrage tabagique existent dans la plupart des hôpitaux. Parlez-en à votre médecin et ne restez pas seule (voir en annexe les adresses utiles).

C'est le moment d'arrêter de fumer : pensez à votre bébé, et pensez à vous. Et si votre compagnon fume, persuadez-le d'arrêter avec vous.

Supprimez toute boisson alcoolisée

L'alcool traverse le placenta et perturbe gravement le métabolisme cellulaire de l'embryon, d'autant plus que son foie n'est pas en mesure de le dégrader.

ALLEZ CONSULTER

En cas de douleur de côté persistante dans le bas-ventre, voyez le médecin en urgence : une grossesse extra-utérine est possible.

Pour aller plus loin
Retrouvez tous les conseils du toxicologue p. 390.

Même si elle reste faible ou occasionnelle, la consommation d'alcool présente des risques importants pour votre futur enfant : des retards de croissance *in utero*, une naissance prématurée, puis des troubles cognitifs.

Une consommation importante et régulière est responsable de malnutrition, de retards dans le développement – l'alcool est la première cause non génétique de retard mental chez l'enfant – et de malformations graves, en particulier cardiaques.

Un verre de vin ou un apéritif représentent peu de grammes d'alcool pour une femme, mais sont en revanche considérable pour un embryon de quelques grammes qui ne peut pas le détruire.

Abstenez-vous donc entièrement d'alcool. Votre bébé en vaut la peine. Plusieurs organismes viennent en aide aux malades alcooliques : les associations d'anciens buveurs et les centres d'hygiène alimentaire et d'alcoologie (voir en annexe les adresses utiles).

Diminuez le café

À partir de cinq tasses par jour, la consommation de café a les mêmes conséquences néfastes sur l'évolution de votre bébé que celles du tabac.

LE SYNDROME D'ALCOOLISATION FŒTALE (SAF)

Un enfant né d'une mère alcoolique se reconnaît à la naissance : il présente un faciès particulier, avec le front bombé, le menton fuyant et le nez écrasé. Très agité les jours qui suivent la naissance, ce nouveau-né est en réalité en manque d'alcool. Ce handicap de départ le suivra pendant toute son existence. Au retard physique s'ajoutera un retard intellectuel. Ce tableau dramatique est celui d'un enfant dont la mère a bu deux litres de vin ou six whiskies par jour pendant le temps de sa grossesse, ce qui n'est pas si rare puisque, selon les régions, 1 à 3 nouveau-nés sur 1 000 souffrent du syndrome d'alcoolisation fœtale.

AUCUNE DROGUE N'EST ANODINE

Qu'il s'agisse d'une drogue dite « douce » ou d'une drogue dite « dure », elle passe systématiquement de la mère à l'enfant pendant la grossesse et, plus tard, pendant l'allaitement.

◆ **Le haschisch et la marijuana**

Ils entraînent chez l'embryon puis le fœtus un état de réponse immédiate à la drogue, compliqué d'une accoutumance.

◆ **L'héroïne, la cocaïne, la morphine et les amphétamines**

Ces drogues ont des conséquences dramatiques sur la grossesse. Non seulement les infections maternelles et les complications au cours de la grossesse augmentent considérablement, mais l'enfant à naître est évidemment très touché : de poids et de taille inférieurs à la normale, il naît le plus souvent prématurément et en état de détresse respiratoire importante. Avec l'héroïne en particulier, 48 heures après la naissance, il ne dort toujours pas, est pris de tremblements incoercibles et pousse des cris aigus. Ce syndrome de manque disparaît par l'administration d'une solution à base d'opium. Le sevrage devra être mené très progressivement et s'étaler sur six semaines.

◆ **Le LSD**

Il provoque deux fois plus d'avortements et de malformations congénitales, en particulier des malformations des membres. Avec le LSD, la cocaïne et les amphétamines apparaissent des retards psychiques et moteurs graves et irréversibles.

Arrêtez pour votre bébé et pour vous. Future maman qui vous droguez, vous avez là une chance inespérée pour essayer de vous débarrasser de l'emprise de la drogue et redevenir vous-même. Vous attendez un bébé. Faites pour lui ce que vous n'avez pas pu faire pour vous. Et même si c'est très difficile, pensez que votre bébé va sérieusement vous aider.

Vous ne serez pas laissée seule dans cette phase de sevrage. Votre médecin vous orientera vers des organismes spécialisés, qui vous soutiendront sur le plan médical et psychologique (voir en annexe les adresses utiles).

Les groupes sanguins

Tout comme la couleur de sa peau ou de ses yeux, le groupe sanguin de votre bébé est défini dans la première cellule qu'est le zygote. Il est inscrit dans les gènes transmis par ses parents. Le groupe sanguin de votre bébé dépendra donc du vôtre et de celui de son père.

Les groupes sanguins sont déterminés par un gène qui se présente sous trois formes : LA, LB et l. Les chromosomes paternels et maternels étant appariés à partir du zygote, il y aura à chaque fois deux formes seulement du gène en présence.

LA et LB sont tous les deux dominants sur l, qui est donc récessif.

Rappelons que c'est le gène dominant qui s'exprime (voir page 43).

♦ Si vous ou le père êtes du groupe A, vos chromosomes sont porteurs des gènes :

♦ Si vous ou le père êtes du groupe B, vous portez :

♦ Si vous ou le père êtes du groupe AB, vous portez :

♦ Si vous ou le père êtes du groupe O, vous êtes double récessif et portez :

Le groupe sanguin de votre bébé dépend des gènes présents dans les gamètes, c'est-à-dire les cellules sexuelles.
Par exemple, si vous êtes du groupe A, vous pouvez avoir :

◆ une seule sorte d'ovocytes :

si vous êtes:
LA/LA

◆ ou deux sortes d'ovocytes :

si vous êtes:
LA/l

Si le père est du groupe O, il a une seule sorte de spermatozoïdes :

Par la fécondation, il y a deux possibilités :

Votre enfant sera du groupe A.

Ou :

Votre enfant sera du groupe O.

L'agglutinogène et l'agglutinine

Sur le plan biologique, chaque groupe sanguin est caractérisé par la présence de deux substances :

- l'une est située sur la membrane de surface qui entoure les globules rouges, c'est l'agglutinogène ;
- l'autre est présente dans le sérum, un milieu qui contient les globules rouges, c'est l'agglutinine.

L'agglutinine a la propriété d'agglutiner, c'est-à-dire de détruire les globules rouges qui possèdent l'agglutinogène correspondant.

- L'agglutinogène A est détruit par l'agglutinine anti-A.
- L'agglutinogène B est détruit par l'agglutinine anti-B.

Il va de soi qu'on ne possède pas dans son sang l'agglutinine et l'agglutinogène correspondant, sous peine de détruire ses propres globules rouges.

Lors d'une transfusion sanguine, il faut toujours considérer le sang du receveur pour que ses agglutinines ne détruisent pas les globules rouges du donneur. Ainsi, une personne du groupe A ne peut pas recevoir de sang du groupe B, et inversement.

La personne du groupe AB, n'ayant pas d'agglutinines, peut recevoir tous les sangs. C'est le receveur universel.

La personne du groupe O, n'ayant pas d'agglutinogènes, peut donner son sang à tous les autres. C'est le donneur universel.

Groupe	Agglutinogène à la surface des globules rouges	Agglutine dans le sérum
A	A	anti-B
B	B	anti-A
A B	A et B	aucune
O	aucun	anti-A et anti-B

Le facteur rhésus

Les groupes sanguins sont plus complexes que le système ABO décrit précédem-ment. À la surface des globules rouges, il existe, dans la plupart des cas, un agglutinogène D. La personne qui le possède est dite « rhésus positif », ou Rh +. Celle qui ne l'a pas est dite « rhésus négatif », ou Rh –. Chacun d'entre nous est donc caractérisé par son groupe sanguin et par son rhésus. Lors d'une transfusion sanguine, il faut, bien entendu, respecter les règles de compatibilité sanguine dans le système ABO et dans le système rhésus.

Quand du sang Rh – est transfusé à un sujet Rh +, il ne se passe rien.

Quand du sang Rh + est transfusé à un sujet Rh – pour la première fois, il ne se produit pas d'accident, mais ce sujet Rh – réagit en fabriquant des agglutinines anti-D. Si l'on transfuse de nouveau du sang Rh + à ce même sujet Rh –, les globules rouges Rh + du donneur seront agglutinés par les agglutinines anti-D du receveur. Ce qui provoque de graves accidents pour ce dernier.

L'incompatibilité fœto-maternelle

L'importance du facteur rhésus intervient au cours de la grossesse.

- Si la mère et le père sont tous les deux Rh +, l'enfant est Rh +. Tout va bien.
- Si la mère et le père sont tous les deux Rh –, l'enfant est lui-même Rh –, et il n'y a là encore aucune incidence.
- Si la mère est Rh + et le père Rh –, l'enfant a une chance sur trois d'être Rh –, comme son père. Mais, étant donné que son sang n'est pas en contact direct avec celui de sa mère, cela n'a pas d'importance.
- Si la mère est Rh – et le père Rh +, il y a risque d'incompatibilité fœto-maternelle. Ce risque existe quand l'enfant est lui-même Rh + comme son père, ce qui est possible deux fois sur trois.

Dans ce cas précis de mère Rh – et de bébé Rh + (soit 15 % de la population), il ne se produit aucun accident au cours de la première grossesse. Cependant, des globules rouges fœtaux Rh + vont passer dans la circulation maternelle au cours des remaniements placentaires qui ont lieu vers 4 mois et demi, et surtout au moment de la délivrance, quand le placenta se décolle. À ce moment, l'agglutinogène D porté par les globules rouges de l'enfant Rh + va provoquer, dans le sang de la mère, la formation d'agglutinines anti-D. Cela n'a aucune conséquence sur la santé de la mère ni sur celle du bébé.

Si rien n'a été signalé, le problème apparaît lors d'une deuxième grossesse, avec un nouvel enfant Rh +. Au cours de cette deuxième grossesse, des globules rouges fœtaux Rh + vont de nouveau passer dans la circulation maternelle, faisant augmenter le taux des agglutinines anti-D. Ces agglutinines anti-D vont traverser le placenta et se fixer sur les globules rouges du bébé, provoquant leur altération. C'est l'origine de la maladie hémolytique du nouveau-né, qui se traduit par une anémie sévère, une atteinte grave du foie et de la rate, qui aboutissent souvent à la mort du fœtus ou du nouveau-né.

Il existe aujourd'hui un traitement préventif de l'incompatibilité fœto-maternelle. Il consiste à injecter à la mère, 72 heures après le premier accouchement, des gammaglobulines portant des agglutinines anti-D. Ces agglutinines vont agglutiner les globules rouges Rh + de l'enfant passés dans le sang maternel, qui se trouve ainsi exempt de toute substance pouvant nuire à un futur bébé. Cette immunisation doit bien sûr être répétée à chaque nouvelle grossesse, et également après un avortement spontané ou une interruption volontaire de grossesse (IVG).

La conduite à tenir

Vous devez connaître votre facteur rhésus, ainsi que celui du père de votre enfant. Si vous êtes Rh – et le père Rh +, vous devez le signaler au médecin qui va suivre votre grossesse afin que cela soit inscrit dans votre dossier. Vous serez ainsi efficacement surveillée tout au long de votre grossesse. À la naissance de votre bébé, on vérifiera son rhésus. S'il est Rh +, vous serez immunisée par l'injection de gammaglobulines, et vous n'aurez aucun problème pour votre deuxième bébé. Chaque mois, on recherchera l'existence dans votre sang d'anticorps anti-rhésus.

Si, avant votre grossesse, vous avez subi une transfusion sanguine pour une raison quelconque, vous devez également le signaler à votre médecin. En cas d'erreur – qui est toujours possible –, si vous avez reçu un sang Rh +, vous possédez déjà des agglutinines anti-D, dangereuses pour votre bébé ; aussi les recherchera-t-on par un examen de laboratoire. Dans ce cas, vous faites partie des grossesses à risque et vous serez particulièrement surveillée.

TO-DO LIST

semaine
03

✓ Faites chez vous un **nouveau test de grossesse**.

✓ Prenez **rendez-vous** chez votre gynécologue.

SEMAINE DE GROSSESSE

6e semaine depuis le 1er jour de vos dernières règles (vos règles ont 2 semaines de retard)

Désormais, vous êtes sûre d'être enceinte ; cette heureuse nouvelle s'accompagne d'un certain nombre de malaises physiques — seins tendus, nausées, fatigue — qui indiquent que la grossesse se met en place. Soyez patiente ! L'évolution de votre bébé amorce un tournant décisif. C'est le début de son organogenèse, c'est-à-dire de la mise en place de ses principaux organes.

Votre bébé

Le bébé flotte dans la cavité amniotique

La forme générale de l'embryon va changer rapidement. Composé des trois couches de tissus, le disque embryonnaire évolue : il s'enroule sur lui-même pour devenir un cylindre avec un pli marqué pour la tête et un autre pli pour la queue.

Accompagné du phénomène de courbure, ce développement rapide entraîne l'accroissement de la cavité amniotique. Celle-ci est remplie du liquide amniotique, qui, à ce stade, est constitué d'eau provenant des cellules de l'amnios, la membrane qui la délimite.

La cavité suit l'embryon dans sa courbure et finit par l'entourer entièrement (voir le schéma ci-contre).

À la fin de cette 4e semaine comptée depuis sa conception, votre bébé est bien délimité. Il se retrouve au milieu de la cavité amniotique et y flotte, relié à la partie externe de l'œuf par le cordon ombilical en cours de formation. Ce qui caractérise surtout cette 4e semaine, ce sont l'apparition des bourgeons des membres ainsi que l'ébauche de nombreux organes internes. Ce sont les bourgeons des membres supérieurs – c'est-à-dire les bras – qui se manifestent les premiers. Quant à ceux des membres inférieurs – c'est-à-dire les jambes –, ils seront présents un peu plus tard.

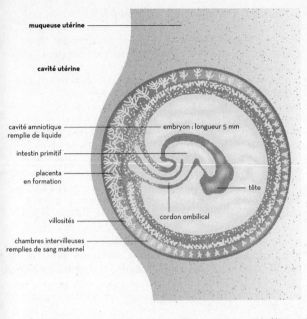

muqueuse utérine

cavité utérine

cavité amniotique
remplie de liquide

embryon : longueur 5 mm

intestin primitif

placenta
en formation

tête

villosités

cordon ombilical

chambres intervilleuses
remplies de sang maternel

← **La fin de la
4ᵉ semaine** depuis
la fécondation :
votre bébé flotte
dans la cavité
amniotique.

La circulation fœtoplacentaire

Le 22ᵉ jour, les deux tubes cardiaques primitifs fusionnent
en un seul, qui possède par endroits des dilatations séparées par des rétrécissements. Ces dilatations représentent
les oreillettes et les ventricules primitifs.

De plus, le tube cardiaque, parce qu'il se développe dans un
espace qui, lui, ne s'agrandit pas, va se tordre sur lui-même
en forme de S, donnant ainsi l'aspect caractéristique du système cardiaque.

Pendant la mise en place du tube cardiaque, les vaisseaux
sanguins de votre bébé se développent et rejoignent le réseau vasculaire des annexes externes. En particulier, ils
entrent en rapport avec les vaisseaux qui parcourent les
villosités destinées à assurer, par l'intermédiaire du cordon
ombilical, les échanges entre le sang du bébé et le sang maternel.

Dès ce moment, tous les éléments sont en place pour la
mise en contact, par l'intermédiaire des villosités, des circu-
lations maternelle et embryonnaire. Les artères et les veines

maternelles s'ouvrent dans les chambres intervilleuses, permettant un flux sanguin dans lequel baignent les extrémités des villosités placentaires qui sont maintenant fonctionnelles. La circulation fœto-placentaire est ainsi établie. Tous les échanges entre vous et votre bébé se font désormais par un processus simple de diffusion à travers la paroi des villosités.

Un mouvement circulaire du sang se met en route : du cœur, il va aux artères, puis dans les annexes, dans les veines et à nouveau au cœur. Les globules sanguins présents dans les villosités sont ainsi entraînés dans toute la circulation et, dès lors, les vaisseaux sanguins de votre bébé renferment du sang.

Seulement quatre petites semaines après votre fécondation, à deux semaines de retard de règles, votre bébé a un cœur qui bat et du sang qui circule. L'auriez-vous cru ?

La mise en place des organes

Parallèlement à l'organisation de la circulation fœto-maternelle, tous les principaux organes de votre futur bébé se mettent progressivement en place.

Le système nerveux

Le système nerveux central continue de s'élaborer avec la formation de trois bulbes au niveau du tube nerveux apparu à la fin de la 3e semaine de développement. Le cerveau définitif dérivera de ces bulbes. La moelle épinière est déjà là ! Très longue, elle se prolonge jusqu'à l'extrémité de la queue. L'ensemble de ce matériel nerveux, qui se trouve sur la partie dorsale de l'embryon, se développe beaucoup plus vite que le matériel situé sur la partie ventrale. Cette croissance en spirale explique la forme de virgule de votre futur bébé à ce stade de son développement.

L'aspect extérieur de votre bébé à la fin de sa 4e semaine.

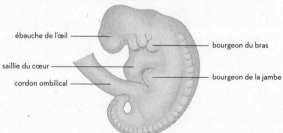

ébauche de l'œil

saillie du cœur

cordon ombilical

bourgeon du bras

bourgeon de la jambe

Les organes des sens

Toujours dans la région frontale, les organes des sens commencent peu à peu à s'élaborer avec les ébauches de l'oreille interne et de l'œil, tandis que des bourgeons primitifs annoncent les futures mâchoires. Et le bourgeon de la langue est là, lui aussi !

Les organes de la digestion

Dans la région moyenne, à partir d'un tube qui parcourt l'embryon sur toute sa longueur et qui constitue une sorte d'intestin primitif, vont se former par bourgeonnement les organes de la digestion. Une légère dilatation annonce le futur estomac, au-delà duquel apparaissent les ébauches du foie, du pancréas et de la vésicule biliaire, déjà visible vers le 25e jour.

Les autres organes

L'ébauche laryngo-trachéale destinée à développer l'ensemble de l'arbre respiratoire est également présente, ainsi que les bourgeons des glandes de la thyroïde et de l'hypophyse.

Vers l'extrémité caudale de l'embryon, la dilatation d'un petit diverticule correspond à la future vessie. Dans le même temps, les cellules primordiales qui, après maintes transformations, aboutiront aux cellules sexuelles, commencent à migrer vers le site de développement des testicules ou des ovaires.

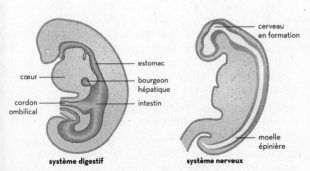

cerveau
en formation

cœur

estomac

bourgeon
hépatique

cordon
ombilical

intestin

moelle
épinière

système digestif

système nerveux

←

**Les organes
de votre bébé**
à la 4e semaine
de son
développement.

Vous

Vos règles ont déjà deux semaines de retard ! Le test de grossesse que vous avez fait la semaine dernière était positif : désormais, vous êtes sûre d'être enceinte. Les signes cliniques apparus la semaine dernière s'accentuent et se précisent. Ils vous confirment votre état.

Vos seins ont augmenté de volume. Ils sont gonflés et douloureux. La peau tendue laisse voir le réseau veineux. Vous avez parfois des sensations de picotement au niveau du mamelon. Ce dernier est d'ailleurs beaucoup plus saillant au centre de l'aréole qui l'entoure. L'aréole elle-même se modifie : elle est plus bombée, plus large et plus sombre. Les petites glandes qui la parsèment, appelées « tubercules de Montgomery », prennent du relief.

L'utérus se modifie également. Il a légèrement augmenté de volume, et le col devient moins dur au toucher. Avant la fécondation, il avait la forme et la taille d'une figue fraîche ; 4 semaines après la fécondation, il ressemble à une grosse mandarine. Sous l'effet des hormones de la gestation qui ont été libérées, la glaire cervicale s'est coagulée au niveau du col pour former ce qu'on appelle le « bouchon muqueux », qui obture complètement l'entrée de la cavité utérine.

Les sécrétions vaginales augmentent en volume tout en s'acidifiant, protégeant ainsi l'ensemble de la zone vaginale d'une éventuelle invasion microbienne. Malheureusement, cette acidité vaginale favorise le développement de champignons microscopiques, qui sont à l'origine des indésirables mycoses.

Parce qu'il a changé de taille, votre utérus va tirer sur les ligaments qui le maintiennent. C'est la raison pour laquelle vous souffrez éventuellement de tiraillements dans le bas-ventre. Dues à une surproduction d'hormones, les modifications générales se retrouvent d'une façon constante chez la plupart des femmes.

Votre température matinale est toujours supérieure à 37 °C. Elle le restera jusqu'au 4e mois.

Les nausées sont plus nombreuses. Tout vous écœure, surtout le matin au réveil. Elles peuvent aller jusqu'au vomissement. D'une manière générale, vous manquez d'appétit et vos digestions sont pénibles. Ces désagréments peuvent parfois être améliorés par la prise d'un remède léger prescrit par votre médecin. Pour tenter d'atténuer ces nausées, levez-vous doucement le matin, sans vous stresser, mangez tranquillement, par petites quantités, évitez les saveurs et les odeurs trop fortes, ne sautez jamais de repas, ne restez pas trop longtemps allongée, bougez à votre rythme et fuyez les lieux enfumés.

Vous souffrez de troubles du sommeil. Vous avez des insomnies ou des envies irrépressibles de dormir au cours de la journée.

Vous êtes fatiguée et sans entrain. Faites régulièrement des pauses, asseyez-vous, allongez-vous dès que possible. Et si vous en avez la possibilité, accordez-vous une sieste.

Vous avez de fréquentes envies d'uriner dues à la pression de l'utérus sur la vessie. Ces envies disparaîtront dans quelque temps, quand l'utérus se développera vers le haut.

Et puis, chose inexplicable, alors que vous désiriez tellement fort ce bébé, vous avez soudain des idées moroses. C'est le *mummy blues*, qui touche plus de 13 % des femmes enceintes. Parlez-en sans honte à votre médecin et laissez tout doucement votre organisme s'habituer à ce nouvel état, à ces bouleversements dans son organisation. Voyez plus loin que ce moment, pensez à la future présence de votre bébé. Ne vous faites pas de soucis. Tout cela est parfaitement normal. Votre corps change, votre bébé s'installe.

VOS SYMPTÔMES

- ◆ Température supérieure à 37 °C
- ◆ Seins tendus
- ◆ Nausées
- ◆ Envies de dormir
- ◆ Besoin fréquent d'uriner

Au quotidien

Faites un nouveau test de grossesse chez vous. En cas de test positif, votre médecin confirmera votre grossesse par un examen clinique : au toucher, il sentira les modifications de l'utérus et s'assurera ainsi que l'œuf est placé normalement dans l'utérus et non pas dans une trompe, comme cela se produit quelquefois, ce qui entraîne de graves complications (voir page 62). Pour confirmer son diagnostic, il pourra demander un dosage hormonal sanguin, qui est beaucoup plus précis que la simple détection dans l'urine de l'hormone HCG.

Où allez-vous accoucher ?

Si tous les tests sont positifs, vous pouvez d'ores et déjà envisager avec lui la conduite à tenir pour le suivi de votre grossesse et votre futur accouchement. Mais oui ! Certains services réputés, en particulier à Paris, sont si surchargés qu'il faut s'y inscrire pratiquement avant même de connaître le diagnostic de grossesse. Ne perdez donc pas de temps et décidez avec votre médecin du lieu où vous accoucherez.

Accoucher à la maison

Vous pouvez bien sûr décider d'accoucher chez vous. Si rien ne s'y oppose, il faut cependant en connaître tous les risques. Même dans le cas d'une grossesse extrêmement bien surveillée, des problèmes peuvent surgir au dernier moment. Si vous n'êtes pas dans une structure médicale, un problème même minime peut devenir très grave.

Dans tous les cas, il faut pouvoir pratiquer en urgence une anesthésie, une intervention chirurgicale et une réanimation. Et, en général, ce n'est pas chez soi qu'on peut le faire.

Accoucher dans un centre hospitalier, un hôpital général ou une clinique

Dans une grande ville, vous avez le choix entre les services des centres hospitaliers régionaux ou universitaires, les hôpitaux généraux et les cliniques privées, qu'elles soient agréées ou bien conventionnées. Dans une ville moyenne, vous avez un choix plus restreint, entre l'hôpital général et la clinique privée.

Ce qui doit guider votre décision est avant tout la compétence du personnel et l'équipement médical :

- Qu'y a-t-il de prévu dans le cadre de la préparation à la naissance ?

- Pratique-t-on l'anesthésie sous péridurale ?

- Le père aura-t-il le droit d'assister à l'accouchement ?

- Y a-t-il un bloc opératoire avec un anesthésiste, un chirurgien ?

- Le bébé sera-t-il placé jour et nuit dans votre chambre, ou y a-t-il une pouponnière ?

- Combien de temps le séjour dure-t-il ?

◆ Y a-t-il une couveuse ?

◆ Dans le cas contraire, où un bébé prématuré sera-t-il transféré ? Et comment ? Avec l'aide du Samu pédiatrique ou en ambulance équipée d'une couveuse et avec une infirmière spécialisée ?

Autant de questions que vous devez poser avant de vous inscrire quelque part. Ainsi, le jour venu, vous entrerez à la maternité en totale confiance, en sachant que tout sera fait pour vous et pour votre bébé.

Sur le plan financier

Si vous choisissez l'hôpital ou une clinique conventionnée, vous n'aurez rien à payer. Cependant, dans une clinique conventionnée, un dépassement d'honoraires est autorisé au médecin accoucheur. Ce dépassement n'est pas remboursé par la Sécurité sociale, mais certaines mutuelles le prennent en charge. Les suppléments tels qu'une chambre particulière, le téléphone ou la télévision seront naturellement à votre charge.

Si vous préférez une clinique qui est seulement agréée par la Sécurité sociale, vous devrez avancer l'ensemble des frais qui vous seront ensuite remboursés en partie, c'est-à-dire à 70 % du tarif fixé par la convention.

Dans une clinique non agréée, rien ne vous sera remboursé : ni les honoraires et les frais médicaux, ni les frais de séjour. Si vous accouchez chez vous, votre caisse de Sécurité sociale peut, après accord du contrôle médical, vous rembourser d'une part les honoraires et d'autre part les frais pharmaceutiques, selon les tarifs fixés (voir en annexe les remboursements de l'assurance maternité pour la mère).

À vous maintenant de faire votre choix en toute connaissance de cause, pour une venue au monde de votre bébé en toute sécurité.

Pour aller plus loin
Retrouvez tous les conseils de la sage-femme p. 350.

TO-DO LIST

semaine
04

✓ **Voyez votre médecin** en cas de test de grossesse positif.

✓ Inscrivez-vous dans une **maternité**.

LE DEUXIÈME
MOIS

Le 2ᵉ mois de vie qui débute pour votre bébé va voir
s'accélérer sa croissance : en l'espace de 4 semaines,
sa taille va passer de 5 mm à plus de 3 cm !

Le processus d'organogenèse déjà amorcé va
poursuivre son programme : tous les organes de votre
bébé seront définitivement mis en place durant
ces 4 semaines. Votre bébé réalise des merveilles :
ses bras et ses jambes poussent ; son visage se forme
avec la bouche, les yeux et les oreilles.

À chaque instant du jour et de la nuit, de nouvelles
cellules apparaissent, s'assemblant en nouvelles
structures. La vie avance vite. À la fin de ce 2ᵉ mois,
votre bébé ressemblera vraiment à un bébé humain.

SEMAINE DE GROSSESSE

Début de la **7e semaine** depuis le 1er jour de vos dernières règles

Votre futur bébé travaille vite et bien ! Vos petits malaises persistent ; adoptez de nouvelles habitudes pour les soulager. Prenez soin de votre corps, la merveilleuse aventure qu'il vit va le transformer en profondeur : chouchoutez-vous ! Si vous travaillez, c'est aussi le moment de penser au mode de garde de votre enfant.

Votre bébé

Les mensurations du bébé

Il existe deux méthodes pour mesurer votre bébé :
- au début de la grossesse, il est d'usage de mesurer la longueur prise entre un repère supérieur qui correspond au sommet de la tête, appelé « vertex », et un repère inférieur qui est le sommet de la courbure de la queue, appelé « repère lombaire » ;
- après le 2e mois, le repère inférieur sera soit le coccyx soit les talons, selon le stade de développement.

VL = du vertex au repère lombaire.
VC = du vertex au coccyx.
VT = du vertex aux talons.

La tête

La tête de votre bébé est encore très courbée sur la poitrine mais, cette semaine, son aspect extérieur va se modifier énormément. Tout d'abord, son volume va augmenter d'une manière considérable, car le cerveau se développe rapidement. Le renflement du tube neural a poursuivi son développement, ce qui aboutit maintenant à la formation des hémisphères cérébraux. Du tissu cartilagineux primitif, appelé « précartilage », apparaît dans les bourgeons des membres ainsi que dans les premiers éléments de ce qui formera les vertèbres.

À la fin de ce 1er mois, cinq bourgeons faciaux primordiaux vont être définitivement mis en place. Une fossette, appelée

VOTRE BÉBÉ

- ◆◆ Taille de l'ovocyte : 5 à 7 mm
- ◆ Développement rapide du cerveau : formation des hémisphères cérébraux
- ◆ Bouche primitive et bourgeons des mâchoires, du nez et de l'odorat
- ◆ Ébauches des yeux et des oreilles visibles
- ◆ Présence de précartilage dans les bourgeons des membres
- ◆ Apparition d'un diverticule respiratoire
- ◆ Estomac, foie, pancréas
- ◆ Les battements du cœur peuvent être vus à l'échographie.
- ◆ Votre bébé n'est plus un œuf mais un embryon.

VOUS

- ◆ Vos seins se développent beaucoup.
- ◆ Apparition possible d'un masque de grossesse.

« bouche primitive », se forme, comprenant les bourgeons de la mandibule, c'est-à-dire de la mâchoire inférieure et du maxillaire supérieur.

Pendant ce temps, les bourgeons qui seront à l'origine de l'odorat apparaissent, puis se creusent sous forme de fossettes entourées par les bourgeons nasaux. Les ébauches des yeux et des oreilles sont devenues très visibles. Cet ensemble participe au modelage du visage, qui se poursuivra pendant les deux semaines à venir.

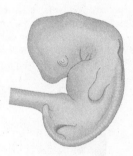

←

**Votre bebe a
5 semaines :** il
mesure 7 mm.

Les organes

En ce qui concerne les organes, le cœur de votre bébé s'est tellement développé qu'il ne tient plus dans l'espace interne. Il forme une proéminence ventrale, une sorte de petite bosse qui bat à son rythme et qu'on perçoit très bien à l'échographie. Le cœur doit encore doubler de volume pendant cette semaine.

Le système digestif continue son élaboration. La dilatation annonçant le futur estomac s'accentue, tandis que le foie et le pancréas poursuivent leur croissance. À l'extrémité postérieure, l'intestin qui s'est affiné et l'appareil urinaire primitif se rejoignent en une zone commune située vers l'extrémité de la queue et appelée « cloaque ».

Un premier diverticule respiratoire bourgeonne dans la région antérieure de l'embryon, à partir de ce même intestin primitif qui peu à peu évolue.

**BON
À SAVOIR**

Les mensurations données sont sujettes à des variations individuelles qui dépendent de facteurs génétiques ou nutritionnels.

Vous

Les petits malaises

L'hormone HCG atteint un taux maximal dans votre sang (voir page 22). Cela explique tous vos petits malaises, qui persistent. Ils vont continuer ainsi jusqu'à la fin de ce 2e mois pour régresser peu à peu, avant de disparaître complètement au cours du 3e mois. Vous n'avez pas faim ; vous souffrez de ballonnements ; vous ressentez des brûlures d'estomac ; vous dormez mal, bien que vous soyez très fatiguée ; vos nausées vous gâchent la vie… Tout cela ajoute à votre anxiété et à votre manque d'entrain.

Acceptez ces quelques inconvénients. Ils sont là pour vous rappeler que vous êtes la principale actrice d'un phénomène quasi miraculeux. Vous suivez la formation et l'évolution de votre bébé en vous. N'est-ce pas merveilleux ? Cela devrait vous donner tous les courages. À ces maux peuvent s'en ajouter d'autres. Vous pouvez souffrir :

🔎

VOS SYMPTÔMES

◆ Nausées avec vomissements

◆ Salivation excessive

◆ Brûlures d'estomac

◆ Ballonnements

◆ Constipation

◆ Insomnies

◆ Jambes lourdes

→

Tandis que vos seins s'épanouissent, votre utérus s'oriente vers l'avant.

- de petits malaises, le plus souvent en fin de matinée ou trois heures après un repas: vous êtes probablement en hypoglycémie; ne restez pas à jeun;
- d'une salivation excessive, qui cessera spontanément vers le 5ᵉ mois;
- de constipation, due à une paresse générale des muscles lisses de l'appareil digestif;
- d'une mauvaise circulation du sang, avec la sensation d'avoir les jambes lourdes. Cela peut apparaître dès le début de la grossesse parce que votre débit sanguin est accéléré par la nécessité d'alimenter votre bébé. La masse sanguine ainsi augmentée freine la circulation de retour des membres inférieurs. Ce phénomène va s'intensifier au cours des mois à venir. Faites chaque jour une marche de 30 minutes environ: c'est excellent pour régulariser à la fois la circulation sanguine et la fonction intestinale;
- de fourmillements, fréquents la nuit, notamment dans les bras. Dans ce cas, faites quelques mouvements pour activer la circulation sanguine et changez de position, car ces fourmillements sont dus à la compression d'une racine nerveuse;
- de crampes, qui sont le fait d'une petite carence en vitamines B ou en magnésium.

Au quotidien

Comment atténuer vos problèmes digestifs ?

Les nausées

Exceptées celles qui sont déclenchées par les odeurs ou par la vue d'aliments qui vous dégoûtent, les nausées surviennent surtout le matin à jeun et, en général, quand votre estomac est vide. Aussi est-il préférable de:
- prendre son petit déjeuner au lit, tranquillement, puis de rester allongée un petit moment avant de se lever;
- faire des repas plus légers mais plus fréquents.

L'aérophagie et les brûlures d'estomac

Évitez de trop manger et supprimez plus particulièrement:
- les aliments trop riches en graisse tels que les fritures;
- les aliments qui fermentent comme les choux et les légumineuses;

ATTENTION

Ne prenez aucun remède contre les nausées sans l'avis de votre médecin.

◆ les aliments difficiles à digérer tels que les plats en sauce. Préférez les grillades, le poisson, les légumes verts cuits, les fruits et tous les laitages. Ils vous apporteront les éléments de base dont vous avez besoin, vous et votre bébé.

La constipation
◆ Veillez à ce que votre alimentation soit riche en légumes verts à la fois crus et cuits, en fruits, également crus et cuits, et en laitages du genre yaourts.
◆ Préférez le pain complet ou au son au pain blanc.
◆ Au cours de votre petit déjeuner, si vous ne souffrez pas de brûlures d'estomac, buvez un verre de jus de fruits frais : orange, raisin ou, mieux, pruneaux.
◆ Buvez beaucoup d'eau.
◆ Ne prenez pas de laxatif sans l'avis de votre médecin.

Prenez soin de vous !

La grossesse n'est pas une maladie. Seulement un changement d'état temporaire qui s'accompagne de désagréments plus ou moins nombreux selon l'état physiologique de chacune. Après neuf mois, vous allez retrouver votre état antérieur. Cependant, vous ne serez plus tout à fait la même ; vous aurez vécu une aventure qui restera à jamais gravée dans votre mémoire.

Faites en sorte qu'elle ne soit pas gravée également dans votre corps. Il doit en sortir épanoui, pas amoindri. Pour cela, un minimum de précautions sont à prendre tout au long de votre grossesse.

Les seins
Dès le début de la grossesse, vos seins ont commencé à augmenter de volume. Ce sont les glandes mammaires qui se développent en vue de leur finalité : l'allaitement de votre bébé.

Cet alourdissement temporaire des seins ne doit pas avoir de conséquences sur leur beauté ultérieure. Étant donné qu'ils sont maintenus au buste uniquement par la peau et par quelques ligaments, il faut éviter le relâchement de celle-ci sous l'effet du poids. Pour cette raison, vous devez :
◆ porter impérativement un soutien-gorge bien adapté, qui maintient sans comprimer. Si vos seins sont vraiment lourds, gardez votre soutien-gorge également la nuit ;

- éviter les bains très chauds dans lesquels la peau se ra-
mollit ;
- pratiquer des douches légères et fraîches sur les seins pour
tonifier la peau ;
- appliquer une crème hydratante destinée à entretenir
l'élasticité de la peau.

La peau

Pour le moment, en cette période d'adaptation, vous avez un
teint un peu brouillé. Mais, dans quelque temps, quand tout
rentrera dans l'ordre, votre teint deviendra éclatant en partie grâce aux hormones qui vous imprègnent.

Néanmoins, vous devez prendre quelques précautions, car
votre peau va être sollicitée de plusieurs façons.

Le visage

La peau de votre visage devient plus sèche sous l'action des
hormones. Si vous avez habituellement la peau grasse, c'est
plutôt un atout, mais si vous avez déjà tendance à avoir une
peau fragile et sèche, elle risque de se marquer par de fines
ridules. Aussi, nourrissez bien votre visage avec une crème
hydratante de bonne qualité, de jour comme de nuit.

Le masque de grossesse est fréquent chez les femmes enceintes, mais il n'est pas constant. Il se manifeste par des
plaques pigmentées irrégulières sur le front, le nez, la lèvre
supérieure, le menton ou les joues. Étant lié à l'état hormonal,
il disparaîtra au fil des mois qui suivront l'accouchement.

Les vergetures

Les vergetures sont bien sûr le souci majeur des femmes
enceintes. Elles apparaissent là où la peau est distendue,
c'est-à-dire surtout sur les seins et sur le ventre. Ce sont
tout d'abord des lignes rouge sombre, un peu violacées, qui
deviendront ensuite blanches et nacrées. Elles sont indélé-
biles car elles correspondent à une cassure du tissu élas-
tique de l'épiderme. Les vergetures dépendent directement
de la qualité de la peau, de la prise de poids et également de
l'âge de la future mère. Après 24 ans et à moins d'attendre
des jumeaux, le risque de vergetures diminue. Pour prévenir
les vergetures :

- veillez à avoir une prise de poids régulière. Méfiez-vous
surtout du 3e mois, où soudain vous allez retrouver gaie-
ment un appétit perdu au début de votre grossesse ;

◆ améliorez la résistance de votre peau par des crèmes hydratantes et nourrissantes.

Prévenez ou diminuez les vergetures sur les zones menacées : le ventre, les seins et le haut des cuisses. Vous assouplirez ainsi la peau, qui résistera mieux aux bouleversements entraînés par la grossesse.

Les cheveux

Vous remarquerez que sous l'effet de la progestérone, vos cheveux sont plus beaux que d'ordinaire, plus brillants et plus épais, car les chutes quotidiennes de cheveux se raréfient.

Les dents

Contrairement à la croyance populaire, un enfant ne coûte pas une dent. Si vous vous alimentez correctement, l'édification de votre bébé ne se fera pas à votre détriment. Vous ne serez ni déminéralisée ni décalcifiée.

Au tout début de votre grossesse, faites vérifier l'état de vos dents, car une carie insoupçonnée peut s'aggraver et provoquer un abcès. Par ailleurs, 20 % des naissances prématurées seraient imputables à des maladies de gencives non traitées et aux réactions inflammatoires qu'elles entraînent. En effet, les mêmes bactéries pathogènes présentes dans les poches paradontales de la mère ont été retrouvées dans le liquide amniotique. Autre conséquence possible : un bébé de faible poids.

Il n'existe aucune contre-indication à l'arrachage d'une dent, si ce n'est la proscription absolue d'un anesthésique local contenant de l'adrénaline. Aussi, avant toute intervention, prévenez votre dentiste de votre état.

Les yeux

En modifiant le rayon de courbure du cristallin, les hormones de la grossesse changent l'acuité visuelle. Dans ce cas, la myopie a tendance à s'aggraver.

Si vous êtes myope, vous devez vous faire surveiller par votre ophtalmologiste au cours de votre grossesse et, surtout, vous devez le signaler au médecin qui vous accouchera. En effet, les efforts de l'expulsion peuvent provoquer un décollement de rétine. Prévenu, le médecin pourra ainsi limiter le temps d'expulsion.

L'hydratation de la cornée est également moins bonne pendant la grossesse. Vous produisez moins de larmes et, de ce fait, vos yeux sont moins humides. Si vous portez des lentilles de contact, vous risquez quelques problèmes d'irritation. Pendant le temps de votre grossesse, portez de préférence des lunettes.

La garde de votre bébé

Renseignez-vous afin de choisir la formule qui vous plaît le plus. En outre, une femme qui travaille doit penser le plus tôt possible au mode de garde de son bébé. Si vous choisissez une employée de maison ou une assistante maternelle, vous pourrez vous en occuper après la naissance de votre enfant. Si vous préférez la formule de la crèche ou un autre mode de garde collectif, préoccupez-vous-en dès maintenant. Il est en effet nécessaire de s'inscrire longtemps à l'avance afin d'avoir plus de chances d'obtenir une place.

La garde à domicile

L'employée de maison, ou auxiliaire parentale, peut travailler à temps plein ou partiel. Qu'il s'agisse d'une jeune fille au pair, française ou étrangère, d'une baby-sitter ou de toute autre personne, il vous revient de la recruter, de lui établir un contrat de travail et des fiches de paie, et de vous inscrire à l'Urssaf comme employeur. Sauf si vous bénéficiez d'une aide de la Caisse des allocations familiales (CAF), vous pouvez la rémunérer par le Chèque emploi service universel (CESU), qui permet à un particulier employeur de déclarer des activités de services à la personne effectuées à domicile ; les démarches administratives sont simplifiées. Renseignez-vous auprès de votre banque ou de l'Urssaf.

Individuel ou partagé avec une autre famille, ce mode de garde est le plus confortable et le plus souple pour les horaires et en cas de maladie de votre enfant ; il est aussi le plus coûteux – le salaire d'une employée de maison est au moins égal au Smic. Vous pouvez, selon certaines conditions de ressources, bénéficier du complément de libre choix du mode de garde (voir annexes).

BON À SAVOIR

Pour les frais de garde de votre enfant, vous bénéficiez d'un crédit d'impôt correspondant à 50 % des dépenses prises en compte. Les plafonds fixés dépendent du mode de garde – à domicile, seul ou en garde partagée, ou bien à l'extérieur ou en crèche. Actifs ou non, tous les parents y ont droit.

L'assistante maternelle

Elle accueille à son domicile 1 à 3 enfants âgés de moins de 3 ans. Pour exercer cette profession, elle a obtenu un agrément délivré par la PMI (protection maternelle et infantile) et reçu une formation. Les modalités pratiques et financières sont les mêmes que pour une auxiliaire parentale. Les enfants sont gardés dans un cadre familial et sont suivis par le médecin de la PMI. Vous obtiendrez les coordonnées des assistantes maternelles dans les centres de PMI et dans votre mairie.

Les crèches collectives

Elles sont créées et gérées par des collectivités ou des établissements ou services régis par le droit public. Une crèche collective accueille entre 15 et 80 enfants âgés de 2 mois à 3 ans. Elle est dirigée par une infirmière puéricultrice et animée par des professionnels de la petite enfance, auxiliaires de puériculture et éducatrices. Pour certaines mamans, ce cadre professionnel et la présence de petits camarades pour leur enfant est rassurant. En cas de fièvre ou de maladie, votre enfant ne sera pas admis; il faudra alors prévoir un autre mode de garde.

Ce mode de garde est souvent le moins coûteux – environ 10 % du revenu imposable du foyer, pour tous les types d'accueil collectif. Renseignez-vous à la mairie; la liste des crèches proches de votre domicile vous sera fournie.

L'inscription provisoire dans une crèche municipale se fait au 6e mois de grossesse; elle doit être complétée par une inscription définitive faite après la naissance et sur avis favorable du médecin de la crèche. À ce moment, vous devrez présenter le carnet de santé de l'enfant, un justificatif de domicile et les bulletins de salaire du foyer, car le tarif dépend du revenu familial. Il existe peu de places en crèches: moins d'un enfant sur dix est gardé en crèche.

Les micro-crèches

Accueillant de 3 à 6 enfants de moins de 6 ans, elles sont gérées par trois professionnels de la petite enfance, des personnes publiques (commune, région, conseil général, établissement public...) ou privées (parent, entreprise). Le projet est soumis au service de la protection maternelle et infantile du conseil général du lieu d'implantation de la micro-crèche. Le tarif varie selon les revenus de la famille.

BON À SAVOIR

Depuis 2007, un label Écolo-crèche existe. On trouve aujourd'hui 15 crèches labellisées en France, pour une durée de 3 ans (tous les 3 ans, un contrôle est effectué pour vérifier l'engagement de la crèche et lui accorder de nouveau – ou pas – le label). 65 crèches sont en attente d'être labellisées, principalement en Région parisienne.

Les crèches familiales

Elles sont un compromis entre l'assistante maternelle et les crèches collectives : votre enfant est gardé au domicile d'une assistante maternelle, qui dépend d'une crèche. Dirigée par une infirmière puéricultrice, une équipe professionnelle assure le suivi médical, éducatif et psychologique. Le matériel est prêté par la crèche. Une à deux fois par semaine, les enfants sont accueillis dans la crèche.

Les crèches parentales

Les crèches parentales, ou « établissements à gestion parentale », ont été créées, à la ville comme à la campagne, pour pallier le manque de places en crèches. Gérées par les parents, ce sont de petites structures qui accueillent les enfants jusqu'à 3 ans ; certaines ne les acceptent qu'à partir de 6 mois, ou plus. Réunis en une association, les parents assurent le fonctionnement de la crèche et, à tour de rôle, font une permanence une demi-journée par semaine ; d'année en année, ce sont eux qui décident du recrutement des nouveaux parents.

La crèche parentale est dirigée par une éducatrice de jeunes enfants et animée par des professionnels de la petite enfance.

Les crèches d'entreprise

Elles sont situées sur le lieu de travail et tendent à se développer.

Les haltes-garderies

Elles constituent une garde ponctuelle, occasionnelle ou régulière, allant de quelques heures à plusieurs demi-journées par semaine, avec ou sans repas. Qu'elles soient municipales ou associatives, elles accueillent les enfants jusqu'à 3 ou 6 ans ; certaines ne les prennent qu'à partir de 6 mois, voire plus tard.

Les jardins maternels

Ils accueillent à plein-temps une vingtaine d'enfants âgés de 2 à 3 ans. Réservés à ceux qui n'ont jamais connu de mode de garde collectif, ils préparent à l'entrée en maternelle. L'inscription se fait à partir du premier anniversaire de votre enfant.

BON À SAVOIR

Décrié par la majorité des professionnels de la petite enfance et des parents, le décret sur la réforme des crèches a été publié en 2010 : il accroît la capacité d'accueil, selon les établissements, de 10 à 20 % et favorise l'emploi de personnels moins qualifiés, mais disposant d'une expérience de terrain.

Les jardins d'enfants

Ils accueillent à plein-temps les enfants à partir de 2 ans-2 ans et demi, et jusqu'à 4 ou 6 ans.

TO-DO LIST

semaine 05

✓ **Prenez rendez-vous chez :**
   - le dentiste ;
   - l'ophtalmologue.

✓ **Inscrivez votre enfant à la crèche.**

SEMAINE DE GROSSESSE

8ᵉ semaine depuis le 1ᵉʳ jour
de vos dernières règles

Attention à la fausse couche : n'en faites pas trop et reposez-vous quand vous vous sentez fatiguée. Prenez rendez-vous avec votre médecin pour passer la première visite obligatoire : celui-ci vous examinera, vous prescrira les examens de laboratoire obligatoires et vous alertera sur les maladies dangereuses pour la femme enceinte.

Votre bébé

Votre bébé mesure maintenant entre 10 et 14 mm et pèse 1,5 g. C'est toujours un embryon, dont la croissance est très rapide. Ses cellules sont en constante différenciation pour donner de nouvelles structures.

La tête et les membres

Le volume de sa tête augmente encore et devient très important en comparaison avec le reste du corps. Elle est toujours très penchée sur la poitrine.

Le visage continue de s'élaborer rapidement par la confluence des bourgeons des mâchoires et des bourgeons nasaux. Tandis que la bouche ouverte laisse voir une petite langue, les yeux situés sur les côtés de la tête commencent à se rapprocher. Le nerf optique s'ébauche. Dans les mâchoires se met en place une lame dentaire, qui donnera naissance aux bourgeons des futures dents.

Les bras et les jambes s'allongent également. Leur extrémité en forme de palette est maintenant séparée du reste du membre par un rétrécissement qui représente le poignet ou la cheville. Quatre sillons séparent cinq régions plus épaisses qui esquissent les futurs doigts. Votre bébé aura bientôt des mains et des pieds !

Jusqu'à présent, toute la surface de son corps était recouverte d'une seule couche de cellules. Celles-ci commencent à se diviser pour se superposer en plusieurs couches, édifiant ainsi l'épiderme.

EN BREF
CETTE SEMAINE

VOTRE BÉBÉ
- Taille de l'ovocyte : 10 à 14 mm
- Poids : 1,5 g
- Formation de la colonne vertébrale
- Bras et jambes s'allongent
- Formation des reins
- Le sexe de votre bébé est encore indifférencié bien que génétiquement défini.

VOUS
- Formation du placenta par augmentation des villosités du trophoblaste
- L'utérus a la taille d'une mandarine.

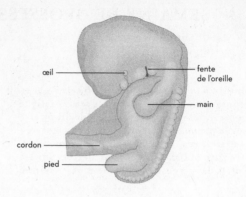

œil

fente de l'oreille

main

cordon

pied

Votre futur bébé
mesure entre 10 et
14 mm.

Les organes

Votre bébé possède un aspect général encore très courbé.
Cependant, ses vertèbres en cours de formation se mettent
en place autour de la moelle épinière afin de constituer la
colonne vertébrale. L'ensemble est maintenu par des muscles dorsaux nouvellement formés. Le ventre de votre bébé
est soulevé par le cœur et le foie, qui occupent une place
considérable dans ce petit corps.

Le cordon ombilical, qui est également très gros, prend pratiquement toute la place restante ; il se réduira au fur et à
mesure que votre bébé grandira.

Encore minuscules, tous les autres organes continuent leur
croissance et leur mise en place.

À la fin de la 6e semaine depuis la fécondation, l'estomac
possède sa forme définitive, tandis que l'ébauche pulmonaire se précise. Quant à l'appareil urinaire, il est déjà présent, avec la formation des reins et des systèmes de tubes
qui s'y rattachent.

Les cellules sexuelles primitives sont maintenant en place
aux endroits où se développeront plus tard les glandes génitales – les ovaires ou les testicules. Le sexe de votre futur
bébé est encore indifférencié : rien n'indique s'il s'agit d'une
fille ou d'un garçon, bien que cela soit défini sur le plan génétique depuis le début de sa première cellule.

L'œuf à l'intérieur duquel flotte votre bébé grossit et fait une
saillie de plus en plus importante dans la cavité utérine.

Les villosités qui l'entourent disparaissent peu à peu, sauf
au niveau de l'implantation dans la paroi utérine, où elles se

développent au contraire beaucoup, élaborant ainsi le futur placenta.

Vous

Vous avez encore des nausées ? Vous êtes encore fatiguée ? C'est parfait ! C'est le signe que votre corps réagit d'une manière normale, donc que votre grossesse se déroule tout à fait bien.

Prévenir une fausse couche

Attention au surmenage
N'en faites pas trop. Cette fatigue qui est soudain la vôtre est directement liée à votre état de grossesse. C'est une fatigue physiologique que vous ne devez surtout pas négliger. Si votre travail est trop fatigant, parlez-en à votre employeur et essayez d'envisager avec lui un aménagement temporaire de vos horaires. Reposez-vous dès que possible en pensant à votre bébé.

Attention aux gros efforts
Les efforts physiques favorisent la contraction de l'utérus ; l'embryon, encore mal arrimé dans la paroi de l'utérus par ses villosités-crampons, risque d'être expulsé.
Dans cette optique, ce n'est pas le moment de déménager, car cela signifie des visites fatigantes avec des escaliers à monter, des colis à porter et un surmenage dû à la nouvelle installation. Pour faire tout cela, attendez d'avoir franchi le cap du 3e mois.
De la même façon, ne programmez pas de voyage lointain pour le moment, car cela suppose des transports fatigants, des conditions d'hygiène peut-être précaires et une nourriture sans doute mal adaptée aux besoins d'un enfant en formation.

Vous découvrez des traces de sang dans vos sous-vêtements
Ne vous affolez pas. Cela peut provenir d'une petite fissure anale ou d'une varice vulvaire. Pour en être sûre, tamponnez ces zones avec des cotons différents. S'ils ne sont pas tachés, c'est que le sang vient de l'intérieur.
Consultez rapidement votre gynécologue, qui verra facile-

ALLEZ CONSULTER

Si vous avez une douleur dans le bas-ventre, allez voir le médecin.

Évitez :

♦ le surmenage ;

♦ les gros efforts.

ment si le sang vient du vagin ou du col de l'utérus :

♦ il peut être dû à une petite infection, qui sera guérie par un traitement approprié ;

♦ il peut apparaître, pendant les trois premiers mois de la grossesse, à la date qui aurait été celle des règles.

Si vous avez du sang et des douleurs dans le bas-ventre

Téléphonez immédiatement à votre médecin et allongez-vous en l'attendant. Vous commencez peut-être une fausse couche, mais ce n'est pas certain. Tant que vos seins restent tendus et douloureux et que vos nausées persistent, la grossesse continue. Le médecin vous prescrira des antispasmodiques pour supprimer les contractions et demandera le dosage quantitatif des hormones chorioniques (HCG, voir page 22). Ce premier renseignement pourra être complété par une échographie.

L'embryon est décelable à l'échographie dès la fin de la 3e semaine de développement. L'enregistrement des mouvements cardiaques indique que la grossesse se poursuit. Si le col de l'utérus est ouvert, le médecin vous prescrira un repos allongé absolu en plus des antispasmodiques. Si le développement de l'embryon est normal, tout rentrera dans l'ordre, à condition de prendre des précautions.

L'échographie peut fournir des renseignements sur les causes de vos saignements.

L'élimination d'un second œuf

À côté de l'œuf en développement, il peut en exister un autre, tout petit, sans battements cardiaques enregistrables : il s'agit d'un jumeau qui ne s'est pas développé et qui est en cours d'élimination.

Cela étant fait, il n'y aura aucune conséquence sur l'œuf sain, qui poursuivra normalement sa croissance.

La présence d'un œuf clair

À l'échographie, on peut voir dans l'utérus un sac ovulaire vide, contenant seulement quelques débris : la grossesse est arrêtée, et l'œuf va s'éliminer spontanément.

L'emplacement du placenta

Si le placenta est situé assez bas, non loin de l'orifice interne du col, des contractions utérines peuvent tirer sur le col, faisant saigner un petit endroit du placenta. Cette partie

ATTENTION

Même s'ils ne sont pas importants, les saignements sont toujours suspects. Si vous constatez des pertes, consultez immédiatement votre médecin.

finit par s'éliminer d'elle-même et tout rentre dans l'ordre, à condition de prendre des précautions. Le repos est alors indispensable.

Les causes de la fausse couche

La malformation de l'embryon

Les fausses couches sont assez fréquentes au cours du 1er trimestre ; 70 % d'entre elles se produisent avant la fin du 2e mois et sont dues à des malformations de l'embryon d'origine génétique. Le défaut accidentel dans l'embryogenèse empêche le développement normal de l'embryon, qui s'élimine de lui-même. Cette fausse couche est alors un accident heureux : elle évite la venue au monde d'un enfant mal formé. Souvent incriminé, l'âge de la mère n'est pas seul en cause. L'âge du père compte aussi. Une équipe de l'Inserm a démontré que le risque de fausse couche augmente de 30 % environ quand l'homme est âgé de plus de 35 ans. Cela est dû au fait que les spermatozoïdes contiennent davantage d'anomalies chromosomiques.

Un utérus mal adapté

La cavité utérine est parfois trop étroite, et l'embryon, qui se développe vite, se trouve étriqué. Des saignements apparaissent avant le rejet de l'œuf. Cela peut être le cas lors d'une première grossesse, mais ne compromet pas les grossesses suivantes.

Une insuffisance hormonale

Elle est due à une déficience du corps jaune, une glande située sur l'ovaire. Les hormones qu'il sécrète assurent le maintien de la grossesse jusque vers le 4e mois, moment où le placenta prendra son relais.

Une infection

La grossesse peut avoir été interrompue par une infection de la future mère telle que la toxoplasmose, le cytomégalovirus ou une simple infection vaginale non traitée.

La première consultation obligatoire

Vous avez sept consultations obligatoires au cours des 9 mois de votre grossesse. La première doit avoir lieu avant la fin de la 14e semaine de grossesse, c'est-à-dire à la fin du 3e mois. Les examens prescrits lors de cette première consultation sont eux aussi obligatoires pour bénéficier des avantages sociaux en matière de maternité. Une huitième visite médicale obligatoire aura lieu après l'accouchement. N'attendez pas ce 3e mois pour effectuer cette première visite. C'est maintenant qu'il faut y penser et prendre rendez-vous. La fin du 2e mois est la bonne période pour se faire examiner soigneusement et pour subir les examens de laboratoire dont les résultats gagnent à être connus le plus tôt possible pour un bon déroulement de la grossesse.

Cette première consultation obligatoire se déroulera à la maternité que vous avez choisie pour accoucher. Votre dossier va être constitué ; il vous suivra jusqu'au jour de votre accouchement. Vous pouvez néanmoins décider de vous faire suivre par votre gynécologue, qui transmettra ensuite votre dossier à la maternité.

Ce premier examen médical peut être fait soit par un médecin, soit par une sage-femme, habilitée à surveiller l'ensemble de la grossesse. Si celle-ci se déroule normalement, vous n'avez pas besoin de voir le médecin systématiquement ; il interviendra en cas de problème. L'essentiel est que votre dossier soit établi et conservé à l'endroit où vous accoucherez. Il est également important que se crée une relation de confiance entre vous et l'équipe soignante, car ce ne sera pas nécessairement le médecin ou la sage-femme qui aura suivi votre grossesse qui vous accouchera.

Lors de ce premier examen médical, vous allez avoir un interrogatoire, un examen général, un examen gynécologique, et recevoir une prescription d'examens de laboratoire.

Pour aller plus loin
Retrouvez tous les conseils de l'obstétricienne p. 359.

Un interrogatoire

Votre âge
Si vous avez moins de 18 ans ou plus de 40 ans, vous vous trouvez dans une catégorie à risques plus grands pour vous et votre bébé. Aussi bénéficierez-vous d'une surveillance spéciale.

Vos antécédents personnels et familiaux
Votre médecin vous demandera quelles ont été vos maladies, petites et grandes. Avez-vous eu la rubéole étant en-

fant ? Avez-vous été vaccinée contre cette maladie ? C'est important de le savoir, car la rubéole est dangereuse durant les trois premiers mois de la grossesse (voir page 61).

Signalez à votre médecin l'existence des points faibles de votre famille. Vos parents sont-ils diabétiques, cardiaques, tuberculeux ? Existe-t-il, dans votre famille ou dans celle de votre mari, des maladies héréditaires d'origine génétique telles que l'hémophilie ou la myopathie ?

Votre médecin demandera la recherche de votre groupe sanguin ; si vous savez que vous êtes rhésus négatif, dites-le-lui. Précisez-lui si vous avez déjà subi une transfusion sanguine. Le sang transfusé était-il bien Rh – comme le vôtre ? En cas de grossesse antérieure et si votre mari est Rh +, vous a-t-on injecté des gamma-globulines après l'accouchement ? En cas de fausse couche ou d'interruption volontaire précédant cette grossesse, avez-vous reçu des gammaglobulines (voir page 74) ?

Tout cela est très important car, selon votre réponse, vous faites partie des grossesses à risque et vous devrez faire l'objet d'une surveillance particulière.

Vos habitudes de vie

Quelles sont vos conditions de travail ? De transport ? Avez-vous l'habitude de boire ? De fumer ? Autant de questions qui aideront l'équipe médicale à suivre votre grossesse et à prévenir d'éventuels problèmes.

Un examen général complet

Cet examen comprend une pesée, la mesure de la dimension du bassin, la prise de la tension artérielle et une auscultation cardiaque et pulmonaire complète.

Un examen gynécologique

Il comprend un examen des seins, du col et du corps utérin, ainsi qu'un prélèvement des sécrétions vaginales pour analyse.

La prescription d'examens de laboratoire

◆ La recherche dans les urines de sucre et d'albumine.
◆ La recherche dans le sang d'agglutinines anti-D, si vous êtes Rh – (voir pages 70-74) ; d'anticorps de l'hépatite B, de la toxoplasmose, de la syphilis, éventuellement du sida – ce dernier examen vous sera proposé ; vous serez libre de l'ac-

cepter ou non –, du cytomégalovirus, de la varicelle et de la rubéole.

- La recherche dans les sécrétions vaginales de strepto-coques du groupe B. Cette bactérie étant dangereuse pour le fœtus, des prélèvements vaginaux seront effectués à chaque visite pour examen.

À la fin de cette première consultation, votre médecin vous remettra :

- une déclaration de grossesse à envoyer à la Sécurité sociale et aux Allocations familiales ; elle vous permettra de rece-voir le guide de surveillance médicale mère et nourrisson (voir page 126) ;
- un certificat médical destiné à votre employeur si vous faites un travail pénible ; sachez toutefois que vous n'êtes pas tenue de l'informer, à ce stade, de votre état de gros-sesse.

Les examens de laboratoire obligatoires

La recherche dans les urines

Le sucre
En général, on trouve dans l'urine de la femme enceinte un sucre particulier, le lactose, dont la présence n'est pas signi-ficative. S'il y a une réaction positive avec le glucose, on fera une recherche plus approfondie de son taux dans le sang.
Parmi les femmes enceintes, 2 à 3 % ont un peu de diabète à partir du 5e ou du 6e mois de grossesse ; dans la grande majorité des cas, cela se traduit par une légère anomalie de filtration au niveau des reins, qui est directement liée à la grossesse. Tout rentrera dans l'ordre dans les jours qui sui-vront l'accouchement.

L'albumine
On ne doit pas trouver d'albumine dans les urines. Si la réac-tion est positive, votre médecin cherchera si vous n'avez pas une infection urinaire ou rénale.

La recherche dans le sang
Les maladies recherchées sont plutôt rares et concernent

seulement une fraction de la population; étant donné qu'elles sont très dangereuses pour l'enfant à naître, elles sont systématiquement dépistées. Cela ne doit donc pas vous inquiéter.

L'hépatite B (l'antigène HBS)

Maladie très dangereuse pour le nouveau-né, l'hépatite B, dont l'agent est un virus, est transmise le plus souvent par le sang, en contamination directe ou par l'intermédiaire de rapports sexuels, et parfois par des aliments souillés. La vaccination contre l'hépatite B, actuellement controversée, reste l'affaire de chacun, en accord avec son médecin.

Lorsque la mère est atteinte par le virus de l'hépatite B, celui-ci peut traverser le placenta et atteindre le foie du bébé. C'est la raison pour laquelle un dépistage sérologique est systématiquement fait en début de grossesse.

Selon son résultat, différentes précautions seront alors envisagées pour la mère comme pour l'enfant.

La toxoplasmose

C'est une maladie fréquente en France, car elle est liée à des habitudes alimentaires. En effet, le parasite responsable se trouve dans la viande de mouton et de porc insuffisamment cuite. 84 % des futures mères ont déjà été atteintes par la maladie, sans le savoir, et sont donc immunisées.

La recherche d'anticorps de la toxoplasmose fait partie de l'examen prénuptial: si vous êtes mariée, vous savez donc si vous avez déjà eu la maladie et si, par conséquent, vous êtes immunisée.

Bénigne pour la mère, la toxoplasmose passe souvent inaperçue. Elle se manifeste par un peu de fièvre, des ganglions dans le cou et un peu de fatigue, avec des douleurs musculaires ou articulaires.

L'examen sérologique consiste à rechercher dans le sérum de la future mère la présence d'anticorps. S'il n'y en a pas, c'est qu'elle n'a jamais été contaminée et qu'elle n'est donc pas immunisée.

Parmi les 16 % de femmes non immunisées, seules 4 à 5 % seront contaminées par le toxoplasme pendant leur grossesse. Et, dans ce cas, il n'y a que 40 % de risques pour que l'enfant soit atteint. Ce qui est relativement peu – heureusement, étant donné la gravité de la maladie pour l'enfant.

Au 1er trimestre, le toxoplasme traverse assez rarement le

placenta. Quand il y parvient, cela aboutit à la mort de l'œuf et donc à une fausse couche. C'est surtout à partir du 5e mois que la maladie est grave, car le placenta est traversé; le toxoplasme sera alors responsable de malformations cérébrales ou oculaires. En fin de grossesse, la contamination de l'enfant est plus fréquente, car le placenta est davantage perméable; mais les conséquences sont moins graves.

Quand une toxoplasmose est détectée, un traitement efficace à base d'antibiotiques est entrepris.

Si vous n'êtes pas immunisée contre la toxoplasmose:
- faites un sérodiagnostic toutes les 4 à 5 semaines afin de détecter une éventuelle contamination;
- ne mangez ni viande crue ni viande saignante;
- consommez des fruits et des légumes de préférence cuits ou très bien lavés;
- évitez la présence d'animaux domestiques, en particulier les chats qui sont porteurs du toxoplasme et le rejettent dans leurs excréments.

BON À SAVOIR

Le parasite de la toxoplasmose est tué par la congélation.

La syphilis

Non obligatoire, le dépistage de la syphilis fait partie des examens prénuptiaux. Un test reste obligatoire dans les trois premiers mois de la grossesse, car cette maladie grave peut se transmettre à l'enfant à partir du 5e mois. Si les résultats sont positifs, on traite la future mère à la pénicilline, et l'enfant naîtra en bonne santé. Si la mère n'est pas soignée à temps, c'est-à-dire avant le 5e mois, elle n'a que 35 % de chances de mettre au monde un enfant normal et sain. Cette maladie est devenue très rare chez le nouveau-né.

Le sida

Que signifie le terme « sida » ? « Sida » est l'abréviation de syndrome d'immuno-déficience acquise. Lorsque le sida évolue chez un malade, celui-ci présente un ensemble de troubles (syndrome) dus à l'affaiblissement de ses défenses immunitaires (immuno-déficience), cette incapacité à se défendre ayant été acquise au contact du virus. L'organisme atteint est privé d'une partie de ses globules blancs, essentiels à la défense de l'organisme, qui sont détruits par le virus. Il est alors la proie de multiples infections qui mettent le malade en danger de mort.

Que signifie être « séropositif » ? Le sida est le résultat de la contamination par un virus : le VIH (virus de l'immuno-déficience humaine) ou, en anglais, HIV (*Human Immuno-deficiency Virus*). Un test sérologique permet de savoir si l'on est ou non porteur de ce virus. En cas de contamination par le virus, l'organisme réagit et fabrique des anticorps. La personne qui possède ces anticorps est dite « séropositive » à l'égard de ce virus.

Une personne séropositive peut :
◆ développer la maladie, car les anticorps sont inefficaces ;
◆ ne pas avoir la maladie ; dans ce cas, elle est dite « porteur sain ».
Dans tous les cas, elle peut transmettre le virus. Le virus se transmet uniquement de sang à sang. Aussi, un porteur du virus peut-il le transmettre lors :
◆ de relations sexuelles, car dans le sperme et les sécrétions vaginales se trouvent des globules blancs qui sont infectés par le virus, d'où la nécessité absolue d'utiliser des préservatifs ;
◆ d'échange de seringues chez les toxicomanes ;
◆ d'une transfusion de sang contaminé, d'où une surveillance stricte du sang en Europe depuis 1985.
Une mère porteuse du virus peut le transmettre à son enfant au cours de la grossesse. Aujourd'hui, grâce à la multithérapie, les risques encourus par l'enfant d'être réellement atteint par la maladie sont aux environs de 5 %.
Tous les enfants de mères séropositives sont séropositifs à la naissance, car les anticorps anti-VIH de la mère sont passés à travers le placenta :
◆ chez certains enfants, les anticorps disparaîtront dans les 8 à 9 mois suivant la naissance, car il s'agit uniquement des anticorps de la mère ;
◆ chez d'autres – 5 % des cas –, le taux d'anticorps ne baissera pas avec le temps, car il s'agit de leurs propres anticorps : cela signifie qu'ils ont été infectés.
Plus de la moitié de ces bébés décéderont avant l'âge de 2 ans ; les autres présenteront des complications nerveuses graves et le risque, toujours existant, de développer un jour la maladie.
Les femmes enceintes séropositives ont la possibilité, si elles le désirent, de recourir à une interruption médicale de gros-

sesse (IMG) avant la 10e semaine d'aménorrhée. Au-delà de ce délai, l'interruption de grossesse est toujours possible, car elle entre dans un cadre thérapeutique. Il s'agit là d'un choix extrêmement difficile pour la future maman, qui aura besoin, dans tous les cas, d'un soutien psychologique (voir en annexe les adresses utiles).

Le cytomégalovirus

Le cytomégalovirus est un virus en général inoffensif, dont l'infection passe inaperçue, provoquant de la fatigue ou de la fièvre, mais parfois sans symptôme. Cependant, le virus reste latent dans l'organisme et peut se réactiver lors d'un affaiblissement physique ou psychologique ; cela est sans conséquence. Mais il en va tout autrement quand la première rencontre avec le virus survient lors d'une grossesse. Chaque année, 2 à 3 % des femmes enceintes non immunisées contractent le virus. En France, le dépistage n'est pas systématique. Aussi, si vous êtes en contact avec des enfants en bas âge, vous pouvez vérifier si vous êtes immunisée par une simple prise de sang, qui permettra de détecter la présence d'anticorps.

Quand la mère contracte le cytomégalovirus pendant sa grossesse, 30 à 40 % des bébés sont à leur tour infectés ; les risques de séquelles sont plus importants si la contamination a lieu dans la première moitié de la grossesse. Si, dans 90 % des cas, le bébé est indemne, 5 % des nouveau-nés en bonne santé présentent un risque ultérieur de surdité. Dans 10 % des cas, les bébés peuvent développer à la naissance des séquelles neurosensorielles parfois graves.

En cas de forte suspicion de la maladie de la femme enceinte, un diagnostic de cytomégalovirus peut être réalisé par amniocentèse. Un suivi par échographie dans un centre spécialisé et une IRM cérébrale du fœtus permettent d'évaluer les risques pour le futur bébé.

La varicelle et la rubéole

Pour ces deux maladies, voir le 1er mois, pages 60 et 61.

BON À SAVOIR

Le cytomégalovirus se transmet par la salive, les larmes et les urines.
Pour vous protéger :

◆ lavez-vous souvent les mains, en particulier après le change d'un bébé ;

◆ ne sucez pas la cuillère d'un bébé ;

◆ évitez le contact avec sa salive, ses larmes et ses sécrétions nasales ;

◆ ne prenez pas de bain avec un bébé ;

◆ n'utilisez pas ses ustensiles de toilette ou de repas.

TO-DO LIST

✓ **Recherche dans les urines :**
- sucre ;
- albumine.

✓ **Recherche dans le sang :**
- hépatite B,
- anticorps :
- de la rubéole,
- de la toxoplasmose,
- du sida ;
- agglutinines anti-D si vous êtes Rh (–).

✓ **Première consultation obligatoire.**

SEMAINE DE GROSSESSE

9e semaine depuis le 1er jour
de vos dernières règles

Votre bébé travaille comme un petit fou : il se construit à toute vitesse et a pratiquement doublé sa taille depuis la semaine dernière ! Il commence à bouger, même si vous ne pouvez pas encore le sentir ! Vous continuez à souffrir de nausées et de malaises. Pensez à avoir une alimentation équilibrée pour aider votre bébé à bien se construire.

EN BREF
CETTE SEMAINE

VOTRE BÉBÉ

- Taille de l'ovocyte : 17 à 22 mm
- Poids : 1,5 à 2 g
- Formation de la rétine et du cristallin de l'œil
- Formation de la thyroïde
- Mise en place des premiers muscles
- Formation des doigts et orteils
- Votre bébé a déjà des mouvements visibles à l'échographie.

VOUS

L'hormone HCG est à son taux maximal.

Votre bébé

Il mesure maintenant 17 à 22 mm. Sa tête, encore très volumineuse, plus grande que le reste du corps, en est désormais séparée par le cou qui s'est formé. Si la tête est encore penchée sur la poitrine, le corps, dans son ensemble, est moins courbé. À l'autre extrémité, la queue commence à régresser. Les bras et les jambes continuent de s'allonger. Depuis le début de leur formation, les bras sont en avance par rapport aux jambes. Ils se courbent au coude, tandis que les mains se plient légèrement au niveau du poignet. Les os de ces membres sont au stade de cartilage primitif, alors que les muscles se mettent en place. Les doigts et les orteils commencent à se former.

Le visage de votre futur bébé poursuit son élaboration. Les yeux se rapprochent, tandis que les paupières se dessinent, les fosses nasales se mettent en place et les mâchoires se consolident. Recouvrant la mâchoire supérieure, la lèvre est maintenant présente. Dans les mâchoires, les bourgeons dentaires s'installent progressivement.

Les yeux

Du cerveau primitif ont poussé deux prolongements : les ébauches des yeux ; ils s'épanouissent en corolle pour former les rétines. La peau située devant s'épaissit tout en devenant transparente pour se transformer en cette lentille grossissante qu'on appelle le « cristallin ». Ce dernier commande l'apparition de la cornée. Le nerf optique étant entièrement terminé, votre bébé pourrait déjà presque voir !

Une croissance rapide des organes

En ce qui concerne les organes internes, la glande thyroïde prend sa place définitive, accolée à la trachée. Le cœur commence à se cloisonner en cœur droit et cœur gauche. Inlassablement, il bat au rythme de 80 battements par minute.

À l'extrémité postérieure du corps, le cloaque se divise en deux. À l'arrière apparaît le canal ano-rectal et, vers l'avant, le canal uro-génital primitif.

Les glandes sexuelles sont toujours indifférenciées. Selon ce qui est inscrit au niveau des gènes, elles se différencieront en testicules ou en ovaires.

Tous les autres organes poursuivent leur différenciation et leur croissance en vue d'atteindre leur forme fonctionnelle définitive. Cette croissance rapide des organes peut aller plus vite que le développement des cavités intérieures. Tel est le cas du cœur et du foie, qui forment une proéminence énorme à la surface du thorax. Tel est également le cas de l'intestin, dont les anses qui s'allongent trop vite sortent de la cavité abdominale trop petite et se replient provisoirement dans le cordon ombilical.

Votre bébé bouge

Et l'incroyable se produit enfin : votre bébé bouge !

Il se retourne sur lui-même, mais ces mouvements sont purement réflexes, car les muscles ne sont pas encore innervés et ne sont donc pas commandés par le cerveau. Ces mouvements se passent au plus profond de votre corps et, malheureusement, ne parviennent pas jusqu'à vous. Vous ne les percevez pas. Pourtant, ils sont bien réels, puisqu'ils sont visibles à l'échographie. Vous sentirez votre bébé bouger seulement au 4e mois. Encore un peu de patience !

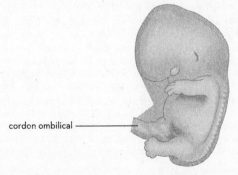

cordon ombilical

← **Votre bébé mesure**
17 à 22 mm.
Il commence
à se redresser.

À l'intérieur de votre ventre.

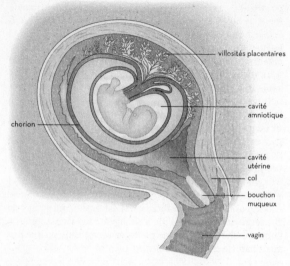

villosités placentaires

cavité amniotique

chorion

cavité utérine

col

bouchon muqueux

vagin

Vous

L'hormone HCG, qui peut être détectée très rapidement après la conception et qui indique que vous êtes enceinte (voir page 22), atteint maintenant un taux maximal dans votre corps. Cela explique vos nausées, votre fatigue et les différents petits malaises. Courage, c'est bientôt fini !

Au quotidien

Mangez sainement et équilibré

Votre bébé a grandi d'une manière spectaculaire depuis le début de sa conception : il a presque doublé sa taille chaque semaine. La multiplication rapide de ses cellules, qui entraîne la construction de ses tissus et de ses organes, suppose qu'elles disposent de tous les nutriments nécessaires à leur croissance. Ces nutriments de base leur sont apportés par le sang. Étant donné qu'il ne s'alimente pas directement lui-même, il puise ce dont il a besoin dans votre propre sang. C'est la raison pour laquelle votre alimentation est si importante pour lui.

Il ne s'agit pas, comme on le pensait autrefois, de manger pour deux, mais de se nourrir correctement et intelligemment de façon à apporter à votre organisme et au sien tous les éléments nécessaires.

Ne pas sauter de repas, manger des produits sains qui se digèrent facilement et sont rapidement assimilables, veiller à un apport suffisant de calories, de nutriments indispensables, de vitamines..., sont des règles simples mais essentielles et qu'il faut respecter.

Dans la mesure du possible, consommez des aliments issus de l'agriculture biologique, en particulier les fruits et les légumes. En effet, les résidus de pesticides sont extrêmement nocifs pour votre bébé – et pour vous-même. Même si vous pelez soigneusement les fruits et les légumes, ils en contiendront encore. De nos jours, la plupart des grandes surfaces proposent des produits biologiques.

Buvez !

Durant votre grossesse, votre masse sanguine augmente, vos reins filtrent davantage : en plus de vos déchets, vous avez ceux de votre bébé à éliminer. Vous devez donc boire suffisamment : 1 litre et demi à 2 litres de liquide par jour. Préférez l'eau à toute autre boisson. Cependant, n'oubliez pas de boire du lait, qui est considéré comme un aliment et fait donc partie de la ration alimentaire, ainsi que du jus de fruits frais, pour les vitamines. Limitez votre consommation de café et de thé et abstenez-vous entièrement de boissons alcoolisées (voir page 68).

BON À SAVOIR

- Mangez sainement et équilibré.
- Buvez beaucoup.
- Surveillez votre poids.

Le B.A.-ba de l'alimentation de la femme enceinte

Les nutriments de base sont les glucides, ou sucres, les lipides, ou corps gras, et les protéines, qui vont donner les acides aminés, matériaux élémentaires pour la construction de la matière vivante. Pour le bon fonctionnement de la machine humaine, tous ces éléments doivent être associés selon des proportions définies. C'est la base de toute alimentation équilibrée.

Les besoins en calories

Chaque type de nutriment dégage lors de sa combustion, au cours de la digestion, un certain nombre de calories par gramme. Elles fournissent l'énergie indispensable à la vie.

Le minimum vital est de 1 500 calories par jour. Ce sont les calories utilisées uniquement pour le fonctionnement des organes et pour le maintien d'une température constante à 37 °C. Ce minimum vital varie en fonction du sexe, du poids, de la taille et de l'âge.

Pour une femme enceinte ayant une activité moyenne, une alimentation équilibrée doit comporter pour 100 calories :
- 15 à 20 calories d'origine protéique ;
- 30 à 35 calories d'origine lipidique ;
- 50 à 55 calories d'origine glucidique.

Ce qui correspond, pour une dépense énergétique de 2 500 calories, à l'absorption quotidienne de :
- 80 à 90 g de protéines ;
- 80 g de lipides ;
- 300 g de glucides.

Tout mouvement ou tout effort que nous effectuons nécessite des calories supplémentaires apportées par l'alimentation. Plus le travail est fatigant, plus la dépense d'énergie, donc de calories, est grande. Au contraire, si nous mangeons trop par rapport à nos dépenses énergétiques, le surplus de calories ingérées se transforme inéluctablement en graisse.

Le corps de la future mère travaille davantage, aussi a-t-elle besoin de calories supplémentaires, mais cette augmentation ne doit pas être énorme. Si vous êtes une femme d'activité moyenne, votre besoin quotidien est d'environ 2 000 calories ; enceinte, vous avez besoin de 2 200 à 2 500 calories par jour.

Pour aller plus loin
Retrouvez tous les conseils de la nutritionniste p. 382

Des besoins précis selon les cas

Cependant, dans quelques cas particuliers, les apports alimentaires devront à peu près rester les mêmes mais être particulièrement bien équilibrés selon les besoins :
- si vous avez moins de 20 ans et si, par conséquent, vous n'avez pas terminé votre propre croissance, vous devrez veiller à un apport exceptionnel en calcium ;
- si vous exercez un travail très fatigant physiquement, votre ration quotidienne doit être enrichie en protéines ;
- si vous avez déjà eu plusieurs enfants ou si vous attendez des jumeaux, vous devrez naturellement augmenter votre apport calorique, au cours de la seconde moitié de

la grossesse, par une consommation plus importante de protéines.

Les bases d'une bonne alimentation

Avoir son quota de calories ne suffit pas si l'on ne considère pas leur provenance, qui est capitale. Il doit exister un juste équilibre dans l'alimentation entre tous les nutriments de base qui, en plus des calories, vont apporter à l'organisme les matières premières nécessaires à son entretien – c'est votre cas – et à sa croissance – c'est le cas de votre bébé. Vous devez donc ingérer régulièrement, sous peine de carences graves, des produits contenant des protéines, des lipides et des glucides, ainsi que des vitamines, des minéraux et des oligoéléments.

Les protéines

Elles construisent et renouvellent tous les tissus de l'organisme. C'est la raison pour laquelle elles doivent occuper une place importante dans l'alimentation.

Votre futur bébé consomme 9 g de protéines au cours du 1er mois, puis 9 g par semaine au 3e mois, enfin 9 g par jour en fin de grossesse.

Les protéines d'origine animale se trouvent dans la viande, le poisson, les œufs, le lait et ses dérivés. À poids égal, le poisson fournit autant de protéines que la viande. De même, deux œufs valent un bifteck de 100 g.

Les protéines d'origine végétale sont présentes dans les céréales (le riz, les pâtes, le pain...), les légumineuses (les lentilles, les haricots, les pois...) et les oléagineux (les noix, les noisettes, les amandes...).

Un bon équilibre entre les protéines d'origine animale et les protéines d'origine végétale est à respecter.

Les lipides

Énergétiques comme les sucres, les lipides participent d'une manière active à l'élaboration des organes. Ils sont essentiels, en particulier, à la construction du système nerveux. Ils ne doivent pas apporter plus de 30 % des calories de la ration alimentaire quotidienne. Les graisses animales se trouvent dans la viande, le poisson gras, le jaune d'œuf, le lait, la charcuterie, le beurre, la margarine. N'abusez pas des graisses animales ; préférez-les sous leur forme crue, plus digeste : le lait, le beurre, le fromage.

Les graisses végétales sont présentes avant tout dans les huiles et les fruits oléagineux tels que les cacahuètes, les noix, les noisettes et les amandes.

Les glucides

Surtout énergétiques, les glucides sont présents dans le sucre de table, le miel, la confiture, les pâtes et le riz, les fruits secs, les légumineuses ou les fruits frais. Si vous avez tendance à grossir, diminuez votre ration de glucides, sauf en ce qui concerne les fruits frais, très riches en vitamines. Diminuez également les lipides au profit des protéines, dont le rôle dans l'édification du corps est si important.

Les minéraux

Ce sont notamment le calcium, le sodium, le magnésium, le potassium, le phosphore. Ils doivent être maintenus à un taux constant dans l'organisme sous peine d'entraîner des troubles. Or, pendant tout le temps de votre grossesse, vos besoins seront largement accrus.

Les principaux minéraux

Nom	RÔLE	SOURCE ALIMENTAIRE
CALCIUM	◆ Essentiel pour la formation du squelette et des dents de votre bébé. Si vous ne lui en apportez pas en quantité suffisante, il puisera dans vos propres réserves, entraînant pour vous une décalcification. Le calcium n'est fixé par les os qu'en présence de vitamine D, présente, elle aussi, dans l'alimentation.	Lait et ses dérivés : yaourts et fromages, les plus riches étant ceux à pâte dure comme le gruyère ou le cantal. Œufs, pain complet, quelques légumes verts comme épinards, choux, endives, cresson.
MAGNÉSIUM	◆ Bon équilibre neuro-musculaire.	Amandes, noix, noisettes, abricots secs, flocons de céréales complètes, germes de blé, chocolat.

Les vitamines

Ces molécules chimiques complexes qu'on appelle « vitamines » déclenchent toutes les réactions biochimiques nécessaires à l'élaboration de la matière vivante ainsi qu'au maintien et au bon fonctionnement de l'organisme. La cuisson à la vapeur permet de conserver un maximum de vitamines.

Les oligoéléments

Ce sont des minéraux dont la présence, en quantité infime, est essentielle pour le maintien d'une bonne santé. Il s'agit, entre autres, de l'iode, du zinc, du cuivre, du fer, du fluor, du manganèse, du sélénium.

Les principaux oligoéléments

Nom	RÔLE	SOURCE ALIMENTAIRE
FER	◆ Essentiel pour la formation et la bonne santé des globules rouges. Le fer est le composant essentiel de l'hémoglobine, pigment transporteur d'oxygène, qui donne leur couleur aux globules rouges.	Viande rouge, boudin, foie de veau, cresson, épinards, persil, lentilles, haricots blancs, fruits secs, jaune d'œuf, foie de génisse ou d'agneau, chocolat.
	L'enfant en formation a besoin d'une quantité importante de fer pour la fabrication de ses propres globules rouges. Si votre alimentation est pauvre en fer, il va puiser dans vos propres réserves, ce qui aura pour conséquence de vous rendre anémique.	
ZINC	◆ Aide à la synthèse des protéines et de nombreux enzymes, protéines spéciales nécessaires aux réactions biochimiques. ◆ Nécessaire à la libération de la vitamine A stockée dans le foie, dans la circulation sanguine.	Cuticule des céréales, riz et pain complets, germes de blé, flocons de céréales complètes, noisettes, œufs, foie animal, coquillages.
IODE	◆ Indispensable au bon fonctionnement de la glande thyroïde.	Coquillages, poissons. Sa présence dans le sel marin couvre les besoins de l'organisme pour une alimentation normalement ou peu salée.
FLUOR	◆ Action préventive contre les caries.	Eaux minérales. Votre médecin pourra également vous prescrire du fluor en comprimés à partir du 5e mois.

LES VITAMINES

Nom	RÔLE	SOURCE ALIMENTAIRE
A	◆ Essentielle pour la croissance et la vue. Sa carence entraîne des troubles de la vision. ◆ Indispensable pour la formation de l'émail des dents, des cheveux et des ongles. ◆ Nécessaire à la formation de la glande thyroïde. ◆ Protège la peau et les muqueuses. ◆ Permet de résister aux infections.	Lait entier et ses dérivés, beurre frais, jaune d'œuf, poisson, huile de foie de poisson, foie animal, rognons. Légumes verts, notamment persil, épinards, laitue, tomate. La carotte contient du carotène, précurseur de la vitamine A.
B1	◆ Indispensable à la constitution du bébé, notamment de ses nerfs et de ses yeux. ◆ Nécessaire pour la lactation. ◆ Favorise la digestion en stimulant l'estomac et l'intestin. ◆ Son besoin est accru dans le cas d'une maladie infectieuse.	Cuticule des céréales. Pour cette raison, préférer riz et pain complets, graines entières, noisettes, germes de blé, levure de bière. Légumes secs, pomme de terre. Abats : cœur, foie, rognons. Fruits.
B2	◆ Essentielle au moment de la fécondation et dans les premiers jours du développement de l'embryon. ◆ Prévient les problèmes de peau.	Graines entières, germes de blé, levure de bière, légumes verts, lait, œufs, foie animal.
B3	◆ Aide à la construction des cellules nerveuses. ◆ Protège des infections et des saignements de gencives.	Graines entières, germes de blé, levure de bière, cacahuètes, légumes verts, œufs, poisson, foie, rognons.
B5	◆ Essentielle pour la multiplication cellulaire, obligatoire pour le maintien de l'intégrité tissulaire. ◆ Rôle important dans la fabrication des globules rouges.	Cuticule des céréales, graines entières, cacahuètes, œufs, fromages, foie, cœur, rognons.
B6	◆ Aide à l'assimilation des graisses et des acides gras nécessaires à la production des anticorps. ◆ Sa déficience cause des troubles nerveux et de l'anémie.	Germes de blé, levure de bière, pomme de terre, champignons, banane, légumes secs, foie, cœur, rognons.
B12	◆ Essentielle pour la formation et la protection des globules rouges. ◆ Indispensable pour la formation du système nerveux central du bébé.	Germes de blé, levure de bière, graines entières, poisson, foie.

Nom	RÔLE	SOURCE ALIMENTAIRE
ACIDE FOLIQUE (en liaison avec le goupe des vitamines B)	◆ Importance capitale dans la synthèse des protéines, la multiplication cellulaire, le bon fonctionnement de la moelle osseuse, siège de la fabrication du sang. ◆ Empêche les malformations du tube neural comme le spina-bifida. ◆ Essentielle pour un bon développement du système nerveux central du bébé.	Légumes verts : laitue, cresson, endive, pissenlit, poireau. Toutes les sortes de choux : chou-fleur, chou de Bruxelles, chou rouge, chou vert, brocoli. Noix, agrumes, c'est-à-dire orange, citron, pamplemousse. Foie d'agneau et de poulet. Fromages fermentés.
	◆ Une carence en acide folique peut provoquer des hémorragies entraînant un avortement en début de grossesse, un retard dans la croissance *in utero* du bébé ainsi que des malformations fœtales, surtout neurologiques. Cette carence peut être due à la malnutrition, à l'alcoolisme, aux anti-épileptiques. Une grossesse gémellaire ainsi que le fait d'avoir déjà eu plusieurs enfants sont des facteurs aggravants. Chez ces femmes présentant un facteur de risque, un apport médicamenteux en supplément à l'alimentation est nécessaire. Chez les autres, il est recommandé, pendant le 1er trimestre de la grossesse, mais, surtout, l'alimentation doit être équilibrée en conséquence.	
D	◆ Permet l'absorption du calcium par l'intestin et son incorporation par les cellules osseuses. Elle est par conséquent indispensable pour la construction d'un squelette solide à votre bébé. ◆ C'est la vitamine de l'antirachitisme.	Lait, beurre, jaune d'œuf, poisson, huile de foie de morue. L'organisme fabrique lui-même la vitamine D grâce aux rayons solaires qui activent une pro-vitamine présente dans la peau. Si votre grossesse a lieu en hiver, votre médecin vous prescrira probablement une ampoule de Stérogyl® vers le 6e mois et une autre au début du 9e.
C	◆ Permet de lutter contre la fatigue et augmente la résistance aux infections. ◆ Participe à l'élaboration d'un placenta solide. ◆ Favorise l'absorption du fer par l'intestin. ◆ Rôle important dans la réparation des fractures et la cicatrisation. Les besoins en vitamine C sont variables suivant qu'il y a stress, fièvre ou infection.	Fruits frais et notamment citron, orange, mandarine, pamplemousse, kiwi. Légumes verts, surtout consommés crus. La vitamine C est détruite par la cuisson. Deux oranges suffisent pour assurer la ration quotidienne.
E	◆ Pour une bonne fertilité. ◆ Pour le maintien de l'intégrité des membranes cellulaires.	Germes de blé, salades vertes et la plupart des aliments.
K	◆ Pour la coagulation du sang.	Légumes verts crus. Elle est également fabriquée dans l'intestin à partir d'une bactérie.

GARE À LA CARENCE EN FER

Il convient de distinguer le fer héminique – présent dans la viande, la volaille et le poisson – et le fer minéral – présent dans les céréales, les oléagineux et la levure alimentaire. C'est le premier qu'il convient de privilégier. Tandis que les aliments riches en vitamine C stimulent l'absorption du fer, d'autres, à l'opposé, réduisent cette absorption : les aliments riches en tanins, en fibres ou en zinc, ainsi que le thé, le café, le jaune d'œuf et le son de blé. Tout au long de votre grossesse, augmentez votre consommation d'aliments riches en fer ; si nécessaire, votre médecin vous prescrira une supplémentation.

BON À SAVOIR

Adoptez une ligne de conduite et tenez bon :

- ne sautez jamais de repas ;
- équilibrez vos repas en quantité et en qualité ;
- faites trois ou quatre repas par jour : un petit déjeuner copieux, un déjeuner, un dîner et une collation le matin ou l'après-midi ;
- ne grignotez jamais entre les repas ;
- pour couper une fringale subite, croquez une pomme ou une carotte crue.

Quelques règles à respecter

- Ne passez pas votre temps à peser vos aliments et à calculer vos calories.
- Composez vos repas selon vos habitudes, vos goûts et vos moyens.
- Chaque aliment contenant, la plupart du temps, plusieurs types de nutriments, de vitamines et de minéraux, variez vos menus. Faites alterner les types de viande et de poisson, que vous pouvez consommer grillés ou bouillis. N'oubliez pas les œufs qui, contrairement à leur réputation, ne font pas mal au foie, les laitages et les fromages ; prenez un produit laitier à chaque repas. Veillez à manger à chacun de vos repas des légumes verts, de la salade et un fruit ; ils contiennent beaucoup de minéraux et de vitamines, ainsi que des fibres de cellulose, indispensables à un bon transit intestinal.
- Supprimez les plats en sauce et les ragoûts, les plats trop épicés, les graisses animales, la charcuterie, les fritures, les poissons fumés, le gibier et les abats. Évitez les pâtisseries et les viennoiseries trop riches en graisse et en sucre.

Surveillez votre poids

Ce qui va vous guider dans votre alimentation tout au long de votre grossesse est votre prise de poids. Vous devez vous peser régulièrement une fois par semaine pour vérifier que vous ne grossissez pas trop.

Il se peut, à ce moment de votre grossesse, que vos nausées soient très importantes et que vous ayez maigri de 1 ou 2 kg. Ce n'est pas grave, vous allez les reprendre au cours des mois suivants. Au 6ᵉ mois, de toute façon, vous aurez pris

6 kg – un tiers de ce poids est pour votre bébé et les deux tiers sont pour vous, sous forme de réserve graisseuse. Cette réserve physiologique commune à tous les mammifères est constituée dans le but ultérieur d'apporter l'énergie nécessaire à la fabrication du lait maternel.

À partir du 6ᵉ mois, essayez de ne pas prendre plus de 1 à 1,2 kg par mois. Si vous dépassez ce chiffre, réajustez votre régime alimentaire en diminuant les glucides et les lipides. Si votre prise de poids est importante, ne décidez surtout pas toute seule de faire un régime ; il serait totalement inapproprié. C'est votre médecin, et lui seul, qui vous conseillera.

Votre gain de poids total au cours de votre grossesse doit idéalement se situer entre 9 et 12 kg.

ATTENTION

C'est tout naturellement que vous augmenterez légèrement vos rations au cours de votre grossesse, car cela correspondra à un besoin accru de la part de votre bébé. Mais n'oubliez pas que tout ce qui ne sera pas utilisé sera stocké dans votre corps sous forme de graisse, peu mobilisable ensuite.

SEMAINE DE GROSSESSE

10e semaine depuis le 1er jour
de vos dernières règles

VOTRE BÉBÉ

◆ Taille de l'ovocyte :
3 cm

◆ Poids : 2 à 3 g

◆ La tête commence
à se redresser.

◆ Mains et pieds
définitifs

◆ Le cœur est cloisonné
en cœur droit
et cœur gauche.

◆ Les battements du
cœur sont perçus par
le doppler. Ils sont
de 80 par minute.

VOUS

Votre utérus a la taille
d'une orange.

Vous commencez à vous habituer à votre état, vos
malaises s'atténuent, d'autres surviennent peut-
être. C'est le moment de déclarer votre grossesse
à la Sécurité sociale et à la Caisse d'allocations
familiales afin que vous puissiez bénéficier de
différentes prestations. Enfin, vous allez vivre
un moment important et émouvant : la première
échographie.

Votre bébé

Votre bébé pèse entre 2 et 3 g et sa taille atteint le cap des
3 cm. Prenez votre mètre de couturière et regardez ce que
représente 3 cm ! Et, pourtant, dans ces 3 cm du futur
homme ou de la future femme, il y a déjà tout, ou presque :
un cœur qui bat, des organes internes aux diverses fonctions
et, dans la grosse tête qui commence à se redresser, le cerveau qui se construit peu à peu.

Le visage et les membres

Le visage de votre futur bébé continue à se modeler : les
oreilles externes, situées assez bas, presque sous la bouche,
ainsi que le bout du nez sont maintenant bien visibles.
Les cavités de la bouche et du nez se rejoignent par la formation du palais, tandis que les bourgeons des dents provi-
soires sont bien implantés. Il y a 10 bourgeons par mâchoire,
qui évolueront pour donner les 20 dents de lait de votre futur bébé.
Les yeux ne sont toujours pas recouverts par les paupières,
en cours de formation.
Au niveau du cou, qui se redresse progressivement, se
placent maintenant les glandes salivaires.
Les mains et les pieds ont leur forme définitive, avec les
doigts et les orteils qui sont bien constitués. Le pouce et l'in-
dex commencent à s'opposer.

Les organes

Les organes internes poursuivent leur développement.

À la fin de cette 8e semaine de développement, le cœur et l'ensemble du système vasculaire sont achevés. Le cœur est maintenant cloisonné en cœur droit et cœur gauche. Dès à présent, ses battements peuvent être entendus grâce au doppler (voir page 130). Dans tout organisme autonome – ce que deviendra votre bébé quand il sera né –, le côté gauche du cœur a pour fonction d'envoyer aux organes, en se contractant, du sang frais, c'est-à-dire du sang oxygéné au contact des alvéoles pulmonaires et chargé des nutriments qui sont apportés par l'alimentation. Quant au côté droit du cœur, il remonte vers les poumons le sang chargé en gaz carbonique afin de l'en débarrasser.

L'anse intestinale primitive continue son allongement: elle prend des allures contournées dans le cordon ombilical où, par manque de place dans l'abdomen, elle a dû pénétrer.

Les canaux excréteurs sont fermés sur l'extérieur par une membrane: la membrane anale et la membrane uro-génitale. Entre les deux se situe le périnée, qui sera composé de nombreux muscles.

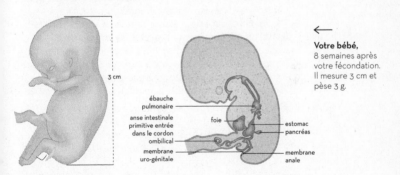

3 cm

ébauche pulmonaire

anse intestinale primitive entrée dans le cordon ombilical

foie

estomac
pancréas

membrane uro-génitale

membrane anale

←

Votre bébé,
8 semaines après votre fécondation. Il mesure 3 cm et pèse 3 g.

Les organes génitaux

En cette 8e semaine de développement de votre futur bébé, les organes génitaux externes restent encore indifférenciés, c'est-à-dire qu'ils sont à la fois fille et garçon, mais les glandes sexuelles commencent à se former. Des cordons testiculaires apparaissent si votre bébé est, sur le plan génétique, un garçon, tandis que la zone centrale de l'ovaire commence à se dessiner si votre bébé est, sur le plan génétique, une fille.

Vous

Vous commencez à vous habituer à votre état et vous supportez avec philosophie tous les petits désagréments qui apparaissent au cours de la journée.

Certains d'entre eux tendent d'ailleurs à s'atténuer: vous ressentez peut-être moins de brûlures d'estomac et vous avez organisé votre alimentation de telle sorte que vous ne souffrez plus de constipation. Mais d'autres petits ennuis peuvent être survenus entre-temps. Prenez-en connaissance afin de les accepter sans panique ni découragement et afin de vous en soulager; ils disparaîtront entièrement d'euxmêmes, car ils sont heureusement transitoires.

VOS SYMPTÔMES

◆ Petits malaises possibles

◆ Fourmillements

◆ Crampes

◆ Sensations douloureuses dans l'abdomen dues à l'utérus qui s'alourdit

Les malaises

Si vous avez tendance à avoir la tête qui tourne, à vous sentir mal, voire à perdre connaissance, ne vous affolez pas (voir page 89).

◆ Vous manquez peut-être de calcium ou de magnésium; dans ce cas, repensez votre alimentation.

◆ Ces malaises sont peut-être le fait d'une tension artérielle basse, un phénomène normal chez la femme enceinte.

◆ Quoi qu'il en soit, consultez votre médecin et, pendant tout le temps où vous serez sujette à ce genre de petits malaises, évitez les stations debout prolongées, les endroits où il est impossible de s'asseoir, les lieux mal aérés et les longs trajets.

Les fourmillements
Voir page 89.

Les crampes
Voir page 89.

Des sensations douloureuses dans l'abdomen
Au cours de ce 1er trimestre, l'utérus, en augmentant de volume, va se redresser et passer dans la cavité abdominale. Là, il comprime les organes voisins, l'intestin et la vessie, entraînant quelques spasmes, qui se traduisent par des

douleurs diffuses au niveau de l'intestin, surtout en cas de constipation, et d'envies plus fréquentes d'uriner.

Ces sensations douloureuses peuvent se situer dans le bas-ventre et être, dans ce cas, dues aux ligaments et aux muscles qui soutiennent l'utérus devenu plus lourd.

Si les douleurs situées dans le bas-ventre ressemblent à celles ressenties au moment des règles, c'est qu'il s'agit de contractions de l'utérus. Si elles sont fortes et à répétition, couchez-vous et appelez votre médecin.

Au quotidien

Déclarez votre grossesse

En ce 2e mois, l'obligation administrative la plus importante est de prévenir de votre grossesse les différentes administrations afin de pouvoir bénéficier des différents avantages auxquels vous avez droit.

La venue au monde de votre bébé va occasionner des frais, qui vous seront en grande partie remboursés. Les avantages sont délivrés par deux organismes distincts :

- la Caisse primaire d'assurance-maladie de la Sécurité sociale, qui accorde un congé de maternité (voir pages 287-289);
- la Caisse d'allocations familiales (CAF), qui verse différentes prestations (voir en annexe les droits et démarches).

Pour bénéficier de tous les remboursements qui vous seront accordés au cours de la grossesse, vous devez :

- déclarer votre grossesse avant la 14e semaine auprès de votre Caisse d'assurance-maladie et de votre Caisse d'allocations familiales;
- passer les examens médicaux obligatoires, avant et après la naissance, tout d'abord pour vous et ensuite pour votre enfant.

La déclaration de grossesse est faite après le premier examen prénatal obligatoire. Lors de cette visite, votre médecin vous remet un formulaire qui comporte trois volets numérotés.

- Envoyez, dès cette semaine, à votre Caisse d'assurance-maladie le volet n° 3 du feuillet d'examen prénatal signé par votre médecin et accompagné de vos trois derniers bulletins de salaire précédant la date du début de votre grossesse. Vous recevrez en retour, le plus souvent avec un certain délai, le guide de surveillance médicale mère et nourrisson, qui indique le calendrier des différents examens à réaliser.

- Envoyez, en même temps que le volet n° 3, les volets n°s 1 et 2 à votre Caisse d'allocations familiales. Ils ouvrent les droits à la Prestation d'accueil du jeune enfant (PAJE), qui est soumise à des conditions de ressources (voir en annexe les droits et démarches).

Le guide de surveillance médicale

Ce guide de surveillance médicale, ainsi que votre carte Vitale, devront être présentés au médecin traitant, au gynécologue ou à la sage-femme lors de tous les examens obligatoires, lesquels seront pris en charge à 100 % par la Sécurité sociale – ils sont gratuits dans les centres de PMI.

Ces examens sont au nombre de sept avant la date prévue de l'accouchement : le premier a lieu avant la fin du 3e mois, puis les six autres auront lieu chaque mois.

À la naissance de votre enfant, adressez à votre centre de paiement un extrait d'acte de naissance ou une copie du livret de famille. Vous recevrez alors un guide médical de surveillance enfant, qui vous indiquera les examens à effectuer : le premier concernera votre enfant et devra se faire dans les 8 jours suivant la naissance ; le 2e devra se dérouler avant la fin du 1er mois et le 3e avant la fin du 2e mois. Quant à vous, vous devrez passer un examen médical avant la fin du 1er mois.

Si vous passez des visites supplémentaires, votre médecin remplira avec vous une feuille de maladie ordinaire en vue du remboursement au taux habituel de la Sécurité sociale.

Si vous êtes atteinte d'une maladie particulière et si vous devez suivre un traitement, c'est votre médecin traitant qui assurera la coordination entre les divers spécialistes.

La carte nationale de priorité

Délivrée en même temps que le guide de surveillance médicale mère et nourrisson, à la condition toutefois d'en faire la demande, cette carte vous assure un droit de priorité aux bureaux et aux guichets des administrations et des services publics, ainsi que dans les transports en commun.

BON À SAVOIR

En tant que femme enceinte, vous avez droit à une carte nationale de priorité ; n'hésitez pas à la demander et à l'utiliser. Elle vous évitera une station debout prolongée aux guichets des administrations et des services publics, ainsi que dans les transports en commun.

Faites une première échographie

La 10e semaine de grossesse, c'est-à-dire la 12e semaine d'aménorrhée, est la période la plus propice pour faire une échographie ; elle apportera au médecin qui vous suit de précieuses informations sur vous et sur votre bébé.

Cette première échographie le renseignera sur plusieurs éléments tels que l'âge de votre grossesse, la croissance du futur bébé, le nombre d'embryons et le bon déroulement des choses ; au 2e et au 3e trimestre, les échographies suivantes permettront d'observer au mieux le développement de chaque organe.

L'âge de votre grossesse

La première échographie permet de déterminer l'âge de la grossesse, ce qui est important quand il existe plusieurs inconnues :
- la date de vos dernières règles est incertaine ;
- vos cycles menstruels sont irréguliers ;
- votre grossesse suit directement l'arrêt de la pilule ; vous ne connaissez donc pas avec précision l'âge de votre grossesse, ce qui est le cas d'un quart des femmes enceintes en France. Tous les embryons de 6 à 11 semaines ont, pour le même âge, sensiblement la même taille ; par conséquent, la mesure par échographie de la longueur tête-fesses d'un embryon permet de connaître son âge à quatre jours près. La date de l'accouchement peut ainsi être précisée.

Pour aller plus loin
Retrouvez tous les conseils de l'échographiste p. 364.

La croissance de votre futur bébé

À partir de la 11e semaine de grossesse, il est possible de mesurer :
- le diamètre bipariétal (BIP), c'est-à-dire le diamètre de la tête pris au-dessus des oreilles ;
- le diamètre abdominal ;
- la longueur du fémur ;
- les battements cardiaques, dont la fréquence se situe autour de 80 battements par minute, sont également contrôlés ;
- dès cette première échographie est mesurée l'épaisseur de la nuque : c'est la mesure de la clarté nucale. Particulièrement importante, cette observation fait apparaître qu'une nuque dont l'épaisseur est supérieure à 3 mm, à la 13e semaine, constitue un signal d'alerte pour la trisomie 21. Une échographie réalisée dans de bonnes conditions permet de

déceler 60 % environ des trisomies 21 et 90 % environ des malformations graves.

Ces observations sont très précieuses :
- si vous avez plus de 38 ans ;
- s'il existe un risque génétique familial ;
- s'il y a eu une complication lors d'une précédente grossesse.

Le bon déroulement de votre grossesse

L'échographiste vérifiera l'implantation du placenta ainsi que l'ensemble de vos organes génitaux internes afin de s'assurer qu'il n'y a aucune complication, par exemple une malformation utérine, un fibrome ou une béance du col.

En dehors des observations trimestrielles, votre médecin peut demander une échographie pour être renseigné sur :
- un éventuel risque de fausse couche ;
- vous avez perdu du sang, et puis tout est rentré dans l'ordre après du repos et un léger traitement. Dans ce cas, l'échographie est intéressante pour juger de la bonne continuation de la grossesse ;
- la possibilité d'attendre des jumeaux. À l'échographie apparaîtront, selon le type de gémellité, deux œufs distincts ou bien un seul œuf contenant deux embryons.

La surveillance de votre bébé

Les techniques de surveillance du bébé en cours de formation ont considérablement évolué ces dernières années. Dans la grande majorité des cas, elles sont utilisées uniquement lorsqu'il existe un doute quelconque sur le bon développement du bébé – excepté l'échographie, qui constitue un examen de surveillance de routine extrêmement précieux.

L'échographie

C'est une technique permettant de voir le bébé grâce à l'utilisation des ultrasons qui, non perceptibles par l'oreille humaine, traversent les substances de nature différente à des vitesses différentes. Le faisceau d'ondes retourne ainsi vers sa source d'émission, à l'instar d'un écho ; il est capté, puis transformé en image photographiable projetée sur un écran lumineux.

LA RECONNAISSANCE OFFICIELLE DU PÈRE

Parce que le rôle du père auprès de son enfant est tout aussi important que celui de la mère, certaines mesures ont été prises, voici quelques années déjà, par le ministère chargé de la Famille et de l'Enfant. Elles sont destinées à assurer l'exercice solidaire de l'autorité parentale, quelle que soit la situation des parents, mariés, pacsés ou vivant en union libre.

◆ Le père est mentionné dès la déclaration de grossesse

Les formulaires de déclaration de grossesse à envoyer à la Caisse d'assurance-maladie et à la Caisse d'allocations familiales associent le père de l'enfant. En effet, outre les renseignements concernant la mère, des informations relatives au père sont demandées – identité, adresse, date et lieu de naissance, profession.

◆ Le livret de paternité

À la suite de la déclaration de grossesse et au cours du 5e mois, la Caisse d'allocations familiales envoie au futur père un livret de paternité. Chaque père y trouvera toutes les informations juridiques et pratiques concernant ses droits et ses devoirs de parent : sur la filiation (déclaration de naissance, reconnaissance) ; sur l'exercice de l'autorité parentale ; sur les prestations familiales ; sur les congés auxquels il a droit. Un chapitre concerne les droits et les devoirs de l'enfant.

Un examen indolore

Cet examen est totalement indolore pour la mère et inoffensif pour le bébé. Lors de la première échographie, on demande à la femme de boire un demi-litre d'eau 1 heure avant afin que sa vessie soit pleine ; pour les échographies suivantes, la vessie est vide.

Une sonde à ultrasons est déplacée sur le ventre de la mère, enduit au préalable d'un gel destiné à assurer un contact parfait.

Des images apparaissent sur un écran, et les plus significatives sont enregistrées. La première échographie est souvent assez lisible : le bébé étant très petit, on le voit bien dans son ensemble ; pour les échographies suivantes, on observera plus précisément les détails.

Vous voyez votre bébé !

À votre demande, le médecin pourra vous montrer votre cavité utérine contenant une petite masse arrondie. Là, dans ce « sac ovulaire », se trouve votre bébé. Ce renflement, c'est sa tête, et là, ce point qui saute régulièrement, son cœur !

Ce bébé dont vous suivez le développement, semaine après semaine depuis sa conception, soudain vous le voyez ! Vous le devinez plutôt, mais c'est bien lui ! Et vous l'entendez !
Maintenant, vous allez pouvoir l'imaginer encore mieux, l'attendre avec plus d'impatience encore et rêver au jour, qui tout doucement se rapproche, où il dormira dans vos bras.

Échographies en 3D et 4D
Mise au point en 2000, l'échographie en trois dimensions (3D) permet d'observer le bébé d'une façon plus précise, de mieux visualiser certaines parties telles que le visage et les extrémités. Elle est réservée aux cas qui réclament une plus grande exploration. Apparue en 2002, l'échographie en quatre dimensions (4D) ajoute la visualisation du mouvement à celle du volume.

Le doppler
Cet appareil qui utilise également les ultrasons permet d'entendre les bruits du cœur du bébé avant même la 8e semaine depuis la fécondation. Il permet aussi la mesure de la vitesse du flux sanguin dans les vaisseaux ombilicaux et dans les vaisseaux du bébé.

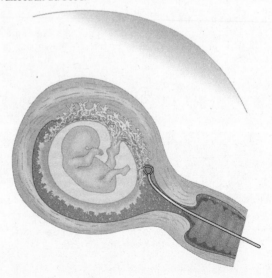

→
La biopsie du trophoblaste, par voie vaginale.

Le doppler agit comme un sonar : les ondes sonores ont une fréquence qui, lorsqu'elles se réfléchissent sur une surface en mouvement, varie ; la surface mobile est la paroi du cœur du bébé qui bat et qui donc se rapproche et s'éloigne.

Une sonde enduite de gelée est déplacée sur la paroi abdominale de la mère jusqu'à ce que soient captées des ondes, qui sont ensuite transformées en sons perceptibles par l'oreille humaine. Des sons régulièrement espacés et caractéristiques du cœur fœtal sont ainsi enregistrés.

L'embryoscopie

Elle se pratique de la 8e à la 10e semaine depuis la fécondation pour détecter une malformation qui aurait pu échapper à l'échographie. Par l'intermédiaire d'un tube fin muni d'un système optique introduit dans le col de l'utérus, on regarde l'embryon à travers les membranes. Cet examen est pratiqué uniquement lorsqu'il y a une forte présomption de malformations, en particulier des pieds et des mains. Le risque de rupture des membranes, donc de fausse couche, est en effet très élevé, de l'ordre de 5 à 10 %.

La biopsie du trophoblaste, ou choriocentèse

Effectué 8 semaines après la fécondation, cet examen est pratiqué seulement lorsqu'il y a de fortes présomptions de malformations graves d'origine chromosomique. Il a l'avantage sur l'amniocentèse, qui donne les mêmes renseignements (voir page 181), d'être effectué à un stade beaucoup plus précoce. L'interruption médicale de grossesse qui suit un diagnostic positif sera un peu moins éprouvante, à tous points de vue, s'il a lieu à 2 mois de grossesse au lieu de 4 mois, comme c'est le cas avec l'amniocentèse.

L'examen consiste à prélever, sous anesthésie locale, par la voie transabdominale (avec une aiguille à travers le ventre) ou par la voie vaginale (avec une pince), des cellules du trophoblaste, c'est-à-dire des villosités qui entourent l'œuf et qui, ensuite, évolueront en placenta. Ces villosités étant issues de la division de la cellule œuf, elles contiennent les mêmes chromosomes, donc les mêmes données génétiques, que les autres cellules. En faisant l'étude des chromosomes, le généticien découvre plusieurs informations concernant le bébé à naître, en particulier son sexe, indépendamment des recherches de malformations (voir le caryotype page 183).

La biopsie du trophoblaste n'est pas systématiquement réalisée chez les femmes de plus de 38 ans, faisant partie des sujets à risque ; en effet, le risque de fausse couche provoquée par l'examen reste élevé : 1 %, contre 0,5 % pour l'amnio-centèse. Elle est donc réservée aux femmes ayant déjà donné naissance à un enfant atteint d'une malformation d'origine chromosomique ou d'une maladie métabolique. L'examen ne dure que quelques minutes ; son résultat est connu deux à trois jours plus tard. Après la biopsie, il est conseillé de se reposer au moins une journée pour éviter tout risque de fausse couche.

TO-DO LIST

semaine 08

✓ **Déclarez votre grossesse :**
  - auprès de la Caisse primaire d'assurance-maladie de la Sécurité sociale ;
  - auprès de la Caisse d'allocations familiales (CAF).

✓ **Première échographie.**

LE TROISIÈME MOIS

Votre bébé est maintenant un petit être avec une grosse tête, des bras et des jambes, et la plupart de ses organes internes. À présent, ce n'est plus un embryon mais un fœtus.

La période fœtale, qui va se poursuivre jusqu'à la naissance, est caractérisée par une croissance rapide du corps, tandis que la différenciation tissulaire devient moins active.

Son sexe va se différencier : est-ce une fille ou un garçon ? Pour le moment, le mystère reste entier.

9e SEMAINE DE GROSSESSE

Début de la **11e semaine** depuis le 1er jour
de vos dernières règles

Vous ne sentez pas encore votre bébé bouger, mais
vous savez qu'il est là. Sa présence se manifeste
par tous ces petits désagréments qui vous assaillent
dans votre vie quotidienne depuis le début de votre
grossesse. Ce 3e mois est le point de départ d'une
période fabuleuse, car la plupart de ces ennuis vont
s'estomper. Peu à peu, vous allez vous sentir mieux
à la fois physiquement et moralement.

Votre bébé

Sa taille est de 4 cm de la tête au coccyx et de 5,5 cm de la
tête aux talons. Son poids est de 10 g. Votre bébé est environ
40 000 fois plus grand que l'œuf dont il est issu ! Les principaux systèmes organiques sont en place. La croissance
des tissus et des organes a entraîné le développement des
formes externes, ce qui a beaucoup fait évoluer son aspect
général. L'une des modifications les plus notables est le re-
dressement progressif de la tête, qui commence à s'arrondir.
Encore très volumineuse, elle représente environ la moitié
de la taille totale.

Le visage et les membres

Le visage se modèle et des traits humains reconnaissables
apparaissent. Votre bébé ne peut plus être confondu avec
un embryon de n'importe quelle espèce de mammifères, il
ressemble maintenant à un petit d'homme. Les yeux, qui
étaient situés très loin sur les côtés de la tête, commencent
leur migration vers le devant du visage, tandis que les
oreilles se rapprochent de leur localisation définitive. Si les
narines, aux orifices bouchés, sont encore très écartées, les
conduits du nez communiquent avec la bouche, qui commence à se rétrécir. Les bourgeons du goût apparaissent, les
lèvres se dessinent. Les paupières continuent leur développement et recouvrent maintenant l'œil, qui va rester ainsi
fermé pendant plusieurs mois, jusqu'à l'achèvement com-

plet du globe oculaire.

Les membres continuent de s'allonger – les bras plus rapidement que les jambes – et acquièrent une longueur proportionnelle à celle du corps.

Les organes

La cavité abdominale est formée ; cela délimite une zone supérieure, contenant le cœur et le système pulmonaire en développement, et une zone inférieure, comprenant l'estomac, le foie, le pancréas, la rate et les intestins. Ces deux zones sont séparées par le diaphragme. La cavité abdominale est encore trop petite pour contenir l'intestin, qui s'allonge toujours, sort en hernie et s'enroule dans le cordon ombilical.

Désormais, le cœur bat entre 110 et 160 battements par minute. Dès le début, le cœur de l'embryon est autonome par rapport à celui de la mère. Il bat à son propre rythme, bien qu'il soit soumis à l'état nerveux de sa mère. Quand celle-ci se trouve soudain dans un état de stress, ressentant une grosse émotion ou une colère, son sang se charge d'adrénaline qui traverse le placenta et influence le rythme cardiaque du bébé. C'est la raison pour laquelle il est important que la mère ait une vie calme. Selon des études récentes, le stress et les bouleversements physiologiques qu'il entraîne se transmettent de la mère au fœtus ; cela est décelable en particulier dans le taux de cortisol, l'« hormone du stress ».

Le petit intestin est déjà capable de mouvements musculaires involontaires, appelés « péristaltisme ». Ce sont ces mouvements qui se propagent sous la forme d'ondes permettant le déplacement des matières à l'intérieur de l'intestin.

Les organes génitaux

Si le sexe lui-même n'est pas encore là, les voies génitales sont déjà bien différenciées. Avec, chez la fille, un canal utéro-vaginal, les ovaires et les trompes de Fallope, tandis que chez le garçon, les testicules sécrètent déjà de la testostérone ; ils sont situés dans la paroi postérieure de l'abdomen. La migration des testicules n'est pas un déplacement actif, mais un phénomène passif lié à la croissance de la paroi abdominale.

Les annexes

On appelle « annexes » les tissus élaborés à partir de l'œuf et qui servent d'intermédiaire entre la mère et l'enfant : il s'agit essentiellement du placenta, du cordon ombilical et de la cavité amniotique (voir aussi pages 55-56).

Le placenta

Les villosités qui entouraient entièrement la partie externe de l'œuf (voir le schéma page 72) se sont peu à peu développées à l'endroit où est fixé le cordon ombilical ; dans le même temps, elles ont dégénéré sur le pourtour de l'œuf qui, au début de ce 3e mois, est maintenant lisse. Les villosités restantes vont encore grandir et se ramifier, formant des petits arbres très chevelus, destinés à augmenter les surfaces d'échanges entre le sang maternel et le sang fœtal. Cet ensemble de villosités, localisées en un seul endroit, aboutit à la fin du mois au placenta, organe en forme de disque, intermédiaire vital entre la mère et son enfant.

Le sang maternel arrive dans les lacs sanguins par des artères spiralées, situées dans la paroi utérine, et baigne les villosités. Dans celles-ci circule, dans de petites artères ramifiées qui se subdiviseront ensuite en capillaires, le sang de l'enfant apporté par les vaisseaux du cordon ombilical. Il n'y a jamais de communication directe entre la circulation maternelle et la circulation fœtale : les deux sangs ne se mélangent jamais.

Les échanges entre le sang de la mère et celui de l'enfant se font uniquement à travers les parois extrêmement minces des villosités. Les petits lacs sanguins, qui séparent les troncs villeux et dans lesquels trempent les villosités, contiennent 150 cm^3 de sang qui se renouvellent trois à quatre fois par minute.

Le placenta s'épaissit peu à peu par l'allongement de la prolifération des villosités choriales et non aux dépens des tissus maternels.

Son accroissement en surface est sensiblement parallèle à celui de l'utérus. Pendant toute la durée de la grossesse, il couvre 25 à 30 % environ de la surface interne de l'utérus.

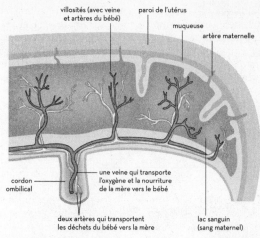

villosités (avec veine et artères du bébé)

paroi de l'utérus

muqueuse

artère maternelle

cordon ombilical

une veine qui transporte l'oxygène et la nourriture de la mère vers le bébé

deux artères qui transportent les déchets du bébé vers la mère

lac sanguin (sang maternel)

←

Le placenta, ici en formation, permet les échanges entre la mère et son enfant.

Le cordon ombilical

C'est le pédicule qui, par l'intermédiaire du placenta, relie le bébé à sa mère. À ce stade du développement, le cordon ombilical est encore très gros car, en plus des deux artères et de la veine qui assurent la survie du bébé, il contient les anses intestinales contournées qui ne tiennent pas dans la cavité abdominale, encore trop petite.

Par le placenta, la veine ombilicale puise dans le sang maternel la nourriture et l'oxygène, et les dirige grâce à un réseau de petits vaisseaux veineux vers les organes du bébé. Puis les artères ombilicales évacuent les déchets, dus au métabolisme du bébé, vers le placenta, qui les déverse dans la circulation maternelle. Dès la naissance, ce sera l'inverse : ce sont les artères qui transporteront le sang riche en nutriments et en oxygène, et les veines qui remporteront le sang chargé de déchets.

Les vaisseaux ombilicaux possèdent des parois riches en fibres musculaires et élastiques. Ils sont entourés d'une sorte de gelée qui a pour rôle de les protéger. Ces éléments contribuent à leur constriction et à leur oblitération rapide dès la ligature et la section du cordon. Au cours de la grossesse, ce dernier s'allonge et s'amincit. Très souple, il permet au bébé tous les mouvements possibles. Au moment de la naissance, il a une épaisseur d'environ 2 cm de diamètre et mesure 50 à 60 cm de longueur.

À la naissance, la section du cordon ombilical rompra définitivement les liens entre la circulation maternelle et celle
de l'enfant, qui deviendra totalement autonome. Ce qui restera du cordon, sur l'abdomen de l'enfant, séchera et tombera quelques jours plus tard, en laissant une cicatrice in-
délébile : l'ombilic, plus connu sous le nom de « nombril ».

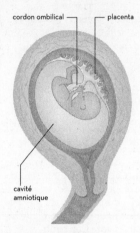

→

**Le cordon
ombilical**
puise dans le
sang maternel
la nourriture et
l'oxygène dont
votre enfant a
besoin.

cordon ombilical —   — placenta

cavité
amniotique

La cavité et le liquide amniotique

Nourri par l'intermédiaire du placenta et du cordon ombilical, votre bébé est protégé par les enveloppes qui l'entourent. Suspendu dans la cavité amniotique par le cordon,
il se déplace dans le liquide en prenant appui avec ses pieds
sur la paroi. Par les substances qu'il contient, le liquide amniotique est un moyen d'échanges supplémentaires entre
mère et enfant. D'abord clair, aqueux, sécrété par les cellules de l'amnios, membrane délimitant la cavité, il est ensuite enrichi de sels minéraux puis de sécrétions issues de
l'organisme maternel et du fœtus lui-même au fur et à mesure de sa croissance.

La quantité de liquide amniotique varie selon l'âge de
la grossesse : elle est de 20 cm³ à la 7ᵉ semaine, de 300 à
400 cm³ à la 20ᵉ semaine, puis se stabilise aux alentours de
500 cm³. En perpétuel mouvement, le liquide amniotique
est régulièrement renouvelé. Il est absorbé par la peau et la
bouche du bébé.

Tandis qu'une partie du liquide avalé se transforme en urine et est rejetée dans la cavité amniotique, l'autre partie est absorbée par l'intestin, gagne la circulation fœtale et, par l'intermédiaire du placenta, retourne à l'organisme maternel.

Les annexes chez les jumeaux

La disposition des annexes fœtales varie selon le type de jumeaux (voir page 43). Quand il s'agit de jumeaux frères, qu'on appelle habituellement « faux jumeaux », c'est-à-dire qui résultent de la fusion de deux spermatozoïdes avec deux ovocytes différents, il y a formation de deux zygotes différents. Chaque zygote s'implante individuellement dans l'utérus et y développe son propre placenta et sa propre cavité amniotique. Quand il s'agit de vrais jumeaux, qui résultent du clivage d'un seul zygote, il peut y avoir plusieurs cas :

- chaque embryon possède son placenta et sa cavité amniotique, comme dans le cas des faux jumeaux. Le diagnostic de vrais jumeaux est alors fait par la similitude des groupes sanguins, des empreintes digitales, du sexe et de l'aspect physique, par exemple la couleur des yeux ou celle des cheveux. Chez les vrais jumeaux, la carte génétique est rigoureusement identique ;
- le plus souvent, les deux embryons ont un placenta commun et des cavités amniotiques séparées ;
- dans des cas rares, les deux embryons ont un placenta et une cavité amniotique communs.

C'est la première échographie qui vous apprendra si vous attendez des jumeaux.

←

Les annexes
chez les jumeaux.

Faux jumeaux (et pour quelques vrais jumeaux) : chaque bébé possède son placenta et sa cavité amniotique.

Vrais jumeaux : les deux bébés ont un placenta commun et des cavités amniotiques séparées.

Vous

Votre utérus a maintenant la taille d'un gros pamplemousse, doux au toucher.

Votre cœur bat plus vite. Cette accélération est liée à l'augmentation importante du volume sanguin. Cette masse sanguine à mouvoir, dont 25 % sont directement utilisés par le système placentaire, entraîne un travail accru de la part du cœur ; cela peut avoir comme conséquence pour vous un léger essoufflement à l'effort.

Vos reins travaillent davantage. Votre sang, qui transporte les nutriments et l'oxygène vers votre bébé, récupère aussi ses déchets et doit les éliminer. Tandis que le gaz carbonique est éliminé au niveau de vos poumons, les déchets métaboliques sont filtrés par votre système rénal.

Au quotidien

Buvez

Aidez vos reins dans leur travail supplémentaire d'élimination des déchets. Boire beaucoup vous permettra d'éviter les infections urinaires, fréquentes chez la femme enceinte.

Marchez

Vous devez fournir de l'oxygène à votre bébé et rejeter son gaz carbonique. Marchez au moins 30 minutes chaque jour, en respirant calmement. Choisissez un endroit tranquille, loin des fumées de voitures, dans un jardin ou un square, à défaut de la campagne. La marche est également excellente pour la circulation sanguine, la constipation et l'état de stress.

Détendez-vous

Évitez autant que possible toute cause de stress ou d'énervement. L'adrénaline que vous libérez subitement sous l'effet d'une émotion quelconque franchit le placenta et gagne votre bébé, dont le cœur s'accélère soudain sous l'influence de vos propres émotions.

À quoi servent le placenta et le liquide amniotique ?

Le rôle du placenta

Le placenta, organe transitoire, indispensable au maintien de la grossesse et au développement de votre bébé, sert à la fois de poumon, de rein, d'intestin et de foie. Il assure de multiples fonctions.

La fonction respiratoire

Le placenta sert de véritable poumon au bébé. L'oxygène du sang de la mère passe à travers les parois des villosités et oxygène le sang du fœtus. Ce sang oxygéné irrigue le foie, le cœur, le cerveau et tous les autres organes non encore fonctionnels. Le gaz carbonique est rejeté depuis l'enfant vers la mère.

La fonction nutritive

C'est à travers le placenta que sont transportés vers le bébé, toujours par la circulation sanguine, tous les nutriments de base qui sont issus de la dégradation des aliments de la mère. Le passage de l'eau, des sels minéraux, des sucres et des acides aminés se fait rapidement.

Certains produits sont stockés pour constituer des réserves, par exemple le fer et le calcium, tandis que d'autres sont transformés grâce à une activité métabolique importante.

Le taux du glucose sanguin fœtal est réglé par le placenta jusqu'à ce que le foie du bébé puisse, à la fin de la grossesse, assurer lui-même cette fonction.

Le placenta assure également le transfert des vitamines :
♦ des vitamines du groupe B ;
♦ des vitamines D et E ;
♦ la vitamine A est stockée dans le foie du bébé ;
♦ la vitamine C s'accumule dans le placenta, qui la distribue progressivement au bébé jusqu'au 8e mois, période à partir de laquelle elle est directement stockée dans ses glandes surrénales et son foie.

Le placenta laisse également passer depuis la mère vers l'enfant l'alcool, le tabac, le café, les médicaments et les drogues : ne l'oubliez pas (voir pages 58 et 68-69).

La fonction endocrine

Considéré comme une véritable glande, le placenta sécrète ses propres hormones, nécessaires à la bonne marche de la grossesse et au bon développement du bébé. Ces hormones vont prendre le relais des ovaires à partir du 4e mois. Leur dosage renseigne sur la vitalité de la grossesse.

La fonction protectrice

Le placenta arrête de nombreuses bactéries ou ne les laisse passer que très tard, vers la fin de la grossesse, quand la paroi des villosités devient extrêmement fine pour augmenter encore les échanges entre le sang maternel et le sang fœtal. En revanche, les virus le traversent facilement jusqu'à la 20e semaine. Heureusement, les anticorps maternels passent également vers l'enfant et l'immunisent contre la plupart des maladies infectieuses, même six mois après la naissance, le temps que son propre système immunitaire se mette en place.

Le rôle du liquide amniotique

- Il protège le futur bébé des chocs et des bruits, en formant autour de lui un coussin liquide. Il le protège aussi des germes qui pourraient venir du vagin. La cavité amniotique est hermétique et le liquide qui se trouve à l'intérieur est stérile.
- Il permet les déplacements du bébé qui, suspendu au cordon ombilical, ne subit pas les effets de la pesanteur et fait des exercices de voltige ou se dirige facilement d'un point à l'autre de la cavité.
- Il apporte de l'eau et des sels minéraux au fœtus, qui en ingurgite.
- Il donne des informations sur la santé du bébé. Dans le cas d'une suspicion de maladie chromosomique, les cellules fœtales flottant dans le liquide amniotique sont recueillies par amniocentèse puis mises en culture afin d'en étudier les chromosomes.
- Il aide le col à se dilater au moment de l'accouchement. L'accumulation du liquide dans la partie inférieure de l'utérus, au terme de la grossesse, forme la « poche des eaux » qui, en descendant, aide à la dilatation du col. La perte des eaux correspond à la rupture des membranes. Le liquide amniotique qui s'échappe alors sert à lubrifier les voies génitales pour préparer le passage de l'enfant.

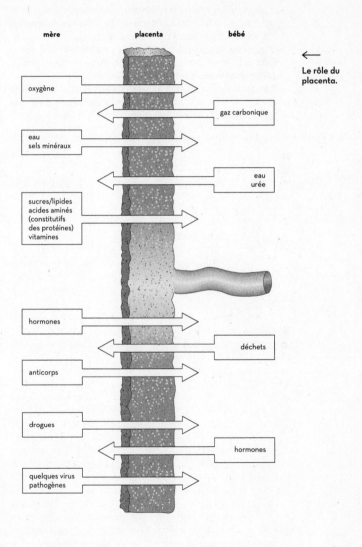

Le rôle du placenta.

mère   placenta   bébé

oxygène →

← gaz carbonique

eau
sels minéraux →

← eau
urée

sucres/lipides
acides aminés
(constitutifs
des protéines)
vitamines →

hormones →

← déchets

anticorps →

drogues →

← hormones

quelques virus
pathogènes →

Le volume du liquide amniotique se mesure lors des échographies. On parle :
- d'oligoamnios quand le volume ne dépasse pas 200 cm³, ce
  qui risque d'avoir des conséquences graves sur le développement pulmonaire (dans 4 % des cas) ;
- d'hydramnios quand le volume est supérieur à 2 litres.
  Cela peut révéler une malformation du tube digestif ou du
  système nerveux central (dans 3 % des cas) ;
- d'anamnios quand il y a absence de liquide. La vie du bébé
  est alors compromise. Les cas sont heureusement très
  rares (0,4 %).

En général, vos malaises ont disparu comme par magie et vous vous sentez mieux. Si vous êtes sportive, privilégiez la marche et la natation et arrêtez les sports comportant des risques de chutes ou de secousses. Réfléchissez au mode d'allaitement que vous allez choisir. Votre bébé poursuit sa croissance et a maintenant un visage d'être humain.

Votre bébé

Sa taille est de 5 cm de la tête au coccyx et de 7,5 cm de la tête aux talons. La longueur de son pied est de 9 mm. Son poids est de 18 g. Les premières semaines, la taille de votre bébé doublait tous les jours, puis toutes les semaines ; maintenant, il doit attendre plusieurs semaines avant de la doubler à nouveau. Le visage, qui est bien visible depuis que la tête s'est redressée, est à présent distinctement celui d'un être humain.

Mouvements et cerveau

Votre bébé, qui a maintenant de nombreux muscles, est capable de mouvements spontanés de l'ensemble de son corps. Il tourne la tête, agite légèrement les bras et les jambes, et ferme les poings.

Ces mouvements que vous ne percevez pas encore sont des réflexes émanant directement de la moelle épinière. Le cerveau n'est pas encore assez développé pour les réguler ; d'ailleurs, il ne pourra pas le faire, même après la naissance. Car le cerveau est un organe si complexe et si différencié que sa maturation mettra de longues années à se faire, pour s'achever seulement vers l'âge de 18 ans. Pour le moment, il poursuit son élaboration, qui se traduit en ce début de 3ᵉ mois de grossesse par une multiplication intense, tel un bouquet de feu d'artifice, des cellules nerveuses appelées « neuroblastes ». Ce n'est qu'au terme de leur maturation que ces neuroblastes porteront le nom de « neurones ». Parallèlement à leur prolifération, les neuroblastes migrent dans la substance cérébrale. Cette migration est nécessaire pour l'établissement des circuits nerveux.

Bulbes pileux et bourgeons des dents

Des bulbes pileux, à l'origine des poils et des cheveux, commencent à se former dans la couche la plus profonde de la peau. Les bourgeons des dents permanentes se forment également ; ils sont situés, du côté de la langue, sous la ligne des dents de lait qui continuent leur évolution. Ces bourgeons, qui se développent d'une façon tout à fait semblable à ceux des dents de lait, resteront à l'état de repos pendant de nombreuses années : quand l'enfant aura 6 ans, ils commenceront à se développer, repoussant la dent de lait correspondante et provoquant sa chute.

Les organes internes

Les organes internes poursuivent leur développement sur le plan structurel et fonctionnel.

→
Votre ventre commence à s'arrondir : bientôt vous ne pourrez plus le cacher !

Dans le pancréas, les îlots de Langerhans commencent leur développement : il s'agit d'un groupe de cellules de la plus haute importance. Leurs sécrétions – l'insuline et le glucagon, pour les deux principaux types cellulaires – maintiennent en équilibre le taux de sucre dans le sang, empêchant la maladie du diabète.

Le foie est énorme. Son poids représente environ 10 % du poids total du corps. Cela est dû à la fonction actuelle du foie, qui est de fabriquer les cellules sanguines. Entre les cellules hépatiques et les parois vasculaires se trouvent en effet de grands îlots cellulaires qui produisent les cellules sanguines de la lignée rouge et celles de la lignée blanche. Cette activité du foie diminuera progressivement au cours des deux derniers mois de la vie intra-utérine, le relais étant peu à peu assuré par la moelle. À la naissance, seuls quelques îlots persisteront pour finalement disparaître ; le poids du foie ne représentera plus alors que 5 % du poids total du corps.

La grande hernie intestinale qui occupait le cordon ombilical rentre peu à peu dans la cavité abdominale, qui s'agrandit. Quand tout sera en place, le cordon ombilical s'amincira d'une manière considérable, car il ne contiendra plus que les vaisseaux sanguins.

Vous

L'utérus, qui est désormais trop gros pour tenir dans la cavité pelvienne, monte dans la cavité abdominale. La vessie n'étant plus comprimée, les envies fréquentes d'uriner vont alors cesser.

D'une façon générale, vous commencez à vous sentir mieux. Comme par enchantement, vos nausées vont bientôt disparaître, cette semaine ou la semaine prochaine. Vous allez retrouver le goût de la nourriture avec un nouvel enthousiasme. Alors, méfiez-vous !

Ne vous laissez surtout pas aller à l'euphorie de votre appétit retrouvé, car si vous n'y prenez pas garde, vous risquez fort de grossir de 5 kg, voire davantage, en l'espace d'un mois seulement. Ne vous laissez donc pas tenter par les pâtisseries et autres sucreries. Restez vigilante et surveillez votre poids : pesez-vous d'une manière régulière deux fois par semaine.

VOS SYMPTÔMES

- Les envies d'uriner deviennent moins fréquentes.
- Les nausées s'estompent.

Au quotidien

Pour aller plus loin
Retrouvez tous les conseils de la coach sportive p. 395.

La pratique d'un sport est-elle possible ?

Oui, si c'est un sport auquel vous êtes habituée, si vous le pratiquez avec modération et si vous êtes assez raisonnable pour arrêter le jour où vous vous sentirez moins à l'aise ou trop lourde. En toute occasion, respectez cette règle : ne forcez pas et arrêtez-vous dès que la fatigue se fait sentir.

Dans ces conditions, vous pouvez bien sûr pratiquer la marche, qui est un excellent moyen pour se tonifier et s'aérer. Les muscles travaillent avec peu d'efforts. Si vous marchez en montagne, ne dépassez pas 1 000 à 1 200 m d'altitude, car au-delà l'oxygène se raréfie. Or, votre bébé est grand consommateur d'oxygène : ne l'oubliez surtout pas.

La natation est le sport idéal pour une femme enceinte. L'eau qui vous porte en partie vous rend plus légère. Vous y ferez des exercices musculaires que vous auriez du mal à faire au sol. Pour cette raison, la préparation à l'accouchement en piscine se développe de plus en plus. Évidemment, ne plongez pas.

ATTENTION
Évitez les sports violents ou pouvant provoquer une chute.

Vous pouvez faire de la gymnastique, mais pas n'importe laquelle. Évitez l'aérobic et la musculation, trop violents pour les muscles et les ligaments, même si vous y êtes habituée. Préférez les gymnastiques douces comme le stretching, qui assouplit les ligaments et étire les muscles en finesse. Faire du yoga est bien sûr une excellente préparation à l'accouchement.

Si vous pratiquez depuis un certain temps déjà la danse rythmique ou classique, le tennis ou la planche à voile, vous pouvez continuer, à la condition que ce soit uniquement pour vous distraire. Refusez toute espèce de compétition qui vous ferait faire des mouvements imprudents et vous contraindrait à une dépense énergétique trop importante.

Non à tous les sports où il existe un risque de chutes et de secousses, qui malmènent l'utérus, où il y a une obligation de courir, qui provoque un essoufflement. Pour toutes ces raisons, évitez les jeux d'équipe, le judo, le patinage, l'équitation, le ski, qu'il soit de descente ou de fond, le ski nautique et l'escalade, et tout ce que votre bon sens vous indiquera.

Vous pouvez faire un peu de bicyclette au début de votre grossesse, car elle est bonne pour le cœur, qu'elle tonifie.

Mais quand vous commencerez à vous sentir un peu moins agile, cessez, car vous risquez la chute.

Commencez à penser au mode d'allaitement
À ce stade de votre grossesse, vous ne savez pas encore si vous désirez ou non allaiter votre enfant. Vous êtes indécise, et c'est tout à fait normal. Prenez le temps d'y penser, mais sachez que vous pourrez très bien le décider au dernier moment : quand votre bébé sera là !

Vos bouts de seins ne sont pas sortis ? C'est normal !
Sachez que vos seins évoluent tout au long de la grossesse. Ils se préparent d'une manière graduelle à assumer leur fonction.

Pour que vos seins gardent toute leur beauté
Tonifiez dès maintenant les muscles qui soutiennent vos seins. Voici trois exercices pour vous aider.
- 1er exercice : levez les coudes à la hauteur des épaules et appuyez le plus fortement possible les paumes des mains l'une contre l'autre. Comptez jusqu'à 10, relâchez, baissez les coudes sans décoller les mains. Recommencez 10 fois.
- 2e exercice : écartez les bras horizontalement et tendez-les en arrière le plus loin possible. Ramenez-les le long du corps et recommencez 10 fois.
- 3e exercice : faites de grands cercles avec les bras tendus à l'horizontale. Recommencez 10 fois.

Pour vous aider à choisir votre mode d'allaitement

Vous êtes encore indécise, c'est normal. L'important est de vous écouter, vous et pas les autres, quels qu'ils soient.
Si vous hésitez, sachez que le lait maternel présente de nombreux avantages sur le lait artificiel.
Si vous ne désirez pas allaiter votre bébé pour une raison que vous ne savez pas expliquer, ne vous culpabilisez surtout pas : quel que soit le mode d'allaitement que vous choisirez, vous serez une aussi bonne mère qu'une autre et votre enfant sera aussi beau et aussi intelligent qu'un autre !

BON À SAVOIR
L'allaitement maternel doit être une décision réfléchie. Sachez décider en toute connaissance de cause (voir aussi pages 325-326).

Le lait maternel

Le lait maternel constitue le seul aliment naturel et complet parfaitement adapté aux besoins de l'enfant, puisque sa composition se modifie progressivement, en fonction de sa croissance et de ses besoins.

♦ Dès les premiers jours, le lait est épais et jaune : c'est le colostrum, qui est chargé notamment de purger le nouveau-né du méconium, une substance accumulée dans l'intestin au cours de la vie intra-utérine.

♦ Après quelques jours, le lait devient plus fluide et plus orangé ; riche en graisses et en sucres, ce lait, appelé « lait de transition », permet au bébé de démarrer sa prise de poids.

♦ Après la 3e semaine apparaît le lait mature, un lait blanc bleuté, qui contient tous les éléments nécessaires à la croissance de l'enfant.

Le lait maternel ne se modifie pas uniquement au cours du temps, mais il évolue également au cours de la tétée. Clair et fluide au début, il met le bébé en appétit avant de le rassasier par un lait plus épais et quatre fois plus riche en graisse à la fin de la tétée.

Le lait maternel développe le goût de votre bébé, car il change tout le temps, tous les jours, s'aromatisant différemment selon les aliments que vous consommez.

Indépendamment des facteurs nutritionnels, ce qui différencie essentiellement le lait maternel du lait artificiel est l'apport, et cela dès les premières tétées, d'anti-corps dirigés contre les germes qui sont présents dans l'environnement de la mère, donc dans celui de l'enfant. Outre les anticorps qui luttent contre des virus dangereux tels que le virus de la poliomyélite, le lait maternel contient des anticorps contre tous les germes intestinaux responsables de diarrhées. Leur action locale essentielle est d'empêcher l'adhésion des bactéries sur les muqueuses intestinales : elles sont agglutinées puis éliminées dans les selles du bébé.

La concentration des anticorps varie au cours de la lactation ; elle est maximale dans le colostrum présent les cinq premiers jours.

Dans les pays industrialisés, où la mortalité infantile est ramenée aujourd'hui à des taux extrêmement faibles, l'effet de protection du lait maternel, comparé à celui du lait artificiel, est beaucoup moins évident que dans les pays en voie de développement.

Malgré tout, avant l'âge de 7 mois, la fréquence des infections digestives et respiratoires est plus élevée chez les nourrissons élevés au biberon que chez ceux qui sont allaités par leur mère.

C'est la raison pour laquelle l'Organisation mondiale de la santé (OMS) recommande d'allaiter son enfant jusqu'à l'âge de 6 mois.

Si vous décidez d'allaiter, vous constaterez que pendant que vous donnerez le sein à votre enfant, vous vous sentirez plus calme, plus détendue. Peut-être est-ce dû, disent certains chercheurs, à l'action de la prolactine, l'hormone de l'allaitement.

Les laits maternisés

Les laits maternisés font constamment l'objet de recherches très approfondies à la seule fin de les rapprocher le plus possible du lait maternel. À l'avenir, ils devraient être encore améliorés grâce à l'étude des anticorps, des vitamines, des oligoéléments et des hormones qui sont présents dans le lait maternel.

Malgré cela, et quelles que soient les qualités certaines des laits artificiels d'aujourd'hui, ils ne possèdent pas celles du lait maternel, car leurs protéines restent des protéines de vache. Actuellement, certains chercheurs estiment que l'ingestion trop précoce de protéines animales, qui ne sont donc pas spécifiques à l'espèce humaine – et alors que la barrière intestinale du bébé est encore immature –, jouerait un rôle important dans le développement de certaines maladies allergiques telles que l'eczéma et l'intolérance au lait de vache.

L'allaitement est un choix

Si vous ne désirez pas allaiter ou si, une fois rentrée chez vous, face à diverses difficultés, vous optez pour l'allaitement artificiel, ne vous sentez pas coupable. Il vaut mieux pour votre bébé avoir une mère détendue et gaie, heureuse de donner le biberon, plutôt qu'une mère nerveuse, inquiète de savoir si elle a assez de lait, s'il est de bonne qualité et si son enfant tète suffisamment. Quant à la relation intime entre la mère et l'enfant qui se voit prolongée par la tétée, le fait de donner le biberon est également une source de joie et d'émotion. La mère qui tient son enfant contre elle, en le faisant boire, lui donne tout autant de tendresse et d'amour.

En outre, le père peut, lui aussi, donner le biberon et tisser avec son enfant les mêmes liens que la mère. Il n'est plus alors un spectateur, qui se sent exclu et inutile, puisqu'il peut partager avec la mère cette fonction essentielle : l'alimentation de leur enfant.

Actuellement, le débat opposant le lait maternel au lait artificiel se trouve élargi. Est désormais prise en compte la relation psychologique qui se tisse à travers le regard échangé entre l'enfant et la personne qui le nourrit.

TO-DO LIST

semaine 10	✓ Si vous ne l'avez pas fait, prenez rendez-vous pour votre **première échographie**.

SEMAINE DE GROSSESSE

13ᵉ semaine depuis le 1ᵉʳ jour
de vos dernières règles

Votre bébé poursuit sa croissance, son cerveau s'organise mais n'est pas encore mature. Si vous travaillez, nous vous conseillons d'annoncer votre grossesse à votre employeur ; vous lui laisserez ainsi le temps d'organiser votre remplacement.

Votre bébé

Sa taille est de 6 cm de la tête au coccyx et de 8,5 cm de la tête aux talons. Son poids est de 28 g. La longueur de son pied est de 1,2 cm.

L'eau qui entre dans la constitution de votre bébé représente près de 90 % de son poids !

Sa tête est encore volumineuse. Elle représente environ le tiers de la longueur totale du corps ; à la naissance, elle fera le quart de la longueur totale. En comparaison, la tête d'un adulte équivaut environ au huitième de la longueur totale du corps.

Les os

Les premiers os sont présents. D'abord tissus cartilagineux apparus en premier dans les membres, ils se sont enrichis en cellules osseuses qui se sont organisées en tissus plus compacts. Des îlots cartilagineux continuent à se mettre en place au niveau du crâne et de la face. Le nez, aux narines maintenant ouvertes, pointe son petit bout cartilagineux au milieu du visage, tandis que le menton commence à s'affirmer.

De la colonne vertébrale, qui continue à se consolider, partent les premières formations des côtes. Et en relation avec les os des jambes, ceux du bassin se dessinent. Peu à peu, tous les îlots cartilagineux vont se rejoindre, se durcir et s'articuler. Le squelette complet, avec ses 110 os, ne sera terminé qu'à l'adolescence.

EN BREF
CETTE SEMAINE

VOTRE BÉBÉ

◆ Taille : 6 cm de la tête au coccyx, 8,5 cm de la tête aux talons

◆ Poids : 28 g

◆ Présence des premiers os

◆ Les os du bassin se dessinent.

◆ Formation des premières côtes

◆ Les narines sont ouvertes.

◆ L'intestin trop long pour la cavité abdominale entre dans le cordon ombilical.

◆ 90 % du poids de votre bébé est dû à l'eau.

Les poils

Les premiers poils, issus de la croissance des cellules des bulbes pileux, font leur apparition dans les régions des sourcils et de la lèvre supérieure. C'est un duvet extrêmement fin qui tombera au moment de la naissance pour être remplacé par d'autres poils plus gros.

Le système nerveux

Pendant ce temps, les cellules nerveuses poursuivent leur course folle. Elles se multiplient, se différencient, mais ne sont pas encore reliées les unes aux autres.

Le cerveau s'est séparé en plusieurs parties distinctes, qui se plissent au fur et à mesure qu'elles se développent pour lui donner son aspect caractéristique. Il n'est pas encore fonctionnel ; il faudra attendre quelque temps encore que sa maturation soit suffisante pour qu'il puisse prendre les commandes. Pour le moment, seules des fibres motrices venant de la moelle épinière se branchent directement sur les fibres sensorielles des muscles, formant les circuits courts des réflexes les plus simples.

→
Les muscles
de votre bébé.

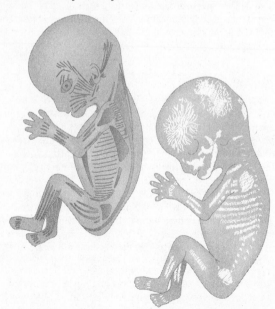

→
Votre bébé
a déjà des os

Vous

Vous l'avez sans doute remarqué : vos cheveux ont embelli depuis le début de votre grossesse. Moins gras, ils ont plus de volume. Cela tient au fait que les hormones de la gestation qui vous imprègnent freinent d'une part la chute normale des cheveux, d'autre part la sécrétion des glandes sébacées situées à leur racine.

Deux à six mois après l'accouchement, vos cheveux recommenceront à tomber normalement. Malheureusement, les cheveux qui auraient dû tomber pendant les neuf mois de la grossesse tombent également. Aussi, ne dramatisez pas quand vous verrez vos cheveux tomber, d'une manière plus ou moins progressive, après la naissance de votre bébé. C'est là un phénomène tout à fait normal. Tout rentrera dans l'ordre au bout de quelques mois.

> **BON À SAVOIR**
>
> Votre cœur est plus rapide qu'avant votre grossesse. Il exécute désormais autour de 4 à 8 battements de plus par minute.

Au quotidien

Prévenez votre employeur

N'attendez pas que votre état se voie pour prévenir votre employeur. Vous n'ignorez pas que cet heureux événement n'en est pas un pour lui, car il est synonyme de complications. Que vous soyez dans une petite ou une grande entreprise, votre remplacement posera un problème. C'est un casse-tête supplémentaire pour l'employeur, qui sait aussi que, lorsque l'enfant sera là, vous aurez de nombreux motifs pour vous absenter.

Ne culpabilisez pas. Vous êtes enceinte, vous en avez le droit ! Vous n'avez pas à vous en excuser. Néanmoins, essayez de comprendre et d'accepter une éventuelle mauvaise humeur passagère de votre patron, qui paraît se préoccuper plus de la bonne marche de son entreprise que de vous. Soyez patiente : après quelque temps, quand tout sera réorganisé en fonction de votre départ en congé de maternité, il sera sans doute plus décontracté et peut-être vous félicitera-t-il !

Si vous prévenez dès à présent votre employeur, il ne se sentira pas pris à la gorge et aura le temps de vous trouver un(e) remplaçant(e). Gardez de bonnes relations avec lui et avec vos collègues en ne jouant pas à la femme enceinte. Restez naturelle. Soyez disponible pour mettre au courant la personne qui vous remplacera. Et, sans faire du zèle en en faisant plus, n'en faites surtout pas moins. Tout est question de relations humaines. Votre patron vous saura gré de votre attitude compréhensive et, à votre retour de congé de maternité, vous n'en serez que mieux accueillie.

Grossesse et travail : la protection sociale

La recherche d'emploi

- Une femme enceinte n'est pas tenue de signaler son état à son futur employeur.
- Un employeur n'a pas le droit de demander à une femme qu'il va employer si elle est enceinte.
- Lors de la visite d'embauche, le médecin du travail n'a pas le droit de révéler à l'employeur que la femme est enceinte.
- Un employeur n'a pas le droit de refuser d'embaucher une femme sous prétexte qu'elle est enceinte.

La garantie de l'emploi

Une femme enceinte est tenue de prévenir son employeur au plus tard juste avant son congé de maternité. Elle lui adressera son certificat de grossesse et une lettre recommandée avec accusé de réception, qui lui indiquera la date présumée de son accouchement et celle de son congé de maternité.

Le licenciement d'une femme salariée est annulé si, dans un délai de 15 jours à partir de la notification de son licenciement, elle envoie à son employeur, par lettre recommandée avec accusé de réception, un certificat médical attestant qu'elle est enceinte.

On ne peut pas licencier une femme dont la grossesse a été constatée sur le plan médical. Le licenciement ne pourra avoir lieu qu'à la fin de la 4e semaine de travail repris après le congé de maternité. Des exceptions cependant :

- si l'employée a fait une faute grave ;
- si elle arrive au terme d'un contrat à durée déterminée ;
- si elle part en congé de maternité sans avoir prévenu son employeur ;
- s'il y a impossibilité, pour l'employeur, de continuer à l'employer pour un motif indépendant de la grossesse.

Un employeur doit respecter le repos légal de la future mère et ne pas l'employer pendant une période totale de 8 semaines, dont 6 après l'accouchement.

BON À SAVOIR

Un licenciement ne peut pas prendre effet pendant la période du congé de maternité.

Les droits de la femme enceinte

♦ Une femme enceinte bénéficie d'une autorisation d'absence de son travail pour se rendre aux examens médicaux obligatoires, cela sans diminution de salaire.

♦ Elle peut rompre son contrat de travail sans préavis et sans avoir à payer d'indemnités de rupture.

♦ Elle peut demander un changement d'affectation durant sa grossesse. Dans ce cas, son salaire ne peut être diminué, quelles que soient ses nouvelles fonctions, si elle possède un an d'ancienneté dans l'entreprise.

♦ Certains contrats de travail ou certaines conventions collectives autorisent une réduction d'horaires à la femme enceinte sans diminution de salaire.

♦ En fin de congé postnatal, la jeune mère est tenue de prévenir son employeur par lettre recommandée avec accusé de réception, au moins 15 jours avant la date normale de reprise du travail.

Après un congé parental (voir page 289), la jeune mère peut solliciter son retour dans l'entreprise dans un délai de 12 mois par lettre recommandée avec accusé de réception. L'employeur est alors tenu de la réembaucher en priorité, et l'emploi proposé devra correspondre à sa qualification et fournir les mêmes avantages que ceux dont elle bénéficiait auparavant, à la date de son congé.

TO-DO LIST

semaine
11

✓ Prévenez votre employeur de votre grossesse.

SEMAINE DE GROSSESSE

14e semaine depuis le 1er jour
de vos dernières règles

Faites attention à votre alimentation : votre bébé
puise dans votre sang tous les nutriments dont
il a besoin pour sa croissance — acides aminés,
calcium, sels minéraux et fer. Ayez une hygiène
irréprochable pour éviter d'éventuelles infections.
Continuez à faire l'amour avec votre partenaire
s'il n'y a pas de contre-indications médicales et
si vous en éprouvez le désir.

Votre bébé

Sa taille est de 7 cm de la tête au coccyx et de 10 cm de la
tête aux talons. Son poids est de 45 g.
Le visage de votre bébé s'affine. Avec les os de la face qui
prennent peu à peu leur forme définitive, il ressemble vraiment à un petit d'homme. Ses yeux, qui étaient encore
sur les côtés, se sont déplacés vers l'avant, tandis que ses
oreilles, qui étaient au niveau du cou, sont à présent plus
hautes sur la tête.
Le foie, toujours énorme, n'est plus seul à fabriquer les cellules sanguines ; il est aidé par la moelle, qui va progressivement prendre le relais. Dès la naissance et pendant l'existence entière, elle assurera seule cette fonction.
Si votre bébé est une fille, ses ovaires commencent à descendre dans l'abdomen ; et si c'est un garçon, la prostate est
d'ores et déjà présente.
Quant aux glandes sexuelles qui sont formées depuis plusieurs semaines, elles sécrètent des hormones indispensables à la maturation des organes sexuels externes. Chez le
garçon, le pénis est maintenant apparent.

Vous

Votre bébé grossit et grandit. Il élabore ses os et ses muscles
et a donc besoin de tous les éléments constitutifs qui sont
indispensables à leur formation et à leur croissance.

EN BREF
CETTE SEMAINE

VOTRE BÉBÉ

- Taille : 7 cm de la tête au coccyx, 10 cm de la tête aux talons
- Poids : 45 g
- Les yeux sont à leur place définitive.
- La moelle osseuse commence à élaborer des cellules sanguines.
- Les glandes sexuelles sécrètent des hormones.
- Si votre bébé est un garçon, il a une prostate et un pénis.
- Formation définitive du placenta

VOUS

Votre bébé puise dans votre sang du calcium, des sels minéraux, du fer et des vitamines.

Il puise dans votre sang tout ce dont il a besoin, en particulier les acides aminés qui, en s'assemblant, constituent les protéines, la matière de base des muscles.

Il puise également du calcium et d'autres sels minéraux pour l'édification de son squelette, du fer pour la formation de ses globules rouges, et des vitamines, qui permettent les réactions biochimiques au sein de ses cellules.

Actuellement, il fait une énorme consommation de tous ces éléments, parmi beaucoup d'autres.

S'ils ne sont pas apportés en quantité suffisante dans votre sang par l'alimentation, il prendra tout de même ce dont il a besoin, à votre propre détriment. Aussi, nourrissez-vous correctement.

Au quotidien

Votre hygiène doit être rigoureuse, même si elle doit rester simple et sans excès.

En élevant la température de base de votre corps, la grossesse favorise la transpiration. Aussi, une bonne hygiène consistant en la prise d'une douche quotidienne est-elle encore plus indiquée que d'habitude.

Préférez les douches aux bains, car elles sont plus toniques pour l'organisme en général et plus raffermissantes pour les seins et la peau de l'abdomen en particulier.

Utilisez de préférence un savon gras plutôt qu'un produit moussant, qui décape la peau. Le film gras, protecteur naturel de la peau, ne doit pas être éliminé par des produits trop agressifs, sous peine de favoriser divers types d'affections cutanées telles que les mycoses ou des démangeaisons. En outre, certains produits risquent de déclencher des allergies se manifestant par de l'urticaire ou par un gonflement des articulations et pouvant être accompagnées de fièvre.

Après votre douche, n'oubliez pas d'adoucir votre peau avec une crème nourrissante ou hydratante et de traiter les zones délicates que sont les seins et la peau de l'abdomen par des produits appropriés.

La toilette intime

La toilette vulvaire doit être effectuée le matin et le soir avec un savon doux, que vous rincerez correctement. Séchez-vous avec un mouchoir jetable fraîchement sorti de sa boîte.

Contentez-vous d'un lavage externe, car les douches vaginales, quel que soit le produit que vous utilisez, sont tout à fait nuisibles : elles provoquent la destruction des bactéries qui peuplent le milieu vaginal et lui assurent une défense naturelle. Faire une toilette interne, c'est ouvrir la porte à de futures infections vaginales.

La toilette anale doit être faite d'une manière systématique à chaque fois que vous allez à la selle afin que les germes naturellement présents dans les matières fécales ne migrent pas vers le vagin et n'y provoquent pas d'infections.

Votre compagnon doit avoir lui aussi, bien sûr, une hygiène irréprochable.

Quid des rapports sexuels ?

Tout naturellement, vous vous demandez si les rapports sexuels sont permis pendant la grossesse ? Les réponses sont variables.

Oui, si votre grossesse se déroule normalement et, surtout, si vous en éprouvez le désir

Vous pouvez continuer à avoir une sexualité normale sans vous faire de souci pour votre bébé. En effet, le col de l'utérus, placé très haut dans le vagin et bien fermé, ne laisse rien passer dans l'utérus. Votre bébé est donc bien à l'abri au centre de ce gros muscle, protégé de surcroît dans la bulle de la cavité amniotique remplie de liquide qui amortit toutes les ondes de choc.

Non, temporairement

- Si la pénétration est douloureuse par inflammation de l'entrée du vagin. À l'inflammation s'ajoute une contracture de défense qui augmente encore la difficulté. Signalez-le à votre médecin, qui vous donnera un traitement approprié.
- Si les rapports sexuels provoquent des saignements et des contractions de l'utérus. Dans ces conditions, faites-vous examiner rapidement. C'est peut-être le signe d'un début de fausse couche.
- Si vous avez déjà fait des fausses couches spontanées en début de grossesse. Pendant les trois premiers mois, abstenez-vous de rapports sexuels lors des périodes qui correspondent aux règles.

ALLEZ CONSULTER

En cas de rapports sexuels douloureux, signalez-le à votre médecin.

◆ Si vous n'éprouvez pas de désir. Il peut être en sommeil en début de grossesse, tandis que votre organisme est soumis à un bouleversement important sur le plan hormonal. Les nausées et la fatigue ne prédisposent pas aux ébats amoureux. De même en fin de grossesse, la fatigue et l'inconfort dû à l'utérus qui appuie sur tous les organes expliqueront votre manque d'entrain.

Si vous n'avez pas de désir, parlez-en sans fausse pudeur à votre compagnon. Il comprendra votre désaffection passagère pour les choses de l'amour.

Cela n'empêche ni la complicité ni la tendresse. Et cela vous évitera de faire l'amour par « devoir conjugal », sans plaisir ; cela vous évitera également d'en perdre l'envie, même après l'accouchement, par la création d'une sorte de réflexe conditionné de déplaisir.

Si la pénétration vous incommode, vous pouvez néanmoins avoir une sexualité agréable par des caresses manuelles et buccales. Vous développerez ainsi une tendresse et une attention au plaisir de l'autre qui vous apporteront un épanouissement sexuel indispensable à la vie de couple.

TO-DO LIST

semaine
12

✓ Attention, cette semaine est l'ultime délai pour **déclarer votre grossesse !**

SEMAINE DE GROSSESSE

15e semaine depuis le 1er jour
de vos dernières règles

Pour la première fois, votre bébé avale du liquide amniotique et l'excrète grâce à ses reins. Vous constatez avec fierté que votre ventre s'arrondit, même si c'est encore peu visible. Soyez particulièrement vigilante aux éventuelles infections de la zone uro-génitale. Si vous souffrez d'une infection urinaire ou génitale, consultez immédiatement un médecin afin d'éviter que des troubles bénins se transforment en complications.

Votre bébé

Sa taille est de 8 cm de la tête au coccyx et de 12 cm de la tête aux talons. Son poids est de 65 g. À présent, la tête de votre bébé peut être mesurée par ultrasons ; elle a un diamètre de 3,2 cm. À partir de cette mesure, on peut calculer la date de votre accouchement à quelques jours près. Durant cette semaine, la tête de votre bébé va encore s'accroître en diamètre, de 4 mm.

Les os

Le squelette de votre bébé continue de se former par une production continue d'os. Les articulations sont fonctionnelles et les bras peuvent se plier aux coudes et aux poignets. Les doigts peuvent se replier à l'intérieur de la main : votre bébé serre désormais les poings ! Pendant ce temps, il écarte les doigts de pied en éventail ! Mais aucun de ces mouvements n'est encore contrôlé par le cerveau.

La mélanine

Dans la peau, des cellules possédant des prolongements élaborent progressivement un pigment sombre : la mélanine. Ce pigment est transmis aux autres cellules de l'épiderme par l'intermédiaire des prolongements. Ce sont ces cellules qui, après la naissance, seront responsables de la pigmentation de la peau. Ce seront encore elles qui bruniront la peau en réaction à l'exposition au soleil.

Votre bébé ouvre la bouche

La bouche est capable de s'ouvrir, de se fermer et d'exécuter des mouvements de succion. Votre bébé commence à avaler un peu du liquide amniotique dans lequel il baigne. Il l'excrète ensuite, comme de l'urine, grâce à ses reins devenus fonctionnels. C'est la première fois que s'établit un circuit primitif d'absorption et d'excrétion par les voies digestives.

Vous

En cette 13e semaine de grossesse, à la fin de ce 3e mois, votre ventre commence à s'arrondir. Si peu que seul un œil averti peut s'en apercevoir quand vous êtes habillée. Mais vous, qui vous connaissez bien, vous savez que votre corps a un peu changé. Vos vêtements sont encore portables s'ils sont de coupe ample, mais d'ici quelque temps, il faudra desserrer les élastiques !

Attention aux problèmes urinaires et génitaux

Ne laissez pas traîner des petites infections locales de la zone uro-génitale. Elles peuvent empirer et être à l'origine de complications graves.

Les infections urinaires

L'infection urinaire est un trouble fréquent chez la femme enceinte, puisque près de 10 % d'entre elles en souffrent.
Elle n'est pas nécessairement infectieuse et peut être simplement due au froid ou, le plus souvent, à une absorption en eau insuffisante. Votre bébé prend dans votre sang l'eau dont il a besoin.
Si vous ne buvez pas assez, votre sang est plus concentré, de même que votre urine, qui devient irritante.

Les signes

◆ Vous ressentez une petite brûlure au moment de l'émission de l'urine. Vous pouvez vérifier tout de suite si vous avez ou non une infection en achetant chez votre pharmacien une bandelette de dépistage. La détection de nitrites est le signe d'une présence bactérienne.

◆ Vous avez des envies fréquentes d'uriner, de jour comme de nuit, avec de fortes brûlures au passage de l'urine. Dans ce cas, vous présentez les signes cliniques d'une véritable infection urinaire.

Dans tous les cas, vous devez consulter votre médecin. Il fera rechercher dans vos urines la présence d'un microbe.

Le plus souvent, il s'agit du colibacille *Escherichia coli* qui peuple naturellement notre intestin et est indispensable à son bon fonctionnement. Son passage dans les voies urinaires provoque des colibacilloses, qui doivent impérativement être traitées.

D'autres germes peuvent être responsables. Une fois le microbe détecté dans vos urines, votre médecin pourra entreprendre un traitement approprié.

Ne faites surtout pas d'automédication en prenant un remède qui vous a été prescrit pour une infection urinaire antérieure. Il ne s'agit pas nécessairement du même microbe. Vous risquez alors de masquer le véritable problème, ce qui engendrerait des complications.

ALLEZ CONSULTER

◆ si vous ressentez une petite brûlure en urinant ;
◆ si vous avez des pertes vaginales suspectes.
◆ Dans tous les cas, seul votre gynécologue décidera du traitement à suivre.

Les conséquences
Une infection urinaire non soignée peut avoir des conséquences sérieuses :
◆ pour la mère : l'infection peut gagner les reins ; il existe un risque de fausse couche ou, plus tard dans la grossesse, d'un accouchement prématuré ;
◆ pour le bébé : elle peut freiner sa croissance.

La prévention
◆ Buvez beaucoup d'eau.
◆ Reposez-vous bien au chaud ; évitez le froid et l'humidité.
◆ Vérifiez le pH de l'urine par une languette de papier qui change de couleur suivant qu'elle est acide ou basique.

Si votre urine est trop acide, vous pouvez rétablir l'équilibre en buvant de l'eau de Vichy, du jus de poireau ou du lait, et en mangeant des fruits et des légumes cuits.

Si, au contraire, elle n'est pas assez acide, ce qui favorise le développement des germes, consommez davantage de viande et buvez du thé.

Si vous avez une alimentation équilibrée, votre urine sera exactement comme elle doit être, c'est-à-dire neutre.

Les infections génitales

La grossesse provoque une augmentation des sécrétions vaginales, appelées « pertes blanches ». Elles ne possèdent pas de signification particulière, sauf si elles présentent un aspect inhabituel.

Les signes

◆ Vous avez des sécrétions suspectes, plus abondantes qu'à l'accoutumée ou d'une consistance plus épaisse ou ayant une mauvaise odeur.
◆ Vous ressentez des démangeaisons ou des brûlures dans la région vulvaire.
◆ Les rapports sexuels sont douloureux.
◆ Votre compagnon a lui-même une infection.

Quel que soit le cas, vous devez rapidement consulter votre gynécologue. Lui seul peut décider du traitement à suivre. Un prélèvement des sécrétions vaginales sera soumis à l'examen par un laboratoire qui déterminera de quel type d'infection il s'agit. Le traitement approprié devra également être suivi par votre compagnon.

Les conséquences

Il ne faut négliger aucun type d'infection. Traitée à temps, elle sera sans conséquences ; mais si elle est laissée sans soin, elle va s'étendre et pourra être responsable :
◆ d'un avortement spontané au cours du 1er trimestre ;
◆ d'un accouchement prématuré, si l'infection survient plus tardivement ;
◆ d'une infection aiguë de la mère au moment de l'accouchement : c'est l'infection puerpérale ;
◆ d'une infection de l'enfant au moment de l'accouchement ;
◆ ultérieurement, de métrites et de salpingites chroniques.

La prévention

La seule prévention possible est une hygiène parfaite :
◆ après chaque selle, essuyez-vous d'avant en arrière afin de ne pas amener les germes en provenance de l'intestin vers la vulve ;
◆ lavez-vous après chaque selle ;
◆ changez vos serviettes-éponges et vos gants de toilette très souvent ;

• veillez à ce que votre compagnon respecte lui aussi une hygiène irréprochable, notamment avant de vous approcher pour l'amour.

À elles seules, ces quelques précautions simples peuvent vous éviter de nombreux désagréments.

LES INFECTIONS GÉNITALES

Des pertes abondantes, liquides, d'une odeur nauséabonde, des démangeaisons de la vulve sont les signes caractéristiques d'une mycose. Le plus souvent, le responsable est le champignon *Candida albicans*, qui a une prédilection pour les milieux acides. La grossesse, en modifiant l'acidité du milieu vaginal pour le protéger contre les agressions des microbes habituels, favorise malheureusement l'apparition de mycoses. Pour votre toilette, utilisez de préférence de l'eau additionnée de bicarbonate de soude à raison d'une cuillerée à café dans un litre d'eau.

Quand les pertes sont plutôt épaisses et sèches, il s'agit sans doute d'un parasite : le *trichomonas*. Un traitement spécifique à base d'ovules vous sera prescrit. Pendant quelque temps, un liquide acide pour votre toilette sera plus approprié.

Si les pertes sont très liquides ou épaisses mais toujours malodorantes, seul le laboratoire sera capable de préciser de quel microbe il s'agit. Il indiquera l'antibiotique correspondant qui en viendra à bout. L'antibiotique sera prescrit sous forme d'ovules à glisser à l'intérieur du vagin. Si besoin est, il peut être associé à un traitement antifongique.

Dans tous les cas, seul votre gynécologue décidera du traitement à suivre.

2

LE DEUXIÈME
TRIMESTRE

LE QUATRIÈME MOIS

Pendant ce quatrième mois, la vitesse de croissance de votre bébé va passer par un maximum. À présent, les principaux organes sont en place et commencent à fonctionner. S'ils travaillaient jusqu'alors séparément les uns des autres, les voici qui, désormais, vont apprendre à travailler ensemble, le travail de chacun dépendant du travail d'un autre pour gouverner l'organisme tout entier.
Cette organisation va peu à peu se consolider dans les mois à venir. C'est la longue maturation de votre bébé qui s'amorce.

Quant à vous, vous entrez dans une période privilégiée : vous vous sentez de mieux en mieux, car les nausées et la fatigue des premiers temps ont disparu. Et vous allez vivre une nouvelle expérience. Une sensation exaltante et bouleversante vous attend : alors que vous serez tranquillement allongée, vous allez soudain ressentir un léger mouvement en vous. C'est votre bébé qui bouge ! Pour la première fois, vous allez vraiment réaliser qu'il est là, en vous. Et qu'il vit !

●

SEMAINE DE GROSSESSE

Début de la **16e semaine** depuis le 1er jour de vos dernières règles

Votre bébé devient plus actif, sa tête s'est complètement redressée et, si l'on mesurait les battements de son cœur, ils seraient semblables à l'électrocardiogramme d'un adulte. Vous allez bientôt passer votre deuxième visite médicale obligatoire ; ce suivi est indispensable, que votre grossesse soit « normale » ou qu'elle impose une surveillance particulière.

Votre bébé

Sa taille est de 9 cm de la tête au coccyx et de 14 cm de la tête aux talons. Son poids est de 110 g. Le diamètre de sa tête est aux environs de 3,6 cm. La cavité amniotique contient 250 cm³ de liquide. Ce volume va augmenter avec l'âge de la grossesse.

À partir de cette semaine, votre bébé devient plus actif. En plus des mouvements physiques involontaires des bras et des jambes, il est désormais capable d'ouvrir la bouche, de tourner les yeux et de froncer les sourcils !

La tête et la peau

Sa tête est maintenant bien droite et ses jambes sont à présent plus longues que ses bras. Le derme, ou couche profonde de la peau, se différencie au cours du 3e et du 4e mois en un tissu conjonctif contenant des fibres élastiques et des fibres de collagène, responsables de l'aspect définitif de la peau. En même temps se mettent en place dans l'épiderme de petites papilles qui renferment des corpuscules du tact. Le sens du toucher commence donc à se développer chez votre bébé.

Le squelette et les organes

Le squelette pourrait être observé par les rayons X. Auparavant, les os contenaient trop peu de calcium pour être visibles de cette façon.

EN BREF
CETTE SEMAINE

VOTRE BÉBÉ

- Taille : 9 cm de la tête au coccyx, 14 cm de la tête aux talons
- Poids : 110 g
- La tête de votre bébé est à présent tout à fait droite.
- Les jambes sont à présent plus longues que les bras.
- L'intestin rentre dans la cavité abdominale.
- Les organes commencent à travailler ensemble.

VOUS

- La cavité amniotique contient 250 cm³ de liquide.

À présent, le cœur exécute 110 à 120 battements par minute. Des chercheurs ont montré qu'un fœtus de cet âge témoigne d'un électrocardiogramme semblable à celui d'un adulte. C'est maintenant, vers le début du 4e mois, que l'intestin, qui s'est beaucoup développé, commence à réintégrer la cavité abdominale, qui s'est agrandie.

La glande thyroïde

La glande thyroïde tend à devenir opérationnelle et fabrique l'hormone thyroïdienne, une hormone capitale durant toute l'existence d'un individu. Elle assurera, entre autres fonctions, la croissance de l'enfant. Pour fonctionner d'une manière normale, la cellule thyroïdienne a besoin d'iode, un oligoélément qui lui est apporté par l'alimentation ; si vous utilisez régulièrement du sel marin, votre apport en iode sera suffisant.

Vous

La deuxième visite médicale obligatoire

C'est le moment de prendre rendez-vous pour votre deuxième visite médicale obligatoire. Comme à chaque visite médicale obligatoire qui aura lieu désormais chaque mois, le médecin vérifiera votre poids, votre tension artérielle et l'absence d'albumine et de sucre dans vos urines. Il demandera les analyses de sang classiques afin de contrôler votre glycémie et votre numération globulaire ; il fera également un prélèvement vaginal pour une recherche de streptocoques B. Ces visites médicales sont d'autant plus indispensables si vous faites partie de ce qu'on appelle les « grossesses à risque », qui réclament une surveillance particulière.

ATTENTION

Pensez à vous peser régulièrement.

Les grossesses à risque

Ne vous inquiétez pas : le terme « grossesse à risque », qui peut sembler alarmant, existe uniquement pour différencier une grossesse qu'on pourrait qualifier de « normale » d'une grossesse qui, pour une raison ou pour une autre, nécessite une surveillance un peu plus étroite et des examens spécialisés, selon les cas.

En règle générale, la grossesse se déroule sans problème grâce à cette surveillance médicale accrue.

Cette dernière permet en particulier de prévenir d'éventuels accidents, donc de réduire d'une manière considérable les handicaps de naissance ainsi que la mortalité infantile.

80 % des femmes enceintes n'ont aucun problème. Les autres présentent un ou plusieurs facteurs qui font courir un risque à l'enfant. Le risque le plus courant est la prématurité.

Il existe également les risques de retard de croissance du fœtus, qui sont liés à une maladie ou au mode de vie de la future mère, ainsi que les risques de souffrance fœtale au moment de l'accouchement.

Les facteurs de risque

L'âge de la mère

C'est un facteur de risque très important qui ne doit pas être pris à la légère.

- Quand la future mère est très jeune – âgée de moins de 18 ans –, certains risques sont plus importants que chez une femme plus âgée. Le risque de toxémie gravidique, caractérisée par de l'albuminurie et de l'hypertension artérielle (voir page 24), est multiplié par trois et celui d'un accouchement prématuré par deux. Souvent, le poids du bébé d'une mère très jeune est inférieur à la moyenne. Ces risques sont fréquemment liés à des problèmes à la fois psychologiques et sociaux, qui entraînent des comportements à risque. L'adolescente qui dissimule sa grossesse le plus longtemps possible est mal surveillée et souvent mal alimentée. Il est à noter que, lorsqu'une adolescente enceinte est bien acceptée par sa famille et entourée affectivement, on observe une nette diminution des complications.
- Quand la future mère a plus de 38 ans (voir page 178).

Le nombre de grossesses précédentes

À partir du quatrième enfant, le risque d'une présentation anormale et d'un accouchement difficile augmente, car l'utérus peut avoir perdu une partie de son tonus et donc de son pouvoir de contractibilité. Les hémorragies au moment de la délivrance sont également plus fréquentes.

Le risque de ces grossesses tient beaucoup au fait que la femme qui attend son quatrième ou son cinquième enfant a tendance à être moins vigilante par rapport à son hygiène et à la surveillance générale de sa grossesse.

Les grossesses multiples

La future mère est particulièrement surveillée quand elle attend des jumeaux, ce qui est le cas d'une femme sur 80, et *a fortiori* lorsqu'elle attend plus de deux enfants, cas exceptionnel. Au début de la grossesse, les risques d'avortement spontané sont assez grands. Plus tardivement, c'est le risque d'accouchement prématuré qui est à craindre, car il peut y avoir, dans le cas de vrais jumeaux, un excès de liquide amniotique, ou hydramnios (voir page 144), qui distend l'utérus et les membranes, entraînant des contractions. L'hospitalisation est alors nécessaire. Le risque d'un accouchement prématuré est d'un sur trois pour une première grossesse et un sur deux pour une deuxième grossesse.

Pour la mère, la toxémie gravidique, avec albuminurie, hypertension artérielle et œdème, est également plus fréquente et nécessite une hospitalisation. Les jumeaux naissent assez souvent un peu prématurés, et l'un des deux est presque toujours plus petit que l'autre. C'est la raison pour laquelle les visites prénatales sont plus fréquentes et les échographies plus nombreuses. C'est également une raison pour choisir d'accoucher dans un centre très équipé sur le plan pédiatrique.

Pour aller plus loin
Retrouvez tous les conseils de l'obstétricienne p. 359.

Les grossesses antérieures à problèmes

Dans ce cas, il y a tout lieu de surveiller de près cette nouvelle grossesse. Tout accident advenu lors de grossesses précédentes, tel que des hémorragies, un retard de croissance du fœtus *in utero*, un enfant mal formé ou mort-né, ainsi que tout problème survenu au moment de l'accouchement, doit être signalé. Il peut être causé par une mauvaise insertion du placenta ou par une dilatation du col difficile et insuffisante lors de l'accouchement. Tout doit être mis en œuvre pour que les troubles apparus lors d'une précédente grossesse ne se reproduisent pas.

Les maladies de la future mère

Les maladies maternelles peuvent entraîner une souffrance fœtale, des malformations, un avortement spontané ou encore un accouchement prématuré. Les principales maladies incriminées sont :

- l'alcoolisme (voir pages 68, 69);
- le tabagisme (voir page 68);
- l'anémie (voir page 228);
- le diabète (voir pages 239-241);
- l'hépatite B (voir page 105);
- l'herpès (voir page 229);
- l'hypertension artérielle (voir page 241);
- l'incompatibilité rhésus (voir pages 73-74);
- les infections urinaires (voir pages 163-164);
- les infections génitales (voir pages 164-166);
- la listériose (voir pages 269-271);
- la rubéole (voir page 61);
- le sida (voir pages 106-107, 242).

Les mères présentant l'une de ces maladies seront très sur-veillées pendant toute la durée de leur grossesse.

Les problèmes de constitution de la mère

Dans les cas suivants, des problèmes peuvent se présenter au cours de la grossesse, mais surtout au moment de l'ac-couchement:

- l'obésité;
- des anomalies du bassin. Ce dernier peut être trop petit, en particulier chez les femmes mesurant moins de 1,50 m, ou mal formé de naissance, ou encore déformé à la suite d'un accident;
- un utérus trop petit avec un ou plusieurs kystes, ou encore un utérus rétroversé.

Dans tous les cas, les conditions de l'accouchement doivent être déterminées d'une manière très précise.

Les conditions socioéconomiques de la mère

Elles sont la cause de 60 % des accouchements prématurés. À la suite de mauvaises conditions économiques, la future mère poursuit un travail pénible plus longtemps qu'il ne le faudrait. Les transports longs et fatigants, les travaux mé-nagers, la garde des enfants déjà présents ou encore une alimentation mal équilibrée, faute de moyens, constituent autant de facteurs qui favorisent le surmenage, l'anémie, la toxémie et, par conséquent, un accouchement prématuré.

Les « filles DES »

On appelle « filles DES » les femmes dont les mères ont pris du Distilbène, ou DES, un médicament prescrit en France entre 1948 et 1975 pour éviter les fausses couches.

Sur 100 000 filles qui furent exposées *in utero* au Distilbène, plus de la moitié ont présenté des anomalies au niveau du vagin ou de l'utérus.

Souvent bénignes, ces anomalies sont cependant des facteurs de risque importants, pouvant entraîner une grossesse extra-utérine ou une fausse couche spontanée au cours du 1er trimestre, ou encore un accouchement prématuré.

Chaque femme née au cours de ces années doit interroger sa mère pour savoir si elle a pris ce médicament au cours de sa grossesse. Si c'est le cas, elle doit en avertir son médecin, qui la suivra tout particulièrement.

La surveillance des grossesses à risque

Selon le type de risque et selon le moment de la grossesse, la surveillance médicale sera plus étroite, comprenant une visite médicale tous les 15 jours, voire toutes les semaines. En outre, selon des cas, des examens spécialisés seront effectués.

Il s'agit de :

- l'échographie (voir pages 129-130) ;
- le doppler (voir page 131) ;
- la biopsie du trophoblaste (voir page 132) ;
- l'embryoscopie (voir page 131) ;
- la ponction du cordon ombilical (voir ci-dessous) ;
- le dosage de l'HT 21 (voir pages 179-180) ;
- le dosage d'alpha-fœtoprotéine (voir pages 180-181) ;
- l'amniocentèse (voir pages 191-182) ;
- la fœtoscopie (voir pages 197) ;
- l'amnioscopie (voir page 291) ;
- la radiographie fœto-pelvienne (voir page 281) ;
- la radiopelvimétrie (voir page 307).

La ponction du cordon ombilical

Cet examen est effectué vers trois mois de grossesse. Il s'agit d'une prise de quelques gouttes de sang fœtal prélevé à l'aide d'une aiguille fine dans la veine du cordon ombilical. Le prélèvement est pratiqué sous anesthésie locale et sous contrôle échographique. On localise tout d'abord le placenta, puis le bébé et ensuite le cordon ombilical. Le sang est tout de suite analysé et les résultats obtenus rapidement. L'analyse précoce du sang du bébé permet de savoir s'il est atteint par une maladie infectieuse attrapée par la mère au cours de la grossesse telle que la rubéole ou la toxoplasmose (voir pages 61 et 105-107).

TO-DO LIST

semaine

14

✓ Faites une visite médicale supplémentaire si vous êtes dans le cas des **grossesses à risques**.

SEMAINE DE GROSSESSE

Début de la **17ᵉ semaine** depuis
le 1ᵉʳ jour de vos dernières règles

Si vous avez plus de 38 ans, sachez que votre grossesse va être particulièrement surveillée. En effet, vous courez plus de risques que les femmes plus jeunes de souffrir d'hypertension, de faire une fausse couche ou de porter un enfant trisomique. Mais rassurez-vous, le suivi étroit de ce type de grossesse permet de limiter les risques.

Votre bébé

Sa taille est de 10 cm de la tête au coccyx et de 16 cm de la tête aux talons. Son poids est de 135 g. Le diamètre de sa tête mesuré par les ultrasons est de 3,9 cm. La longueur de son pied est de 2 cm !

Votre bébé bouge dans le liquide amniotique. Si vous avez déjà eu d'autres enfants, vous pouvez percevoir ces mouvements, mais s'il s'agit de votre premier enfant, vous ne les sentez pas ; attendez encore deux semaines.

L'arbre pulmonaire comprend la trachée et les deux lobes pulmonaires qui n'ont pas terminé leur maturation complète. Dans chacun des lobes, les divisions se poursuivent d'une manière régulière pour former les innombrables alvéoles au niveau desquelles se feront les échanges gazeux, quand votre bébé sera né.

Les poumons ne fonctionnent pas encore en tant qu'organe de la respiration. Toutefois, de pseudo-mouvements respiratoires ont lieu ; ils sont encore peu fréquents, rapides et irréguliers. Ces mouvements de la poitrine qui se lève et s'abaisse ont pour résultat de faire entrer dans les poumons du liquide amniotique, puis de l'expulser.

N'oubliez pas que votre bébé respire par l'intermédiaire de votre sang. Vous lui apportez de l'oxygène et vous le débarrassez du gaz carbonique qu'il rejette. C'est la raison pour laquelle il n'a pas besoin de ses poumons pour le moment. Et s'ils sont remplis de liquide amniotique, n'ayez pas peur, il ne risque pas de se noyer ! La déglutition et la respiration requièrent une coordination complexe entre les nerfs et les

EN BREF
CETTE SEMAINE

VOTRE BÉBÉ

◆ Taille : 10 cm de la tête au coccyx, 16 cm de la tête aux talons
◆ Poids : 135 g
◆ Pseudo-mouvements respiratoires : le liquide amniotique entre puis sort des poumons.
◆ L'électrocardiogramme de votre bébé est semblable à celui d'un adulte.

VOUS

◆ Si c'est votre premier bébé, vous ne sentez pas encore ses mouvements.

muscles. Le liquide amniotique est un bon milieu qui permet l'« entraînement », avant la naissance, de ces deux activités.

Vous

Vous avez plus de 38 ans ? Vous faites partie des grossesses à risque (voir page 171). Ne vous alarmez pas. Si vous n'avez pas de problème particulier, tout se déroulera normalement. Néanmoins, faites-vous surveiller correctement.

Être mère à 40 ans

BON À SAVOIR

Si vous avez 40 ans ou si vous attendez des jumeaux, votre grossesse est plus spécialement surveillée.

Qu'il s'agisse ou non de votre première grossesse, et même si apparemment tout va bien, être enceinte à 40 ans nécessite de prendre certaines précautions, notamment de se faire suivre très scrupuleusement. Une femme qui débute une grossesse vers 38 ou 39 ans est plus menacée qu'une autre par le risque de pathologies associées à la grossesse. Il s'agit le plus fréquemment d'hypertension artérielle et de maladies rénales qui peuvent avoir, entre autres répercussions, un retard dans le développement de l'enfant. Il faut aussi savoir que le taux de césariennes est plus élevé, en particulier quand il s'agit d'un premier accouchement.

Le risque de fausse couche spontanée est également très élevé, puisqu'il interrompt 33 % des grossesses entre la 8e et la 10e semaine.

→
Vous ne sentez pas encore bouger votre bébé. Patience, c'est pour bientôt !

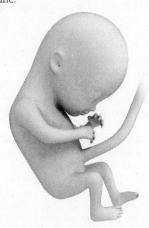

Le risque le plus grave, directement lié à l'âge de la mère, reste la trisomie 21 (voir pages 186-187). Pour cette raison, différents examens tels que l'HT 21 et l'amniocentèse (voir pages 181-182) sont proposés d'une manière systématique afin de dépister toute anomalie de cet ordre.

À la suite de cette surveillance très sévère, il apparaît que les femmes enceintes âgées de 40 ans ont souvent moins de problèmes que des femmes plus jeunes.

Les examens de dépistage

L'HT 21

Le terme « HT 21 » est la contraction de deux mots : « hormone » et « trisomie 21 ». En effet, on a remarqué qu'un taux anormalement élevé dans le sang de l'hormone de grossesse HCG (voir page 22) entre la 15e et la 18e semaine d'aménorrhée – c'est-à-dire entre la 13e et la 16e semaine de grossesse – fait suspecter une anomalie chromosomique qui est responsable de la trisomie 21.

Le taux de l'hormone HCG qui est présente dans le sérum est évalué à partir d'une simple prise de sang. Les résultats sont connus sous un minimum de 10 jours. Ils n'ont pas valeur de diagnostic mais sont évalués en taux de risques : cela signifie que si les résultats sont positifs, il ne peut s'agir que d'une suspicion, qui nécessitera un examen plus approfondi ; une amniocentèse sera alors pratiquée.

À peine 4 % des résultats entraînent une recherche plus poussée.

Pour des jumeaux, les résultats sont difficilement interprétables.

Un dosage proposé systématiquement

L'HT 21, aussi appelé « triple test » ou « tri-test », constitue un moyen de dépistage de la trisomie 21. À la recherche du dosage de l'hormone HCG, il associe ceux de l'apha-fœto-protéine et de l'œstriol.

Tout médecin doit obligatoirement proposer à la future maman, quel que soit son âge, ces examens de dépistage. Elle est libre de refuser mais, dans ce cas, doit signer une décharge.

Ces examens sériques permettent d'éliminer les amniocentèses inutiles et, par conséquent, d'en diminuer les risques.

Pour aller plus loin
Retrouvez tous les conseils de l'échographiste p. 364.

BON À SAVOIR

Ne transformez pas les jours d'attente des résultats en jours d'angoisse. Ces examens sont là, au contraire, pour vous apprendre que votre bébé est tout à fait normal.

Quand il existe dans une famille une présomption importante de trisomie 21, on pratique autour de la 8ᵉ semaine de grossesse une biopsie du trophoblaste (voir page 131).

Le dosage d'alpha-fœtoprotéine

Pratiqué dans la même prise de sang que la mesure de l'HT 21, le dosage d'alpha-fœtoprotéine est un examen qui est destiné à rechercher une éventuelle malformation du système nerveux central, en particulier le *spina bifida*. Ce terme désigne un éventail de malformations plus ou moins graves. Au sens littéral, *spina bifida* signifie « épine dorsale bifide ».

Un taux à surveiller

Quand, dans les premières semaines de grossesse, la formation tubulaire représentant le système nerveux central ne se ferme pas complètement, il en résulte un défaut de fermeture de la colonne vertébrale, accompagné d'une malformation de la moelle épinière qui entraîne une paralysie et une arriération mentale.

Le dosage d'alpha-fœtoprotéine consiste à rechercher dans le sang de la future mère une protéine émise par le fœtus. Si son taux est élevé, on peut craindre une anomalie du système nerveux. Au contraire, si son taux est trop bas, cela éveille le soupçon d'une maladie d'origine chromosomique et nécessite un complément d'information qui sera donné par une amniocentèse. Dans tous les cas, un taux bas ou élevé d'alpha-fœtoprotéine entraîne la poursuite d'autres recherches.

La prévention

Pour prévenir la formation de *spina bifida*, le médecin prescrit d'une manière systématique de l'acide folique (ou vitamine B9, voir page 119) lors des deux ou trois mois qui précèdent la grossesse et lors des deux premiers mois de celle-ci quand, dans une famille, il y a déjà eu une telle malformation.

La même prévention est appliquée chez les femmes de plus de 35 ans et chez celles ayant fait une fausse couche spontanée.

Ne vous affolez pas : le *spina bifida* est une maladie rare, qui se détecte également à l'échographie.

Le dosage d'œstriol

L'œstriol est une hormone œstrogène. Un taux trop bas d'œstriol dans le sang maternel peut laisser suspecter une trisomie 21 chez le fœtus.

L'amniocentèse

L'amniocentèse consiste en un prélèvement de liquide amniotique. Les cellules du bébé qu'il contient sont traitées selon certaines techniques de façon à pouvoir examiner leurs chromosomes.

L'amniocentèse doit avoir lieu entre la 16e et la 18e semaine d'aménorrhée : avant cette date, il n'y a pas assez de liquide amniotique et pas suffisamment de cellules fœtales dans le liquide ; après cette date, la grossesse sera très avancée, et une interruption médicale de grossesse (IMG) sera d'autant plus difficile à supporter si l'amniocentèse révèle une anomalie du fœtus.

Amniocentèse et IVG

L'amniocentèse soulève, bien entendu, le problème de l'interruption médicale de grossesse. Cette dernière est autorisée par la loi jusqu'au terme de la grossesse si la vie de la mère est en danger ou si le fœtus est atteint d'une maladie grave et incurable – en l'occurrence une anomalie chromosomique.

L'interruption médicale de grossesse n'est pas obligatoire. L'hypothèse en est toujours discutée avant la pratique de l'examen. D'ailleurs, la plupart des équipes médicales refusent de procéder à une amniocentèse si la future mère est farouchement opposée à l'éventualité d'une interruption de grossesse.

Les statistiques

L'amniocentèse n'est donc pas obligatoire, mais elle est proposée d'une manière systématique aux femmes qui ont plus de 38 ans ; dans ce cas, elle est entièrement remboursée par la Sécurité sociale. Avant l'âge de 38 ans, l'examen n'est pas remboursé, sauf pour les cas précis de grossesses à risque. L'âge de 38 ans n'est pas choisi par hasard. En effet, c'est après cet âge que le risque d'avoir un enfant porteur d'une trisomie s'élève d'une manière considérable.

Pour aller plus loin
Retrouvez tous les conseils de la gynécologue-obstétricienne p. 359.

Les trisomies résultent d'un chromosome en trop. Ce surnombre peut porter sur les chromosomes 13, 18 et 21 (voir pages 186-187). Le risque de trisomie 21 est de 1 pour 2 000 à 28 ans. Il passe à 1 pour 500 à partir de 38 ans et à 1 pour 100 à 40 ans. Au-delà de 40 ans, le pourcentage augmente d'une manière plus rapide encore.

Si vous avez plus de 38 ans et si vous désirez faire cet examen, ne vous laissez pas influencer si votre médecin le juge superflu. Vous êtes en droit de l'exiger.

Les indications de l'amniocentèse

- L'amniocentèse est pratiquée d'une manière systématique chez les femmes ayant déjà eu un enfant atteint d'une maladie d'origine chromosomique.
- Pour détecter une anomalie chromosomique chez l'enfant d'une femme âgée de plus de 38 ans.
- Chez une femme dont le dosage de l'HT 21 fait suspecter une trisomie 21.
- Chez une femme ayant déjà fait plusieurs fausses couches spontanées, celles-ci étant souvent le résultat d'un œuf présentant une anomalie chromosomique.
- Quand, dans un couple, l'un des futurs parents présente une maladie familiale grave telle que la mucoviscidose ou la myopathie.
- Chez une femme dont le dosage de l'alpha-fœtoprotéine fait suspecter une malformation de la moelle épinière (spina bifida).
- Pour diagnostiquer certaines maladies héréditaires liées au sexe telles que l'hémophilie ou la myopathie.
- Pour repérer certaines anomalies du système nerveux central. Cela ne se fait pas par l'étude des chromosomes mais par des examens biochimiques.

La technique de l'amniocentèse

Si la technique de l'amniocentèse est assez simple, il ne s'agit toutefois pas d'un examen de routine. Un risque de fausse couche existe, qui est aujourd'hui de l'ordre de 0,5 %. La femme enceinte est allongée sur le dos, légèrement de côté. Après avoir repéré l'enfant par échographie, le praticien enfonce une aiguille à travers l'abdomen et la paroi utérine, jusque dans la cavité amniotique, où il prélève 5 à 10 millilitres de liquide. Si la future mère est Rh –, on lui injecte après l'intervention des immuno-globulines anti-D (voir page 73). Impressionnante pour la mère, l'amniocentèse est indolore. Veillez à vous reposer une journée après l'examen.

L'établissement du caryotype

Les cellules du bébé, qui sont en suspension dans le liquide amniotique, sont mises en culture sur un milieu nutritif. Par l'addition d'une substance au milieu de culture, on bloque les cellules à un stade donné de leur division, quand les chromosomes sont bien individualisés et donc bien visibles. Étalées sur des lames de verre, les cellules sont observées au microscope et photographiées. Les 46 chromosomes d'une cellule ainsi photographiée – 23 chromosomes d'origine paternelle et 23 d'origine maternelle – sont alors découpés et assemblés par paires selon des normes internationales. L'assemblage qui en résulte s'appelle le « caryotype ».

Toute anomalie du caryotype est le signe concret d'une anomalie chromosomique qui sera à l'origine d'une malformation ou d'une maladie.

Par la présence des chromosomes sexuels, le caryotype permet de connaître le sexe de l'enfant. Dans le cas d'une maladie liée au sexe, comme l'hémophilie ou la myopathie qui n'atteignent que les garçons, le caryotype renseigne sur le risque encouru par l'enfant à naître, quand la maladie est présente dans la famille.

L'établissement du caryotype nécessite 15 jours à 3 semaines.

TO-DO LIST

semaine
15

✓ **2e visite médicale obligatoire.**

✓ **Quel que soit votre âge :**
   – recherche de l'HT 21 (amniocentèse suivant le résultat de l'HT 21) ;
   – dosage d'alpha-protéine.

SEMAINE DE GROSSESSE

Début de la **18e semaine** depuis le 1er jour
de vos dernières règles

EN BREF
CETTE SEMAINE

VOTRE BÉBÉ

- Taille : 11 cm de
  la tête au coccyx,
  17,5 cm de la tête
  aux talons
- Poids : 160 g
- Les oreilles sont à
  présent bien placées
  sur les côtés de
  la tête.
- La rétine est sensible
  à la lumière, mais
  votre bébé garde les
  yeux fermés, protégés
  par ses paupières.
- Le corps de votre
  bébé se couvre d'un
  fin duvet : le lanugo.

VOUS

- Votre utérus a la taille
  d'une noix de coco.
- Vous sentez votre
  bébé bouger.

Votre bébé bouge ! Pour la première fois, vous le
sentez vraiment vivre en vous. Bien sûr, il y a eu
tous ces petits malaises qui vous ont indiqué son
existence, il y a eu cette première échographie où
vous avez entendu son cœur battre, mais c'était sur
un écran, hors de vous. Maintenant, vous sentez
dans votre ventre que ça bouge !

Votre bébé

Sa taille est de 11 cm de la tête au coccyx et de 17,5 cm de
la tête aux talons. Son poids est de 160 g. La longueur de son
pied est de 2,5 cm et le diamètre de sa tête de 4 cm.
Tandis que les oreilles commencent à être en place sur les
côtés de la tête, les yeux se sont beaucoup rapprochés. La
rétine devient sensible à la lumière.
Tout le corps de votre bébé est recouvert d'un très fin duvet,
doux comme de la soie, qui porte le joli nom de « lanugo » ;
il tombera à la naissance pour être remplacé par un autre
duvet, aux poils plus gros.
Et le miracle se produit enfin : vous sentez votre bébé bouger ! Il y a quelqu'un qui s'agite ! Pour le moment, les mouvements perçus sont légers comme des ailes de papillon. Mais
attendez la suite !

Vous

La grande quantité de progestérone que vous produisez a
pour effet de relâcher tous vos muscles lisses. L'effet secon-
daire indésirable est un ralentissement des fonctions intestinales.
Ne laissez pas la constipation s'installer. Évitez les aliments
trop sucrés et mangez des produits naturels, riches en fibres.
Si votre constipation est tenace, ne prenez aucun médicament sans en parler à votre médecin.

Les risques d'avoir un enfant anormal

Tout le monde y pense. On a beau se dire que cela n'arrive qu'aux autres, on sait très bien qu'on n'est pas à l'abri d'un accident. Le pourcentage d'enfants nés avec une anomalie ne dépasse pas 3 % et, dans ce chiffre, entre un grand nombre d'anomalies mineures qui sont guérissables.

Excepté les accidents liés à l'âge de la mère (voir page 173), les malformations ont diverses origines ; avec plus de précautions, un certain nombre d'entre elles pourraient être évitées.

Les maladies congénitales

On appelle maladie congénitale une maladie qui est apparue pendant la vie intra-utérine et s'est révélée à la naissance.

Les anomalies liées à un accident de la grossesse

Ces accidents peuvent être dus à une maladie de la mère telle que la rubéole (voir page 61), la toxoplasmose (voir pages 105-107), le sida (voir pages 107-108) ou encore la syphilis (voir page 107), ainsi qu'à une intoxication par l'intermédiaire de divers produits chimiques (voir page 59) ou à une exposition aux rayons X (voir page 58).

Quand l'accident a lieu à un stade précoce de la grossesse, alors que les membres et les organes sont en formation, le risque encouru par le bébé à naître est grand. Les malformations seront moins importantes si l'accident a lieu à un stade plus tardif de la grossesse.

Les anomalies liées au mode de vie de la mère

Il s'agit notamment de l'alcoolisme (voir pages 68-69), du tabagisme (voir page 68) ou encore de la drogue (voir page 69).

Les anomalies liées à l'âge de la mère

C'est particulièrement vrai pour la trisomie 21, qui est plus fréquente chez les enfants de femmes très jeunes ou ayant plus de 38 ans (voir page 173).

VOS SYMPTÔMES

Vos fonctions intestinales sont ralenties sous l'effet de la progestérone.

Mangez des produits riches en fibres.

Pour aller plus loin
Retrouvez tous les conseils du toxicologue p. 390.

L'existence d'une maladie héréditaire

On appelle « maladie héréditaire » une maladie que l'enfant reçoit en héritage de ses parents. Cette maladie est codée par les gènes qui, en s'exprimant, déterminent la maladie.

Parmi les maladies héréditaires, un grand nombre ne s'accompagnent d'aucune malformation et sont compatibles avec une vie normale ; et un grand nombre d'entre elles peuvent actuellement être traitées.

La maladie héréditaire peut très bien ne pas être apparente à la naissance et se manifester plus tard. Tel est par exemple le cas de la myopathie, une maladie musculaire grave, dont l'apparition est progressive et qui frappe surtout les garçons.

La maladie héréditaire peut également ne pas s'exprimer du tout, mais, dans ce cas-là, le sujet reste porteur du gène qui est responsable de la maladie et le transmet à sa descendance ; quand on connaît le gène incriminé ainsi que sa fréquence dans la population, il est alors possible d'évaluer le risque exact de transmission de ce gène.

Les maladies héréditaires d'origine chromosomique

Ces maladies héréditaires peuvent porter soit sur le nombre des chromosomes soit sur leur structure.

L'anomalie de nombre

L'exemple le plus caractéristique est la trisomie 21. À la suite d'une erreur dans la répartition des chromosomes survenue au cours de l'une des divisions de l'ovocyte, le zygote, la première cellule du bébé (voir page 38), possède trois chromosomes 21 au lieu de deux – d'où le nom de trisomie 21. Toutes les cellules de l'individu, qui sont issues de cette première cellule, auront elles aussi, un chromosome en trop. Il en résultera un surnombre de gènes, dont les ordres vont conduire à une surproduction de substances chimiques qui aboutira à la formation des traits caractéristiques de la trisomie 21.

Une suspicion de trisomie 21 peut être détectée par :

◆ par le dosage de l'HT 21 (voir pages 179-180) ;
◆ la mesure de la clarté nucale, qui est réalisée à la 12e semaine de grossesse, au cours de la première échographie (voir page 128).

Ces examens donnent une première indication, complétée par une amniocentèse (voir pages 181-183); cette dernière permet d'établir le caryotype du bébé (voir page 183), qui révélera d'une façon irréfutable s'il y a ou non trisomie.

Quand, dans une famille, il existe une présomption importante de trisomie 21, on pratique une biopsie du trophoblaste autour de la 8e semaine de grossesse (voir page 131). Cette technique permet d'établir le caryotype du bébé.

L'anomalie de structure

Un fragment de chromosome peut se casser et se perdre, ou se fixer sur un autre chromosome. C'est ce que l'on appelle une « translocation ». La conséquence visible est une anomalie. Heureusement, un grand nombre d'œufs qui possèdent des chromosomes anormaux ne sont pas viables et sont éliminés. Telle est en effet la cause de très nombreuses fausses couches qui surviennent entre la 6e et la 8e semaine de grossesse.

Si l'aberration porte sur les chromosomes sexuels, elle va déterminer des anomalies. Les plus connues sont:

◆ le syndrome de Klinefelter. Seuls les garçons sont touchés, avec une fréquence d'un cas sur 500. Ils possèdent un chromosome X supplémentaire, donc 47 chromosomes. Leur formule chromosomique est XXY, ce qui détermine une atrophie testiculaire, cause de stérilité;

◆ le syndrome de Turner. Seules les filles sont touchées, avec une fréquence dans la population de l'ordre d'un cas sur 3 000. Leur formule chromosomique est XO. Elles possèdent donc 45 chromosomes. Leur morphologie est féminine, mais elles sont de petite taille et n'ont pas d'ovaires.

Les maladies héréditaires d'origine génique

L'anomalie ne concerne qu'un gène, c'est-à-dire une infime portion de chromosome. Le gène perturbé envoie des ordres qui font dévier de leur travail normal les cellules qui les reçoivent. Certaines vont fabriquer trop ou pas du tout d'enzymes, ces maillons indispensables pour le bon fonctionnement des chaînes métaboliques.

Il s'ensuit une perturbation dans le métabolisme des protéines, des glucides ou bien des lipides, avec l'apparition de maladies graves; la phénylcétonurie ou la galactosémie font partie des plus connues. Ces affections, qui sont recherchées d'une manière systématique dès la naissance, voient leurs effets compensés par un régime alimentaire approprié. Si elles ne sont pas traitées, elles seront la cause d'arriérations mentales.

D'autres cellules vont élaborer des produits de mauvaise qualité et ne rempliront donc pas le rôle pour lequel elles sont conçues. C'est le cas des globules rouges, dont l'hémoglobine déficiente assure mal le transport de l'oxygène dans la maladie appelée « drépanocytose ».

Aujourd'hui, plus de 3 000 maladies métaboliques héréditaires d'origine génique sont connues. Leur gravité est d'importance variable, puisqu'elles vont du simple daltonisme à la myopathie.

La transmission de l'anomalie génique

Elle se fait selon les lois de l'hérédité, à l'instar de la transmission de tous les caractères de l'individu. Même s'il est présent chez un seul des deux parents, un gène dominant s'exprime dans la descendance. Ce qui ne signifie pas que 50 % des enfants seront atteints; dans le calcul des risques intervient le fait que le compagnon est sain.

Pour qu'un gène récessif s'exprime dans la descendance, il faut qu'il soit présent chez les deux parents. Le père et la mère qui possèdent le gène récessif en un seul exemplaire ne présentent pas la maladie mais en sont porteurs. La maladie apparaît chez l'enfant quand les deux gènes parentaux se retrouvent dans la cellule-œuf, soit avec un risque d'un sur quatre.

Il arrive assez fréquemment que l'hérédité soit liée au sexe, c'est-à-dire que le gène incriminé dans la maladie soit porté par un chromosome sexuel. Dans ce cas, il s'agit toujours du chromosome X.

Si le gène anormal porté par le chromosome X est récessif, il ne se manifestera pas chez les filles, qui seront seulement porteuses. L'anomalie transmise par les femmes atteint 50 % des garçons. Tel est le cas de maladies comme l'hémophilie ou encore la myopathie (voir le schéma ci-contre).

Transmise par les femmes, elle se manifeste uniquement chez les garçons par une coagulation sanguine déficiente. Le gène est récessif.

←

La transmission de l'hémophilie.

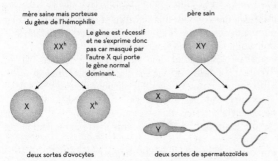

mère saine mais porteuse du gène de l'hémophilie

XX^h

Le gène est récessif et ne s'exprime donc pas car masqué par l'autre X qui porte le gène normal dominant.

père sain

XY

X

X^h

deux sortes d'ovocytes

X

Y

deux sortes de spermatozoïdes

Au cours de la fécondation, il y a réunion, au hasard, de deux cellules sexuelles.

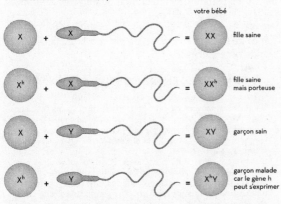

votre bébé

X + X = XX — fille saine

X^h + X = XX^h — fille saine mais porteuse

X + Y = XY — garçon sain

X^h + Y = X^{h}Y — garçon malade car le gène h peut s'exprimer

Si la mère est saine, non porteuse, et le père malade, tous les garçons seront sains et toutes les filles seront porteuses.

La consultation de génétique

Elle permet aux généticiens d'établir le caryotype, la carte d'identité des chromosomes des futurs parents (voir page 183). Cela permet de savoir s'ils sont porteurs d'une anomalie transmissible à leur descendance et, selon quelle fréquence.

Cet examen n'est pas fait d'une manière systématique ; il s'adresse uniquement aux familles pour lesquelles il existe un risque de voir naître un enfant porteur d'une malformation d'origine chromosomique :

- ◆ aux couples qui ont déjà eu un enfant anormal et qui veulent connaître les risques d'une future grossesse ;
- ◆ aux femmes qui ont déjà fait plusieurs fausses couches à la suite d'une aberration chromosomique ;
- ◆ aux sujets porteurs d'une maladie ou d'une malformation et qui désirent connaître le risque de transmission à leurs enfants ;
- ◆ aux cousins germains qui souhaitent se marier.

Les généticiens fournissent seulement des probabilités. En fonction de l'estimation du risque et de la possibilité de diagnostic prénatal, ils orienteront ou non vers une amniocentèse (voir pages 181-183).

Par cette amniocentèse qui permet d'étudier les chromosomes de l'enfant lui-même, on verra si la maladie touche ou non cet enfant-là.

LE MARIAGE ENTRE COUSINS GERMAINS

Les mariages consanguins, et surtout ceux entre cousins germains, multiplient les risques de voir apparaître une anomalie. Une tare familiale peut être cachée car elle est récessive. Portée par un chromosome de l'un des parents, elle possède de fortes probabilités d'être également portée par le chromosome de l'autre parent, puisqu'il appartient à la même famille. L'enfant qui reçoit le gène responsable de la maladie à la fois de son père et de sa mère sera obligatoirement atteint de cette maladie. Au contraire, avec un conjoint pris au hasard dans la population, le risque aurait été extrêmement dilué, car il y avait plus de chances que le gène correspondant soit tout à fait normal. Ce gène normal étant dominant sur le gène portant la maladie, l'enfant issu de ce mariage serait porteur mais sain.

Le risque pour un enfant issu du mariage de cousins germains peut être calculé lorsque la tare est connue. Mais, dans le cas d'une maladie non apparente, le risque est beaucoup plus difficile à évaluer.

SEMAINE DE GROSSESSE

Début de la **19e semaine** depuis
le 1er jour de vos dernières règles

À partir de maintenant, votre médecin va
régulièrement mesurer la hauteur de votre utérus
afin de contrôler la croissance de votre bébé. Il va
aussi surveiller l'état du col de l'utérus et proposer,
en cas de béance, du repos ou un cerclage afin
d'éviter un accouchement prématuré.

Votre bébé

Sa taille est de 12 cm de la tête au coccyx et de 19 cm de la
tête aux talons. Son poids est de 200 g. Le diamètre de sa tête
est maintenant de 4,5 cm.

La peau et la moelle épinière

La peau de votre bébé a acquis sa constitution définitive. Cependant, elle est encore si mince qu'on peut voir tous les
petits capillaires qui la parcourent comme autant de petits
sillons roses.
Les fibres nerveuses de la moelle épinière s'entourent de
myéline : il s'agit d'une substance riche en lipides qui sert de
gaine isolante et protectrice ; elle permet la conduction de
l'influx nerveux sans risque de court-circuit.

L'intestin

L'intestin de votre bébé continue de se développer. Tout en
s'allongeant, il se contourne pour prendre sa place définitive. Une toute petite expansion apparaît : c'est l'appendice !
Dans l'intestin, une substance, appelée « méconium », composée de petits débris cellulaires qui flottent dans le liquide
amniotique et que votre bébé avale, commence à s'accumuler. À la naissance, le bébé éliminera ce méconium. Ce sera
le premier mouvement actif de son intestin.

EN BREF
CETTE SEMAINE

VOTRE BÉBÉ

- Taille : 12 cm de la
  tête au coccyx, 19 cm
  de la tête aux talons
- Poids : 200 g
- La peau est
  transparente.
- L'appendice de
  l'intestin se forme.
- Le méconium
  commence à
  s'accumuler
  dans l'intestin.
- Votre bébé bouge,
  mais il se peut que
  vous ne le sentiez
  pas encore.

VOUS

- La hauteur utérine
  (Hu) est de 16 cm.

Vous

À partir de ce 4e mois de grossesse, votre médecin va, d'une façon régulière, mesurer votre utérus avec un ruban de couturière afin de contrôler la croissance de votre bébé. Il inscrit le résultat sur votre dossier à côté des lettres « Hu », qui signifient « hauteur utérine ». La hauteur utérine est la distance comprise entre le bord supérieur du pubis et le fond de l'utérus. On sent ce dernier à la main, quand la consistance ferme de l'utérus laisse place à la mollesse de l'intestin. Ce chiffre est constant pour plusieurs semaines. À 4 mois, la hauteur utérine est de 16 cm. À 4 mois et demi, donc au milieu de la grossesse, l'utérus arrive au nombril, soit au milieu du ventre.

BON À SAVOIR

La 1re des 8 séances de préparation à l'accouchement est un entretien d'information, qui se déroule assez tôt, en général vers le 4e mois de grossesse. Les 7 autres auront lieu au 7e mois (voir pages 262-266).

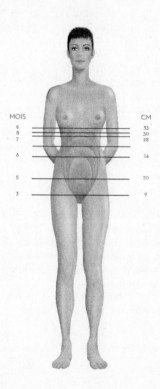

→ **La hauteur de l'utérus (Hu)** suivant l'âge de la grossesse.

L'observation du col de l'utérus

La visite médicale du 4e mois est importante car elle permet à votre médecin d'apprécier l'état de votre col et de prendre les mesures qui s'imposent. Il sera particulièrement attentif à l'état de votre col si :

◆ vous avez déjà eu plusieurs accouchements ;
◆ vous n'avez eu qu'un seul accouchement, mais difficile ;
◆ vous avez eu une interruption volontaire ou thérapeutique de grossesse ;
◆ vous êtes « fille du Distilbène », ou « fille DES » (voir page 175).

Autant de causes pouvant provoquer une perte de tonicité musculaire, dont le résultat est la béance du col. Indépendamment des accouchements, la béance du col peut être provoquée par des contractions qui auraient abouti à une fausse couche et qui ont été arrêtées par un traitement approprié et du repos ; elle peut aussi être congénitale et n'avoir aucune raison apparente. La béance du col est toujours située du côté de l'utérus et se voit très bien à l'échographie. Selon l'état de béance, votre médecin vous conseillera un cerclage.

Le cerclage

Le cerclage ne peut être pratiqué qu'entre la 12e et la 21e semaine d'aménorrhée, c'est-à-dire entre la 10e et la 19e semaine de grossesse. Il consiste à maintenir le col fermé par un fil très solide qui est passé tout autour. Si le cerclage est fait parfois sous anesthésie générale, il est souvent réalisé sous anesthésie locale seulement ; quelquefois encore, le médecin se contente de prescrire une médication à base de calmants et de barbituriques.

ALLEZ CONSULTER

En cas de contractions avertissez votre medecin au plus vite.

L'hospitalisation dure 48 heures, car le fait de tirer sur le col pour le fermer risque d'entraîner des contractions. Un certain nombre de précautions doivent donc être prises :

◆ le vagin est désinfecté avant et après l'intervention ;
◆ des agglutinines anti-D sont administrées à la future mère si elle est Rh – (voir page 74) ;
◆ des substances médicamenteuses sont injectées par voie intraveineuse à la future mère, avant, pendant et après l'intervention, afin d'éviter l'apparition de contractions. Le traitement est ensuite poursuivi un certain temps par voie orale.

Vous devrez par la suite prendre d'infinies précautions et, en particulier, vous reposer en vous allongeant le plus souvent possible, surtout à partir du 5e mois. Si le cerclage provoque des contractions, vous devez en avertir votre médecin au plus vite. Il jugera de l'opportunité de vous décercler, même si ce n'est pas encore le moment. C'est ce qui arrive dans 20 % des cas.

Le décerclage a souvent lieu à la 37e semaine, quelquefois plus tard. Il se fait à l'hôpital et la plupart du temps sans anesthésie. Les mêmes précautions sont prises que lors du cerclage. Vous avez alors toutes les chances d'accoucher dans les 24 heures, mais si vous avez respecté un repos total, il se peut aussi que vous accouchiez à terme.

TO-DO LIST

semaine
17

✓ **S'il y a béance du col**, on vous fera un cerclage.

✓ Si vous vous êtes inscrite à un cours de **préparation à l'accouchement**, vous aurez probablement un entretien d'information ce mois-ci, sinon, inscrivez-vous vite !

LE CINQUIÈME MOIS

Votre bébé est là et bien là ! Vous le sentez faire des galipettes, car ses muscles ont pris de la force et ses mouvements sont plus vigoureux. Il ne se gêne pas pour vous lancer des coups de pied, même en pleine nuit !

Ce 5ᵉ mois est extraordinaire pour lui : il possède la structure fondamentale de base de la pensée humaine. Dans son cerveau, les cellules nerveuses sont là, au nombre impressionnant d'une dizaine de milliards. Elles vont commencer à se relier les unes aux autres pour câbler cet ordinateur très élaboré qu'est le cerveau humain. Ce câblage, qui se poursuivra pendant toute l'enfance et l'adolescence, dépendra avant tout des informations qu'il recevra. Le rôle des parents comme éducateurs sera alors primordial.

•

SEMAINE DE GROSSESSE

Début de la **20e semaine** depuis le 1er jour de vos dernières règles

EN BREF
CETTE SEMAINE

VOTRE BÉBÉ

◆ Taille : 13 cm de la tête au coccyx, 20 cm de la tête aux talons

◆ Poids : 240 g

◆ Les empreintes digitales sont visibles.

◆ La multiplication des cellules nerveuses est terminée. Il y en a 12 à 14 milliards.

◆ Le cœur de votre bébé est assez gros pour être entendu avec un simple stéthoscope.

VOUS

Votre glande thyroïde est plus active, ce qui provoque une élévation de la température du corps.

Votre bébé devient plus actif, sa tête s'est complètement redressée, et si l'on mesurait les battements de son cœur, ils seraient semblables à l'électrocardiogramme d'un adulte. Vous allez passer votre visite médicale mensuelle obligatoire ; ce suivi est indispensable, que votre grossesse soit « normale » ou qu'elle impose une surveillance particulière.

Votre bébé

Sa taille est de 13 cm de la tête au coccyx et de 20 cm de la tête aux talons. Son poids est de 240 g. Le diamètre de sa tête est d'environ 4,8 cm.

La peau de votre bébé commence à s'épaissir un peu mais reste encore très fine et transparente. Sur ses doigts, on peut déjà observer la marque de ses empreintes digitales ! Les ongles se forment et quelques cheveux tendent à apparaître. Le cœur est maintenant suffisamment gros pour être entendu avec un stéthoscope posé sur votre abdomen.

En cette 18e semaine de grossesse, la multiplication des cellules nerveuses est terminée. Leur nombre définitif – de 12 à 14 milliards – est acquis une fois pour toutes. Il commencera à diminuer d'une manière progressive dès le moment de la maturation complète du cerveau, c'est-à-dire vers l'âge de 18 ans.

Les muscles prennent désormais de la force ; c'est la raison pour laquelle les mouvements de votre bébé sont plus vigoureux.

Vous

Comme tous les autres organes, votre glande thyroïde est plus active. Cela a pour conséquence une élévation de la température interne du corps. Vous avez souvent trop chaud et, pour ramener votre corps à une température normale, votre transpiration augmente. Ce mécanisme permet de libérer, grâce à la transpiration, l'excès de déchets produits par votre organisme et par celui de votre bébé.

Cette élévation de température est inconfortable pendant les mois d'été.

Si votre grossesse se déroule en hiver, ne vous couvrez pas pour autant d'une façon excessive. Portez plusieurs vêtements légers que vous pourrez retirer au fur et à mesure de vos besoins.

Si vous transpirez beaucoup, mettez du talc aux endroits les plus exposés ; il absorbera l'excès de sueur et vous évitera échauffements et irritations.

La fœtoscopie en cas d'antécédent de maladie grave ou d'anormalité

La fœtoscopie est effectuée entre la 20ᵉ et la 24ᵉ semaine d'aménorrhée. Elle est pratiquée uniquement chez une femme ayant déjà eu un enfant anormal ou faisant partie d'une famille présentant une maladie héréditaire grave.

Par cette technique, le fœtus peut être observé directement dans l'utérus. Pour cela, on introduit un tube long et fin muni d'un système optique à travers la paroi abdominale, jusque dans la cavité utérine, après une anesthésie locale. L'optique peut être déplacée pour observer le bébé dans ses moindres détails.

VOS SYMPTÔMES
- Chaleur excessive
- Transpiration
- Irritations de la peau

Cette méthode est surtout utilisée pour :
- détecter une malformation, notamment de la face, des mains ou des pieds ;
- faire des prélèvements de différents tissus tels que la peau ou le foie, à des fins d'analyse ;
- prélever du sang fœtal pour dépister des maladies du sang telles que la drépanocytose et l'hémophilie (voir respectivement pages 229 et 188) ou des maladies métaboliques qui peuvent être soignées d'une manière très précoce.

Il est à noter que le sang est le plus souvent recueilli par ponction du cordon ombilical (voir page 176).

La fœtoscopie dure environ 30 minutes et nécessite plusieurs jours d'hospitalisation.

Envie de bouger, de voyager ?

À cette période de votre grossesse, vous vous sentez réellement bien. Vos nausées sont terminées et la fatigue des premiers mois est passée. Votre ventre n'est pas encore trop encombrant. Vous vous sentez active et vous avez envie d'entreprendre et de bouger. Par ailleurs, votre bébé est maintenant bien installé et vous ne craignez plus de fausse couche. C'est donc le moment pour vous de faire des choses un peu fatigantes que vous ne pourrez plus faire quand votre grossesse aura encore évolué, en particulier à partir du 6ᵉ mois. Si vous envisagez de déménager ou de rénover votre appartement, c'est le moment. C'est aussi la période idéale pour faire des voyages.

Les transports

L'avion et le train

Si vous pouvez prendre l'avion sans problème, sachez toutefois que certaines compagnies aériennes refusent les femmes enceintes à partir du 8ᵉ mois. Quant au train, il ne présente aucune contre-indication.

La voiture

Le mode de transport le moins bien adapté est finalement la voiture : non seulement les soubresauts continuels peuvent déclencher des contractions mais, de plus, le risque d'accident est important. Or, tout choc risque d'avoir des conséquences graves. En voiture, ayez toujours la ceinture de sécurité. Placez-la de telle façon qu'elle passe au-dessus et au-dessous de votre ventre. Ne la mettez jamais sur votre ventre car, en cas de choc, elle comprimerait dangereusement votre utérus. Ne faites jamais un long trajet, mais procédez par petites étapes afin de vous reposer pendant les haltes. Ne mangez pas trop.

Vous pouvez conduire vous-même, rien ne s'y oppose excepté le risque de chocs. Une extrême prudence est donc de rigueur. Roulez doucement pour éviter les coups de frein intempestifs devant un obstacle inattendu. N'oubliez jamais que la moindre émotion ou la moindre secousse provoque dans votre sang une décharge hormonale pouvant être à l'origine de contractions utérines. Sachez également que la grossesse ralentit vos réflexes.

ALLEZ CONSULTER

Où que vous alliez, si vous décidez de faire un voyage ou de partir en vacances, ne vous embarquez pas sans l'accord de votre médecin.

ATTENTION

Quel que soit le mode de transport que vous adopterez, ne partez jamais sans prendre avec vous des suppositoires antispasmodiques prescrits par votre médecin. Ils seront utiles en cas de douleurs ou de tiraillements dans le bas-ventre ou, pire, de contractions.

En voiture, ayez toujours votre ceinture attachée et placée au-dessus de votre ventre.

Choisissez bien votre destination

Un seul mot d'ordre : faites des choses raisonnables ! Ce n'est vraiment pas le moment de s'essayer à des excentricités et de vouloir tenter à tout prix un trekking au Népal ou une randonnée à vélo.

Avant de partir, assurez-vous d'un minimum de précautions :

- vous devez pouvoir vous reposer. Évitez les circuits touristiques où vous serez en déplacement continuel ;
- assurez-vous que toutes les conditions d'hygiène sont réunies ; attention à la qualité de l'eau que vous consommerez ;
- votre régime alimentaire doit être correct. N'oubliez pas l'importance de votre alimentation pour une bonne croissance de votre bébé ;
- vous devez vous renseigner sur la présence d'un médecin non loin du lieu de votre séjour. Si votre départ a lieu autour du 6e mois et à plus forte raison après, assurez-vous de la proximité d'un hôpital bien équipé. Un accouchement prématuré est toujours possible ;
- emportez avec vous le double de votre dossier médical, que vous constituerez avec le double des ordonnances et des examens ;
- dans un pays étranger, ne prenez jamais un médicament que vous ne connaissez pas ;

BON À SAVOIR

Choisissez bien votre lieu de vacances en fonction :

- de la chaleur ;
- des vaccins ;
- des transports.

- ne vous inscrivez pas dans un endroit nécessitant des vaccins irréalisables en ce moment (voir ci-dessous). Pour cette raison, évitez les pays tropicaux.

Si vous allez au bord de la mer
- Marchez beaucoup dans l'eau. L'eau de mer vous fouettera les jambes et activera votre circulation sanguine.
- Nagez. La natation constitue l'un des meilleurs sports pour la femme enceinte. L'eau fraîche vous tonifie et vous porte, rendant vos mouvements plus aisés.
- Protégez-vous du soleil. Votre peau est plus fragile pendant tout le temps de votre grossesse. Le soleil accentue les traces brunes irrégulières qui forment le masque de grossesse (voir page 90). De plus, il dilate les vaisseaux sanguins et favorise l'apparition de couperose sur le visage, de varicosités et même de varices sur les jambes. Parce que la grossesse prédispose aux mêmes phénomènes, évitez autant que possible d'en accentuer les effets.

Les vaccins

Les vaccins ne sont pas tous compatibles avec la grossesse ; aussi les médecins s'abstiennent-ils généralement de vacciner une future maman. Ils recommandent d'éviter au maximum les situations à risque telles que les enfants malades, le jardinage et les voyages lointains.
On distingue trois types de vaccins.

Les vaccins vivants

Obtenus avec des virus atténués, les vaccins vivants sont inoffensifs pour la mère mais peuvent atteindre le bébé à travers le placenta. Il s'agit des vaccins contre la rubéole, la fièvre jaune, la rougeole, les oreillons, la varicelle, la tuberculose (BCG) et la poliomyélite par voie orale. Ils sont absolument proscrits pendant la grossesse.

Les vaccins tués

Produits à partir de virus tués, ces vaccins ne présentent *a priori* aucun danger pour le bébé. Il s'agit des vaccins contre la poliomyélite sous sa forme injectable, contre l'hépatite A et B, la grippe, la rage et l'encéphalite à tiques.

Les vaccins bactériens

Ils sont obtenus à partir d'une protéine prélevée sur un virus ou sur une bactérie, ou encore reproduite d'une manière artificielle. Il s'agit des vaccins contre le tétanos, la diphtérie, la coqueluche, la méningite à méningocoques, la fièvre thyphoïde et les infections à pneumocoques. En cas d'absolue nécessité, ils peuvent être prescrits aux femmes enceintes.

Attention au paludisme

Le paludisme est dangereux pour les femmes enceintes, car la forte fièvre qu'il provoque risque de déclencher une fausse couche.

Si vous devez partir dans un pays tropical, vous devez le signaler à votre médecin, qui vous prescrira un traitement à titre préventif. Suivez bien ses instructions quant aux doses et à la durée des prises. Surtout, ne prenez rien sans son avis, car certains antipaludéens sont interdits à la femme enceinte.

La prévention du paludisme

La prévention du paludisme n'est pas uniquement médicamenteuse. Elle commence par des gestes simples :
- couvrez-vous les bras et les jambes pour éviter au maximum de vous faire piquer par des moustiques, vecteurs de la maladie ;
- pulvérisez sur vos vêtements des produits qui font fuir les insectes.

ATTENTION

Évitez les situations à risque telles que :
- les enfants malades ;
- le jardinage ;
- les voyages lointains.

ALLEZ CONSULTER

Dans tous les cas si vous devez vous rendre dans un pays tropical.

SEMAINE DE GROSSESSE

Début de la **21e semaine** depuis le 1er jour
de vos dernières règles

EN BREF
CETTE SEMAINE

VOTRE BÉBÉ

- Taille : 14 cm de la tête au coccyx, 21,5 cm de la tête aux talons
- Poids : 335 g
- Votre bébé dort entre 16 et 20 h sur 24 h.
- Il a des phases de sommeil profond et de sommeil léger.
- Entre deux sommes, votre bébé est très actif.
- La cavité amniotique contient à présent 500 cm³ de liquide.

Votre bébé bouge beaucoup, il adore changer de
position et se déplacer ; pour cela, il pousse avec
ses pieds sur la paroi de l'utérus ! Alors, sur votre
ventre apparaît soudain une bosse : c'est votre bébé
qui se frotte contre vous. Vous vous essoufflez
rapidement ; c'est le bon moment pour apprendre
à contrôler votre respiration ; vous acquerrez des
réflexes qui seront précieux tout au long de la
grossesse et au moment de votre accouchement.

Votre bébé

Sa taille est de 14 cm de la tête au coccyx et de 21,5 cm de la
tête aux talons. Son poids est de 335 g. Le diamètre de sa tête
est aux environs de 5,1 cm. La tête et le cou représentent,
en cette 19e semaine de grossesse, le tiers de la longueur de
l'ensemble du corps.

Votre bébé est maintenant extrêmement actif. Il bouge
ses bras et ses jambes, et fait même de véritables ruades.
Suspendu à son cordon, il expérimente d'innombrables galipettes. Cette bosse qui bouge, c'est peut-être un pied, un
bras ou encore sa tête. Caressez tout doucement cette petite
bosse pour montrer à votre bébé que vous savez que c'est
lui.

Votre bébé dort entre 16 et 20 heures sur 24. Son sommeil
commence à être rythmé par des phases de sommeil profond et des phases de sommeil léger. Pendant les périodes
de sommeil léger, une petite tape sur votre abdomen peut le
faire sursauter. Les périodes de sommeil et de veille peuvent
être appréciées par l'observation de son activité motrice
ainsi que de son rythme cardiaque ; elles ne correspondent
pas du tout au rythme du sommeil de la mère. Aussi pouvez-vous être réveillée en pleine nuit par votre bébé qui n'a
pas sommeil du tout et qui s'agite. Caressez doucement
votre ventre. Il se calmera et, avec un peu de chance, pour-
rez-vous peut-être vous rendormir !

Vous

Vous vous essoufflez rapidement. Vos organes travaillant davantage, vous libérez beaucoup plus de gaz carbonique. De surcroît, vous devez éliminer le gaz carbonique de votre bébé et lui apporter de l'oxygène. Pour cela, vous respirez plus rapidement.

Cette hyperventilation vous rend plus fatigable à l'effort. La difficulté à respirer s'explique également par le fait que l'utérus, en augmentant de volume, repousse la masse abdominale vers le haut, qui appuie alors sur le diaphragme et diminue le volume de la cage thoracique.

À ce stade de votre grossesse, votre cerveau est plus sensible au niveau plus élevé de gaz carbonique qui circule dans votre sang. Cela peut vous provoquer quelques éblouissements. Ne vous en alarmez pas.

VOS SYMPTÔMES

- Vous vous essoufflez rapidement.
- Vous êtes fatigable à l'effort.
- Quelques éblouissements sont possibles.

Prévenez l'essoufflement

Pour pallier la tendance à l'essoufflement qui va encore s'accentuer pendant les mois à venir :
- réduisez au maximum les efforts physiques ;
- commencez sans tarder les exercices respiratoires (voir plus loin) qui vous seront utiles au cours de votre grossesse et surtout au moment de l'accouchement.

Pour libérer le diaphragme

Si vous avez la sensation d'étouffer, libérez votre diaphragme en faisant l'exercice suivant : couchée sur le dos, les jambes pliées, inspirez en levant les bras au-dessus de la tête pour bien étirer votre cage thoracique. Puis expirez en ramenant les bras le long du corps. Faites plusieurs respirations lentes et régulières jusqu'à ce que vous ayez retrouvé votre souffle. Vous pouvez faire cet exercice debout, en maintenant les pieds bien collés au sol pendant l'inspiration.

Contrôlez votre respiration

Ne perdez pas de temps. Commencez dès maintenant les exercices de gymnastique préparatoire à l'accouchement. Leur bon résultat tient à la facilité avec laquelle vous les ferez ; aussi n'attendez pas les cours de préparation à l'accouchement qui commencent beaucoup trop tard (voir pages 262-266). Une respiration, c'est une inspiration, une expiration et un temps de repos. À une respiration succède une autre respiration. Le muscle principal de la respiration est le diaphragme, sur lequel reposent le cœur et les poumons. C'est son mouvement qui permet de percevoir la respiration abdominale.

Les exercices respiratoires

La respiration abdominale

La prise de conscience de la respiration abdominale est nécessaire pour l'exécution de la respiration complète.
Mettez une main sur le ventre et l'autre sur la poitrine pour bien sentir les mouvements de l'air qui va circuler. Expirez à fond.
La bouche fermée, inspirez en gonflant votre ventre. La main qui est posée dessus doit se soulever, tandis que celle qui est sur votre poitrine doit à peine bouger. La bouche ouverte, expirez lentement en abaissant peu à peu la paroi abdominale.

→ **La respiration** abdominale.

La respiration complète

Faites cet exercice trois fois de suite en marquant un temps de repos de quelques secondes entre chaque reprise.
Expirez à fond.
La bouche fermée, inspirez lentement en gonflant l'abdomen. Continuez d'inspirer en gonflant la poitrine. Marquez un temps de repos en fin d'inspiration.
La bouche ouverte, expirez lentement. Videz d'abord la poitrine puis le ventre.

La respiration thoracique

C'est celle que vous allez avant tout travailler, car ce sont les variantes de cette respiration que vous utiliserez pendant l'accouchement.

Posez une main sur le ventre, l'autre sur la poitrine. Expirez à fond.

La bouche fermée, inspirez en gonflant la poitrine. La main posée sur le ventre doit à peine bouger, tandis que celle placée sur la poitrine se soulève. Marquez un léger temps d'arrêt.

La bouche ouverte, expirez lentement en abaissant peu à peu la cage thoracique.

Votre entraînement respiratoire pour l'accouchement porte sur les exercices suivants. Entre chaque exercice, faites une respiration complète.

La respiration superficielle
Elle est utile pendant les contractions de la dilatation (voir pages 328-332).

←

Pour mieux respirer, les pieds bien collés au sol, étirez votre cage thoracique pour libérer le diaphragme.

La bouche fermée ou entrouverte, inspirez puis expirez doucement mais rapidement. Seule la partie supérieure du thorax doit bouger. Rythmez bien votre respiration : le temps d'inspiration doit être égal au temps d'expiration.

Entraînez-vous de façon à maintenir cette respiration pendant plusieurs dizaines de secondes. En fin de grossesse, vous devriez tenir près de 60 secondes.

La respiration bloquée
Elle est utile pendant l'expulsion (voir pages 342-344).

La bouche fermée, inspirez à fond. Au sommet de l'inspiration, retenez votre souffle et comptez mentalement jusqu'à 10. La bouche ouverte, expirez violemment. Entraînez-vous pour arriver à retenir votre souffle pendant 30 secondes.

L'expiration forcée
La respiration bloquée est de moins en moins préconisée au moment de l'expulsion. On lui préfère aujourd'hui l'expiration forcée, c'est-à-dire une expiration lente et continue qui permet un meilleur relâchement du périnée.

SEMAINE DE GROSSESSE

Début de la **22ᵉ semaine** depuis
le 1ᵉʳ jour de vos dernières règles

Si votre bébé est une fille, elle possède déjà
l'essentiel pour faire de futurs bébés. Vos nausées
ne sont plus qu'un lointain souvenir et vous avez
même un solide appétit : attention à ne pas manger
pour deux ! Passez la deuxième échographie et
commencez à pratiquer des exercices pour assouplir
et tonifier votre périnée : cet ensemble de muscles
qui souffre pendant la grossesse et l'accouchement
est très important.

Votre bébé

Sa taille est de 15 cm de la tête au coccyx et de 22,5 cm de
la tête aux talons. Son poids est de 385 g. Le diamètre de sa
tête est de 5,4 cm.
Étant donné que l'ensemble du corps grandit et grossit, la
tête de votre bébé paraît, en proportion, moins volumineuse.
La circonférence de la tête évolue d'une façon étroitement
parallèle au développement du cerveau.

Si votre bébé est un garçon, son scrotum – qu'on a coutume
d'appeler familièrement les « bourses » – est encore solide.
Si votre bébé est une fille, son vagin commence à se former.
Les ovaires contiennent déjà des îlots d'ovogonies – des cellules sexuelles primitives. En cette 20ᵉ semaine de grossesse,
votre bébé fille possède près de 6 millions d'œufs ! À ce stade
précoce de développement, un très grand nombre d'entre
eux va peu à peu commencer à dégénérer et, au moment de
la naissance, il n'en restera qu'un million environ...

Le pancréas commence à fabriquer de l'insuline. C'est une
hormone extrêmement importante, puisqu'elle permet la
régulation du taux de sucre dans le sang.
Quand le taux de sucre dépasse la normale – qui est de 1 g
par litre de sang –, apparaissent alors les troubles du diabète
du fait du manque d'insuline.

À présent, par un courant continu d'échanges entre la mère et son bébé, le liquide amniotique se stabilise aux environs de 500 cm³.

Taille relative de la tête par rapport au corps.

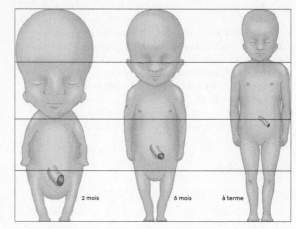

2 mois   6 mois   à terme

Vous

....

Votre appétit va bon train ! Mangez selon votre faim, qui est bien sûr plus importante depuis que vous êtes enceinte, mais n'en profitez pas pour vous laisser aller à la gourmandise. Ce regain d'appétit est la réponse naturelle au changement survenu dans votre métabolisme. Vous brûlez quotidiennement 500 à 600 calories supplémentaires pour vos propres besoins.

Il est inutile de contrôler votre poids plus d'une fois par semaine, mais si vous ne pouvez pas résister au désir impérieux de nourriture, pesez-vous tous les deux jours : la balance se chargera de vous rappeler à l'ordre.

La deuxième échographie

La 20e semaine de grossesse – c'est-à-dire la 22e semaine d'aménorrhée – est la période idéale pour pratiquer une deuxième échographie. Celle-ci permet une étude précise de toutes les structures physiques externes de votre bébé afin de détecter une éventuelle anomalie de formation.

De plus, on va juger de sa bonne croissance en mesurant le diamètre de sa tête, ou diamètre bipariétal (BIP), ainsi que le diamètre abdominal au niveau de l'ombilic. En outre, on fera également une mesure de l'os du nez pour rechercher une éventuelle trisomie 21 (voir page 186).

Si votre bébé n'est pas bien orienté, en particulier si on ne peut pas apercevoir son dos, dans le doute de *spina bifida* (voir page 180), l'échographie sera renouvelée.

Sur cette deuxième échographie seront visibles (et cela dès la 14e semaine de grossesse) :
- la main qui se rapproche de la bouche ;
- les mouvements de déglutition ;
- le réflexe plantaire, qui indique que le sens du toucher existe : quand le bébé touche la paroi utérine avec son pied, il se recule ;
- les mouvements des muscles de la respiration : le diaphragme et la paroi thoracique se soulèvent ;
- le cerveau ;
- le placenta, qui est bien visible entre la 12e et la 18e semaine.

Pour aller plus loin
Retrouvez tous les conseils de l'échographiste p. 364.

Périnée : attention fragile

Le périnée est un ensemble de muscles et de ligaments compris entre le vagin et le rectum ; ils maintiennent en place la vessie et l'utérus et soutiennent le contenu abdominal en fermant entièrement le petit bassin. Ils laissent seulement passer les artères et les veines, ainsi que les conduits urinaire, génital et anal.

Tous ces muscles et ces ligaments sont extrêmement sollicités pendant la grossesse et au moment de l'accouchement. S'ils manquent de souplesse, ils peuvent se distendre au point de perdre ensuite toute tonicité ou même se déchirer. Le résultat est un prolapsus – plus couramment appelé « descente d'organes ».

Si vous avez quelques pertes d'urine au cours du 6e mois de votre grossesse, alors que vous faites un effort, que vous riez ou que vous toussez, vous aurez besoin, dans les semaines qui suivront votre accouchement, d'une rééducation du périnée sous peine d'incontinence, d'une importance plus ou moins grande. De toute façon, des séances de rééducation du périnée sont prescrites à toutes les femmes après la naissance de leur enfant.

Que vous ayez ou non des pertes d'urine, faites tous les jours des exercices destinés à tonifier et à assouplir votre périnée. C'est une prévention indispensable.

- Votre accouchement sera plus facile, car vous saurez décontracter le périnée au moment de l'expulsion.
- Vous aurez plus de chances d'éviter une épisiotomie – c'est-à-dire l'incision de la peau et du muscle qui peut être pratiquée pour éviter une déchirure lors de l'expulsion (voir pages 310-311).
- Vous préserverez votre tonus vaginal, indispensable à une bonne vie sexuelle.

Au moindre signe de « fuites » pendant les deux premiers trimestres de votre grossesse, n'hésitez pas à consulter un service d'urodynamique, comme il en existe dans chaque grande ville. Votre médecin vous indiquera celui qui est le plus proche de chez vous.

Si votre périnée souffre pendant l'accouchement, les conséquences peuvent être :

- une incontinence urinaire plus ou moins importante. 30 % des femmes ayant accouché, ont parfois des pertes d'urine au cours d'efforts ou juste en riant ou en toussant. Pour la majorité d'entre elles, cet état est provisoire, mais 10 % doivent effectuer une rééducation des muscles périnéaux si elles ne veulent pas rester incontinentes ;
- une béance de la vulve ;
- une sensation de pesanteur au niveau du petit bassin.

La préparation du périnée pour l'accouchement

C'est surtout au moment de l'expulsion que le périnée risque de souffrir, en particulier si la femme qui accouche pousse avant la dilatation complète ou bien si elle pousse en contractant les muscles du périnée et en bloquant sa respiration. Le périnée tendu s'oppose alors à la force de l'expulsion et se distend d'autant plus. D'où l'importance d'apprendre à reconnaître les muscles périnéaux et de savoir les contracter puis les relâcher avec l'aide de la respiration.

Faites ces exercices deux à trois fois par semaine, à défaut de tous les jours, jusqu'à l'accouchement.

La prise de conscience du périnée

- Simulez le fait de retenir votre besoin d'aller à la selle puis celui d'uriner. L'ensemble des muscles que vous sentez se contracter à l'arrière, puis vers l'avant, constitue le périnée.

BON À SAVOIR

Arrêtez les exercices musculaires dès que leur pratique commence à être pénible.

◆ À tout moment de la journée et en n'importe quel lieu ou quelle circonstance, que vous soyez assise ou debout, faites plusieurs fois par jour des séries de dix contractions du périnée.

Les exercices de préparation

Asseyez-vous en tailleur. Placez une main sur votre périnée et sur vos muscles abdominaux complètement détendus. Contractez-le en commençant vers l'arrière et en continuant vers le vagin. Maintenez la contraction pendant 5 secondes. Puis relâchez pendant une dizaine de secondes.

Ensuite, poussez sur le périnée comme si vous vouliez pousser votre main : le périnée s'ouvre.

Quand vous arriverez à faire cet exercice facilement, entraînez-vous en coordonnant la respiration : inspirez brièvement tout en contractant le périnée, expirez longuement pendant la décontraction et l'ouverture du périnée.

Cet exercice vous sera précieux au cours de l'accouchement, au moment de l'expulsion, car il détend la vulve et le périnée, favorisant ainsi la venue au monde de votre bébé.

La musculation abdominale

Pour aborder votre futur accouchement avec confiance autant que pour garder la forme dans les mois à venir, commencez dès maintenant les exercices musculaires. Par un entraînement régulier, vous allez entretenir le tonus et l'élasticité de vos muscles. Non seulement vous vous fatiguerez moins dans les derniers mois de votre grossesse, mais, en outre, vous retrouverez plus rapidement la ligne après l'accouchement. Essayez de respecter ces quelques règles de base :

◆ faites vos exercices régulièrement, un peu tous les jours ;
◆ votre entraînement doit être progressif, car il ne doit pas être une source de fatigue supplémentaire. Au début, vous ne ferez chaque mouvement qu'une ou deux fois par jour et, ensuite, lorsqu'ils vous sembleront faciles, vous irez jusqu'à six fois, puis dix fois par jour ;
◆ ne faites jamais d'exercice pendant la digestion.

Pour aller plus loin
Retrouvez tous les conseils de la coach sportive p. 395.

BON À SAVOIR

Après l'accouchement, vous pourrez bénéficier d'une dizaine de séances de rééducation, qui sont prises en charge par la Sécurité sociale après entente préalable.
Pour cette rééducation, votre médecin ou une sage-femme consultés vous orienteront vers un kinésithérapeute. Vous ferez ensuite, quotidiennement chez vous, les exercices appris.

La rééducation abdominale ne pourra être entreprise qu'une fois le périnée entièrement récupéré.

Les exercices musculaires

Exercice n° 1

- Allongez-vous sur le dos, les jambes fléchies, les pieds à plat sur le sol, les bras écartés.
- Inspirez en levant les jambes à la verticale.
- Expirez en abaissant les jambes.
- Reposez les pieds au sol.
- Répétez le mouvement 5 ou 6 fois.

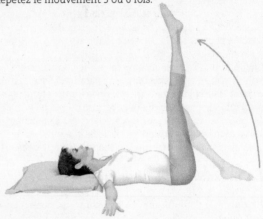

Exercice n° 2

- Allongez-vous sur le dos, les jambes pliées, les bras écartés, paumes contre le sol.
- Basculez vos jambes d'un côté puis de l'autre, jusqu'au sol, par un mouvement de torsion. Gardez vos jambes toujours pliées.

Exercice n° 3

♦ Allongez-vous sur le dos, les jambes fléchies, les pieds à plat sur le sol et les bras écartés.

♦ Soulevez les épaules et légèrement le thorax. Tenez la position pendant 5 secondes, puis relâchez.

♦ Respirez en vous reposant sur le dos.

♦ Répétez le mouvement 5 ou 6 fois

TO-DO LIST

semaine

20

✓ **Passez votre 2e échographie.**

SEMAINE DE GROSSESSE

Début de la **23ᵉ semaine** depuis le 1ᵉʳ jour
de vos dernières règles

Votre bébé qui jusqu'à présent simulait quelques
mouvements de succion parvient maintenant à sucer
son pouce ! Il continue de grandir et vous devez
le nourrir davantage, aussi le volume de votre masse
sanguine a-t-il beaucoup augmenté, ce qui peut
être la cause de quelques malaises.

Votre bébé

Sa taille est de 16 cm de la tête au coccyx et de 24 cm de la
tête aux talons. Son poids est de 440 g. Le diamètre de sa tête
avoisinera à la fin de la semaine 5,8 cm.

Ses ongles poussent, ainsi que le fin duvet qui recouvre
maintenant tout son corps. Ses cheveux commencent à recouvrir sa tête ; ils sont encore clairsemés et fins comme de
la soie.

Depuis quelques semaines déjà, votre bébé ouvrait la
bouche, la refermait et simulait avec ses lèvres quelques
mouvements de succion. Parallèlement, il était capable de
tourner la tête et de lever les bras. Cette fois, il parvient à
attraper son pouce avec la bouche. Il va s'exercer à perfec-
tionner le réflexe de succion et sera ainsi parfaitement au
point, à sa naissance, quand il devra téter.

Les alvéoles pulmonaires continuent leur développement et
les mouvements respiratoires deviennent plus fréquents ; ils
sont irréguliers et rapides, car encore mal coordonnés.

Le placenta

À ce stade de votre grossesse, le placenta, qui croît depuis le
début, est définitivement constitué (voir page 56).

Au cours du 4ᵉ mois est apparu un certain nombre de cloisons faisant saillie dans les lacs sanguins : ce sont les septa intercotylédonaires. Ces cloisons, qui ont poursuivi leur
croissance jusqu'à ce 5ᵉ mois, possèdent un axe constitué
de tissu maternel recouvert en surface par une couche de
tissu très mince d'origine fœtale. Du fait de la présence des
septa, le placenta est divisé en un certain nombre de com-

EN BREF
CETTE SEMAINE

VOTRE BÉBÉ

- Taille : 16 cm de la
  tête au coccyx, 24 cm
  de la tête aux talons
- Poids : 440 g
- Ongles, duvet et
  cheveux poussent.
- Votre bébé suce
  son pouce.
- Les mouvements
  respiratoires sont
  plus fréquents
  mais irréguliers.
- Le placenta est
  définitivement
  constitué.

VOUS

- Accroissement
  important de votre
  masse sanguine.
- Votre utérus a la taille
  d'un melon
  (Hu = 20 cm).

partiments, appelés par les médecins accoucheurs les « cotylédons ».

Jusqu'à la fin du 4ᵉ mois, le placenta a poussé à la fois en épaisseur et en circonférence. À présent, il change peu en épaisseur, mais continue de s'élargir. Si, au 3ᵉ mois, le diamètre était de 6 cm, en fin de grossesse il atteindra 15 à 25 cm pour une épaisseur de 3 cm environ. L'augmentation en épaisseur du placenta est due à la croissance en longueur des villosités, ce qui entraîne un élargissement des espaces intervilleux remplis du sang maternel.

À l'extérieur, le placenta est à présent un organe en forme de disque, attaché à la paroi utérine par sa face maternelle qui montre une vingtaine de renflements représentant les cotylédons. La face fœtale du placenta est lisse et brillante, entièrement tapissée par une membrane sur laquelle courent de gros vaisseaux artériels et veineux ; ces derniers sont les branches terminales des vaisseaux ombilicaux qui se rejoignent au niveau du cordon ombilical.

À la périphérie, le placenta se poursuit avec les « membranes » qui sont formées, entre autres, par l'amnios et le chorion (voir page 302). En général, l'implantation du cordon ombilical ne se trouve pas au centre du disque placentaire.

À partir du 4ᵉ mois et à mesure que votre grossesse avance, la membrane des villosités s'amincit d'une manière impressionnante ; cela permet une augmentation considérable du taux des échanges entre la mère et l'enfant. Cette membrane d'échanges entre le sang maternel et le sang fœtal est souvent appelée la « barrière placentaire ».

L'eau traverse la barrière placentaire très rapidement et dans les deux sens : 99 % environ de l'eau et des sels minéraux qui parviennent au bébé retournent à la mère.

La fonction endocrine du placenta

Non seulement le placenta remplace tous les organes essentiels et non encore fonctionnels du bébé, mais, de plus, il représente une énorme glande qui fabrique et sécrète des hormones indispensables au maintien et au développement de la grossesse. Depuis le 4ᵉ mois, le placenta a entièrement remplacé le corps jaune de l'ovaire et produit la gonadotrophine chorionique, la progestérone, des œstrogènes et la prolactine, ou hormone galactogène.

La progestérone

Du fait de la grossesse, le taux de cholestérol maternel a beaucoup augmenté. Il circule normalement dans le sang et est capté par des récepteurs spéciaux situés sur le placenta, qui va l'utiliser comme matière première pour la production de grandes quantités d'hormones. Cette hormone est la progestérone, qui influe sur le maintien de la grossesse, la modification des seins et le relâchement des muscles lisses. Une partie de la progestérone est utilisée par le bébé pour la fabrication d'autres hormones, en particulier l'adrénaline, l'hormone du stress, et la testostérone, l'hormone sexuelle mâle.

Les œstrogènes

Pour fabriquer les œstrogènes, le placenta a besoin de l'aide directe et active du bébé.

Les glandes surrénales du bébé à naître, ces petites masses qui coiffent la partie supérieure des reins, fabriquent une hormone androgène, c'est-à-dire de type mâle. En circulant à travers le placenta pour aller vers la mère, cette hormone est changée en hormones de type femelle : ce sont les œstrogènes.

Un œstrogène particulier, l'œstriol, provoque chez la mère la synthèse d'une hormone qui stimule la fonction galactogène des seins : c'est la prolactine. 90 % de l'œstriol fabriqué dérivent de ces précurseurs fœtaux que sont les œstrogènes. De cette manière indirecte, votre bébé assure lui-même ses futurs repas, pour après sa naissance !

Vous

Le volume de votre masse sanguine a beaucoup augmenté. Votre bébé grandit, aussi faut-il le nourrir davantage. C'est pourquoi 25 % de la masse sanguine est directement utilisée par le système placentaire.

Cet accroissement de la masse sanguine peut occasionner quelques troubles dus à la difficulté de la circulation à remonter vers le cœur :

• des saignements du nez et des gencives, dus à la pression exercée par la masse sanguine sur les capillaires ;
• des fourmillements dans les membres, des jambes lourdes, des varices et des hémorroïdes. La dilatation de petits capillaires est visible sur la peau avec l'apparition d'un ré-

seau de petites lignes rouges localisées sur le visage, les épaules, les bras et la poitrine, mais surtout les jambes. Ce sont les fameuses varicosités qui atteignent deux tiers des femmes blanches et un tiers des femmes noires; d'ordinaire, elles disparaissent après la délivrance.

L'augmentation de la masse sanguine surcharge et dilate les veines, qui ont alors tendance à un relâchement de leur tonus, d'où une diminution de la pression artérielle. Cette diminution de la pression artérielle peut provoquer des malaises tels qu'une sensation de faiblesse et des vertiges.

Tous ces troubles vont s'accentuer ou risquent d'apparaître au cours du dernier trimestre de la grossesse. C'est la raison pour laquelle il est bon de les connaître dès maintenant afin de les prévenir autant que faire se peut.

Pour soulager les jambes lourdes et les varices

Dès que possible, placez vos jambes en position haute afin que le sang de retour ne stagne pas dans les veines et ne les dilate pas de plus en plus. Pour cela, allongez-vous sur le sol, près d'un mur, et levez vos jambes en les appuyant sur celui-ci.

La nuit, essayez de dormir les jambes le plus relevées possible. Couchez-vous sur le côté gauche pour dégager les gros vaisseaux de la compression que l'utérus exerce sur eux.

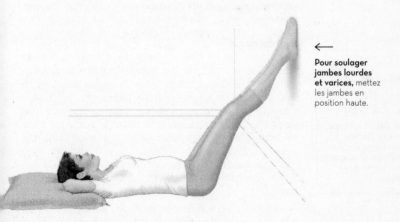

← **Pour soulager jambes lourdes et varices,** mettez les jambes en position haute.

Pour prévenir les varices

Dans la mesure du possible, il vous faut éviter tout ce qui a tendance à freiner la circulation par dilatation des veines. Évitez :

◆ la station debout prolongée ;
◆ la compression au niveau des jambes, par des chaussettes par exemple ;
◆ les bains chauds, le soleil, le chauffage par le sol, l'épilation à la cire.

En cas de varices importantes, votre médecin vous prescrira des bas à varices : ils compensent le manque de tonus veineux et empêchent les dilatations de s'accentuer. Ils sont remboursés par la Sécurité sociale.

Les hémorroïdes

Les hémorroïdes sont des varices qui apparaissent autour de l'anus. Elles sont dues à une mauvaise circulation du sang, mais également à la compression du bassin par l'utérus. Vous pourrez être soulagée par des pommades spécialisées ainsi que par des toniques veineux à base de marron d'Inde, en solution buvable, qui vous seront prescrits par votre médecin. Adaptez votre alimentation pour éviter la constipation. Si, malgré tout, vos selles sont dures, utilisez, avec parcimonie avant de les évacuer, des suppositoires à la glycérine. Cela limitera vos efforts, qui sont la cause d'irritations.

Les varices vulvaires

Moins fréquentes que les hémorroïdes, les varices vulvaires apparaissent sur une ou sur les deux grandes lèvres qui, gonflées, portent à leur surface des veines dilatées. Elles disparaîtront après l'accouchement.

Les petits malaises

Ils se manifestent avant tout au cours des changements de position. Aussi, lorsque vous êtes allongée, ne vous levez pas brutalement. Passez d'abord par la position assise avant de vous lever doucement.

← **Pour vous relever :** tournez-vous d'abord sur le côté, puis aidez-vous des mains pour vous asseoir.

SEMAINE DE GROSSESSE

Début de la **24ᵉ semaine** depuis le 1ᵉʳ jour
de vos dernières règles

Votre bébé est encore très maigre, mais sa peau
s'est épaissie même si son apparence est fripée.
Ses yeux sont encore fermés, mais ses paupières
sont dotées de cils. Vos reins travaillent beaucoup :
buvez beaucoup d'eau et surveillez leur bon
fonctionnement afin d'éviter de contracter des
infections urinaires ou la grave toxémie gravidique.

Votre bébé

Sa taille est de 17 cm de la tête au coccyx et de 26 cm de la
tête aux talons. Son poids est de 500 g. Le diamètre de sa
tête est maintenant aux environs de 6,1 cm. La tête représente encore la plus grande structure, bien que le reste du
corps continue à se développer. Dans l'ensemble, en cette
22ᵉ semaine de grossesse, votre bébé est encore très maigre
et tout en longueur.

Sa peau s'est épaissie et, de ce fait, est devenue moins transparente. On ne voit plus le réseau veineux qui la parcourt.
Elle est rouge et, comme elle a grandi avant qu'apparaisse la
graisse sous-cutanée, elle est toute fripée. Des glandes sébacées se sont mises en place dans la peau et commencent à
sécréter une substance claire et graisseuse qui va peu à peu
la recouvrir : c'est le vernix caseosa. Il a pour rôle de protéger
la peau de votre bébé qui macère dans le liquide amniotique
pendant plusieurs mois.

Les yeux de votre bébé sont toujours fermés ; ils sont recouverts par les paupières, qui possèdent à présent des cils.
Au-dessus des yeux, les sourcils sont bien dessinés. L'aspect
général du visage se met en place !

Sous ses paupières baissées, les yeux de votre bébé poursuivent leur maturation. L'iris se pigmente, et votre bébé a
déjà des yeux de couleur. Seront-ils marron, bleus ou verts ?
Vous n'aurez la réponse que le jour de la naissance de votre
bébé. Et encore, cela n'est pas certain, car la couleur des
yeux est toujours imprécise durant plusieurs semaines,
voire plusieurs mois.

Vous

À ce stade de votre grossesse, vos reins travaillent beaucoup plus afin d'éliminer les toxines qui circulent dans votre sang. Vos propres déchets sont plus importants qu'avant votre grossesse, car ils résultent d'une élévation de votre métabolisme, directement liée à votre état.

Quant aux déchets de votre bébé, ils augmentent au fur et à mesure qu'il grandit.

En raison de cette recrudescence de travail jointe à l'accroissement du volume sanguin à filtrer, vos reins ont augmenté de taille. De surcroît, le taux élevé de progestérone qui circule dans votre sang a tendance à freiner les fonctions rénales. Il est donc tout à fait recommandé de surveiller de très près le fonctionnement de vos reins et de boire beaucoup d'eau afin de les aider à éliminer au mieux; cela vous évitera des infections urinaires (voir pages 162-163) ou, pire, une toxémie gravidique (voir pages 222-223).

Surveillez le bon déroulement de votre grossesse

Vous êtes la mieux placée pour surveiller le bon déroulement de votre grossesse. Ne laissez passer aucun événement pouvant survenir tel qu'une fatigue inhabituelle ou de la fièvre.

C'est peut-être le signal d'alarme indiquant une maladie liée à la grossesse et qui peut entraîner une souffrance fœtale importante, voire une fausse couche: cela serait dramatique à ce stade de votre grossesse.

Contrôlez régulièrement vos urines

Le contrôle des urines est indispensable pour détecter toute souffrance des reins, dont l'une des conséquences peut être la toxémie gravidique, une maladie grave avant tout pour la mère, mais qui n'est pas anodine pour l'enfant.

Contrôlez l'absence d'albumine et de sucre tous les mois lors des six premiers mois, puis tous les 15 jours les 7e et 8e mois, et toutes les semaines le 9e mois. Si vous attendez des jumeaux, faites une analyse tous les 15 jours dès maintenant et jusqu'au terme.

Vous pouvez faire cette recherche d'albumine vous-même à l'aide d'une bandelette-test, vendue en pharmacie. Au

VOS SYMPTÔMES

♦ Malaises.

♦ Sensations de faiblesse.

♦ Vertiges.

Ils sont dus à une diminution de la pression artérielle.

ALLEZ CONSULTER

Si vous avez :

♦ de l'albumine dans les urines ;

♦ un gonflement des mains et des pieds ;

♦ des maux de tête ;

♦ des sensations de mouches volantes.

moindre doute, voyez votre médecin, qui vous fera faire un contrôle par un laboratoire. Ce contrôle est remboursé par la Sécurité sociale ; il est pratiqué à chaque visite, tous les mois, par votre médecin.

En présence de tout signe de grippe ou d'intoxication alimentaire, faites rapidement une vérification d'urine, car les maladies infectieuses et les intoxications prédisposent à l'albuminurie.

Évitez le froid humide, le surmenage et la fatigue.

Si vous présentez des gonflements au niveau des extrémités, les pieds et les doigts, vos reins sont peut-être en cause. Consultez votre médecin sans tarder.

Ne passez pas à côté de la toxémie gravidique

Cette maladie directement liée à la grossesse se manifeste par des œdèmes, c'est-à-dire des gonflements, notamment au niveau des extrémités, une prise de poids excessive, une augmentation de la pression artérielle et la présence d'albumine dans les urines.

Ces symptômes traduisent une anomalie du fonctionnement des reins. La toxémie gravidique atteint plus particulièrement les jeunes femmes âgées d'une vingtaine d'années et celles qui attendent leur premier enfant.

La date d'apparition des troubles est tardive. Vous devez être très vigilante au 3e trimestre, et surtout en fin de grossesse.

Si la toxémie gravidique n'est pas traitée, elle peut être à l'origine de graves complications telles que l'éclampsie, qui est un œdème du cerveau suivi d'un coma grave. Aujourd'hui, l'éclampsie a pratiquement disparu du fait de la surveillance médicale continue de la grossesse. Néanmoins, si vous éprouvez des maux de tête, des douleurs au niveau de l'estomac ainsi que des sensations de mouches volantes devant les yeux, consultez votre médecin en urgence.

Non traitée, la toxémie gravidique peut entraîner pour le bébé une hypotrophie, c'est-à-dire un mauvais développement plus ou moins important. Né à terme, il risque de peser moins de 2,5 kg, parfois à peine plus de 1 kg dans les cas graves. Il est à noter que ses besoins caloriques sont ceux de son âge et ne correspondent pas à son poids. Il faudra donc l'alimenter comme un enfant de 3 kg.

Le traitement de la toxémie gravidique

Il consiste en un traitement médicamenteux prescrit par votre médecin qui, en outre, exigera un repos absolu en position allongée. Votre tension artérielle sera particulièrement surveillée. Avec ce traitement médicamenteux, les symptômes de la toxémie gravidique disparaîtront progressivement, et la grossesse pourra se poursuivre sans problème pour la mère comme pour l'enfant.

TO-DO LIST

semaine
22

✓ **Contrôlez régulièrement vos urines** (au moins 1 fois/mois).

✓ **Voyez votre médecin** si vos doigts ou vos pieds sont gonflés.

LE SIXIÈME
MOIS

Vous promenez avec fierté votre ventre rond. Mais
vous devez bien vous l'avouer : son poids commence
à se faire sentir. Pour compenser ce déséquilibre vers
l'avant, vous avez tendance à creuser les reins et à
courber les épaules. Votre silhouette en pâtit ! Votre
démarche aussi, car vous avez l'air d'un petit canard.

Vite, remédiez à tout cela ! Pensez à votre bien-être
en supprimant le mal au dos par des exercices
appropriés, et pensez à votre beauté.

Au cours de ce 6ᵉ mois, votre bébé va entrouvrir
les yeux. Si, dans la pénombre de sa bulle, il ne peut
distinguer le monde qui l'entoure, il l'entend.
Un monde aquatique traversé par des bruits bizarres
avec, au milieu d'eux, si loin qu'il doit se concentrer
pour bien l'écouter, un son doux, comme
une musique : votre voix.

●

SEMAINE DE GROSSESSE

Début de la **25e semaine** depuis le 1er jour de vos dernières règles

EN BREF
CETTE SEMAINE

VOTRE BÉBÉ

- Taille : 18 cm de la tête au coccyx, 28 cm de la tête aux talons
- Poids : 560 g
- Le lanugo recouvre tout le corps.
- Le vernix caseosa qui recouvre la peau s'épaissit.
- La différenciation sexuelle est complète.
- Câblage du cerveau par l'établissement de circuits neuronaux.
- Votre bébé fait en moyenne 20 à 60 mouvements par demi-heure.

VOUS

- Les côtes les plus basses s'écartent.
- L'estomac est légèrement déplacé sur le côté.

Le sexe de votre bébé est visible à l'échographie depuis la 20e semaine de grossesse, avec une marge d'erreur de 20 %. Si vous préférez en avoir la surprise le jour de sa naissance, faites-le savoir clairement au médecin qui dirige l'échographie. Mais si, depuis le début de votre grossesse, vous suivez son développement semaine après semaine, vous serez sans doute impatiente de savoir si c'est une fille ou un garçon.

Votre bébé

Sa taille est de 18 cm de la tête au coccyx et de 28 cm de la tête aux pieds. Son poids est de 560 g. Le diamètre de sa tête est de 6,4 cm.

Les bourgeons dentaires sécrètent déjà l'ivoire des futures dents de lait.

Le lanugo continue à couvrir tout le corps, tandis que le vernix caseosa, qui recouvre la peau, s'épaissit.

Les organes sexuels

La différenciation des organes sexuels est maintenant complète. Si votre bébé est une fille, son vagin, qui était une structure solide, est devenu un tube virtuellement creux. Et si votre bébé est un garçon, ses testicules ne sont toujours pas descendus dans le scrotum. Les cellules testiculaires, qui sont responsables de la production de l'hormone testostérone, augmentent en nombre.

Le sang

Votre bébé a un sang plus rouge que le vôtre ! Cela est dû au fait que ses globules rouges possèdent une hémoglobine plus riche en fer que celle d'un adulte. Ils possèdent ainsi une affinité plus forte pour l'oxygène. De ce fait, le transfert d'oxygène depuis le sang maternel vers le sang fœtal est grandement facilité.

Les cellules nerveuses

Vers la 25ᵉ semaine d'aménorrhée, la migration des cellules nerveuses, ou neurones, s'achève. Leur nombre total est acquis et définitif. Ces neurones vont à présent se différencier et perdre ainsi tout pouvoir de se diviser.

Chaque cellule nerveuse parvenue à destination dans les différentes parties du cerveau va émettre tout autour d'elle des ramifications, appelées « dendrites », et pousser un prolongement plus ou moins long, appelé « axone ».

Tandis que les axones vont former les nerfs, les dendrites vont rejoindre celles d'une autre cellule nerveuse. Et cela pour la dizaine de milliards de neurones que compte le cerveau. Ainsi s'établissent des circuits neuronaux, qui sont indispensables à la conduction de l'influx nerveux, donc des messages.

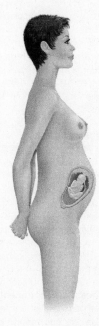

Votre ventre
s'est bien arrondi :
la croissance de
l'utérus déplace
vos organes
internes.

Vous

⚲

VOS SYMPTÔMES

Le taux accru de progestérone ralentit la digestion, d'où des régurgitations d'acidité vers l'œsophage.

Votre ventre est maintenant bien rond ! La croissance de votre bébé, et par conséquent celle de l'utérus, déplace vos organes internes. En particulier, le diaphragme remonte, les côtes les plus basses s'écartent, tandis que l'estomac est légèrement refoulé sur le côté.

Toutes ces perturbations mécaniques s'ajoutent au fait que le taux élevé de progestérone ralentit votre digestion. L'estomac se vide moins vite, la fermeture entre l'estomac et l'œsophage se fait également moins bien, ce qui provoque des remontées d'acidité depuis l'estomac vers l'œsophage. Rares sont les femmes qui ne connaissent pas ces régurgitations acides. Autant de petits désagréments qui seront vite oubliés quand votre bébé sera là !

Attention à l'anémie

En cette 23ᵉ semaine de grossesse, votre bébé possède l'ensemble de ses structures et de ses organes, qui s'accroissent quotidiennement à un rythme rapide. Cette multiplication cellulaire requiert non seulement tous les nutriments de base nécessaires, mais également de l'oxygène. L'oxygène est transporté par le fer, qui entre dans la constitution de l'hémoglobine, un pigment qui donne leur couleur rouge aux globules sanguins.

Parce que votre bébé fabrique des globules rouges d'une manière intense, il consomme beaucoup de fer. Tandis qu'une partie de ce fer lui est fournie par l'alimentation quotidienne de sa mère, une autre est puisée dans les réserves maternelles. Si votre alimentation ne lui apporte pas assez de fer, il s'approvisionnera entièrement sur vos réserves : ce sont vos propres globules rouges qui lui donneront le fer dont il a besoin. Le résultat sera pour vous une anémie plus ou moins sévère, qu'il faudra traiter dans certains cas, car si cette anémie est importante, elle peut être la cause d'une hypotrophie, c'est-à-dire d'une croissance défectueuse de votre bébé.

Les symptômes de l'anémie et comment la traiter

Si vous êtes fatiguée, anormalement essoufflée, si vous avez une pâleur excessive des muqueuses et si vous témoignez d'une tendance aux vertiges et aux bourdonnements d'oreille, consultez votre médecin. Il vous fera faire une numération globulaire. Un médicament à base de fer remettra les choses en ordre. D'ailleurs, certains médecins prescrivent du fer de manière systématique, avec pour complément de l'acide folique (vitamine B9), car la majorité des femmes enceintes sont plus ou moins anémiées. Pensez à consommer des aliments riches en fer tels que la viande, le boudin, le foie de veau, les lentilles, les céréales, le persil, les fruits secs, le jaune d'œuf et le chocolat (voir page 116-117).

LA DRÉPANOCYTOSE

Il s'agit d'une maladie héréditaire du sang due à une forme anormale de l'hémoglobine. L'oxygène étant moins bien transporté, il s'ensuit des troubles plus ou moins graves. Cette maladie touche avant tout les populations noires d'Afrique, des Antilles et des États-Unis. En général, elle se révèle au cours du dernier trimestre de la grossesse et se manifeste chez la mère par de l'anémie, des douleurs articulaires et des infections urinaires fréquentes ; l'enfant présente quant à lui un risque d'hypotrophie et de naissance prématurée. Le médecin soignera l'anémie de la mère et lui conseillera un repos absolu. En Région parisienne, plusieurs centres sont spécialisés dans la recherche de cette maladie : la maternité Cochin-Port-Royal, l'hôpital Henri-Mondor et l'hôpital Robert-Debré.

L'herpès

L'herpès se manifeste d'une façon épisodique par une zone rouge, de laquelle émergent des petites vésicules pleines d'eau. Quand ces vésicules sont mûres, elles éclatent, donnant un aspect tuméfié à l'ensemble, puis sèchent au bout de quelques jours.

L'herpès est provoqué par un virus qui reste à l'état latent dans les cellules, jusqu'à ce qu'une stimulation déclenche sa multiplication, qui se manifeste par l'éruption. La crise d'herpès survient en général au moment des règles – ce qui n'est pas votre cas pour le moment ! –, en cas de fatigue particulière ou de fièvre, aux sports d'hiver ou au bord de la mer, car elle est provoquée par une augmentation des rayons ultraviolets.

L'herpès se localise sur les muqueuses. Sur le visage, il tuméfie les lèvres. Quand il est génital, il se manifeste le plus souvent sur la vulve, dans le vagin et parfois sur le col. Il devient alors une maladie sexuellement transmissible, sans grande gravité si l'on s'abstient de tout rapport sexuel pendant la

ALLEZ CONSULTER

◆ si vous pensez être anémiée ;

◆ si vous avez une crise d'herpès.

période de contamination, qui dure environ une semaine. Le virus restant présent dans les sécrétions, les rapports protégés sont néanmoins recommandés.

TO-DO LIST

semaine
23

✓ **Numération globulaire** si vous êtes anormalement fatiguée et essouflée.

SEMAINE DE GROSSESSE

Début de la **26ᵉ semaine** depuis
le 1ᵉʳ jour de vos dernières règles

Votre bébé bouge beaucoup ; quand vous ne le
sentez pas, c'est qu'il dort ! Il entend les bruits de
votre corps et ceux de l'extérieur. Prenez l'habitude
de lui parler, il connaît votre voix et sera heureux
de la reconnaître quand il sera né. Vous souffrez
souvent d'insomnie : votre bébé aime bouger quand
vous êtes calme et ses mouvements vous réveillent, et
votre ventre vous empêche de trouver une position
confortable. Apprenez à vous relaxer.

Votre bébé

Sa taille est de 19 cm de la tête au coccyx et de 30 cm de la
tête aux talons. Son poids est de 650 g. Le diamètre de sa tête
avoisine désormais les 6,7 cm.

Le corps de votre bébé est encore maigre mais, étant donné
qu'un peu de graisse commence à se déposer sous sa peau,
il va grossir au fil des semaines qui suivent.

Les ongles sont tous présents, aux mains comme aux pieds,
et peuvent être observés à l'échographie. Il ne leur reste plus
qu'à pousser.

Votre bébé bouge beaucoup: s'il fait en moyenne entre 20
et 60 mouvements par demi-heure, il est capable d'en faire
beaucoup plus quand il est bien réveillé. Tout dépend si c'est
un bébé calme ou agité, ce qui n'a aucune signification pour
son caractère à venir. Il est normal de ne pas le sentir bouger
en permanence, car il dort. Parfois, il ne bouge qu'un seul
bras, qu'il monte vers sa tête pour mettre son pouce dans
sa bouche !

Par moments, il pédale avec enthousiasme, se retourne et
se déplace d'un point à un autre de son habitacle. Il effleure
la paroi utérine ou s'y cogne. Il la touche, la pousse avec ses
pieds, ses mains, sa tête ou encore son dos. C'est ainsi qu'il
découvre le sens du toucher. À chaque fois qu'une partie de
son corps touche la paroi utérine, il se déplace. Si vous caressez doucement votre ventre, là où il y a une bosse, il bouge
pour vous montrer qu'il vous a perçue.

EN BREF
CETTE SEMAINE

VOTRE BÉBÉ

- Taille : 19 cm de la tête au coccyx, 30 cm de la tête aux talons
- Poids : 650 g
- Formation de graisse sous la peau
- Les ongles sont présents aux mains et aux pieds.
- Votre bébé réagit au toucher et aux sons.

VOUS

- Si c'est votre premier bébé, vous le sentez nettement bouger à présent.
- La Hu est autour de 24 cm.

Il est tout ouïe

Votre bébé réagit également aux sons. En fait, il vit dans un monde très bruyant, formé par les battements de votre cœur, votre respiration avec le flux de l'air qui entre et qui sort, et les gargouillis de toutes sortes produits par votre système digestif. Autant de bruits qui sont assourdis par le milieu aquatique dans lequel il vit, mais qu'il perçoit tout de même. Il entend de la même façon les bruits extérieurs et, en s'agitant, manifeste son désagrément à l'égard de certains sons. Après la naissance, il sera capable de reconnaître une musique entendue très souvent quand il était dans votre ventre. D'où l'importance de vivre dans une ambiance calme, aux bruits non agressifs.

Parlez à votre bébé. Chaque jour, racontez-lui de jolies histoires en caressant votre ventre. Il saura que cette voix qu'il entend est la vôtre et qu'elle s'adresse à lui. À peine né, il reconnaîtra votre voix et exprimera son intérêt et sa satisfaction.

$\rightarrow$
Votre bébé fait des galipettes.

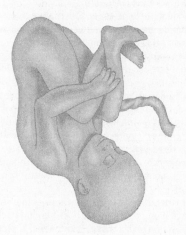

Vous

....

Votre sommeil

Si, au début de votre grossesse, vous aviez tendance à la somnolence, à présent vous souffrez plutôt d'insomnies qui se manifestent avant tout dans la seconde moitié de la nuit. Elles sont dues en grande partie à votre bébé qui, n'ayant pas sommeil à ce moment-là, fait des galipettes et ainsi vous réveille.

Des crampes, de petites douleurs dues à l'inconfort de vos positions et peut-être une anxiété à la pensée de l'accouchement à venir s'y ajoutent et concourent à vous faire passer de mauvaises nuits.

Pour vous aider à dormir

- Faites un repas léger le soir. Ne prenez jamais de plats lourds, qui risquent d'être indigestes.
- Après 16 heures, évitez tout excitant, thé ou café, car la caféine est moins facilement éliminée chez la femme enceinte.
- Faites quelques exercices de relaxation.
- Au moment de vous mettre au lit, buvez un verre de lait ou un tilleul léger, ou encore croquez une pomme.
- N'abusez pas des grasses matinées et des trop longues siestes : une petite privation de sommeil le matin crée un réel besoin de dormir le soir.
- Si vraiment vous ne parvenez pas à dormir et si vous sentez la fatigue s'accumuler, n'hésitez pas à en parler à votre médecin. Mais, en aucun cas, vous ne prendrez de somnifère sans l'avoir consulté. Certains médecins conseillent de se tourner vers la phytothérapie.

VOS SYMPTÔMES

- Insomnies
- Crampes
- Petites douleurs dues à une mauvaise position

←

Une des meilleures positions pour se reposer.

LES SOMNIFÈRES

Ils sont à proscrire tout au long de la grossesse, car ils passent la barrière placentaire (voir page 215). Certains d'entre eux pourraient augmenter, au cours du 1er trimestre, le risque de malformation du fœtus. Pris en fin de grossesse, les somnifères peuvent provoquer, au moment de l'accouchement, des problèmes respiratoires chez le bébé.

La plupart des médecins prennent le temps de parler avec leur patiente pour tenter de comprendre avec elle la cause de ses insomnies. Le fait de pouvoir confier à quelqu'un ses doutes et ses angoisses apporte souvent un certain soulagement et peut aider à retrouver le sommeil.

La vitalité de votre bébé

La vérification de sa vitalité est à faire seulement si vous rencontrez un problème particulier de santé : du diabète (voir page 239), un mauvais fonctionnement rénal, qui peut faire craindre une toxémie gravidique (voir pages 222-223), ou toute autre maladie survenant inopinément au cours de la grossesse.

Vous vérifierez la vitalité de votre bébé en comptant ses mouvements actifs :

◆ comptez-les trois fois par jour, pendant 30 minutes, allongée sur le côté gauche ;

◆ en fin de journée, faites le total des mouvements comptés.

La diminution progressive des mouvements d'un jour à l'autre doit être signalée à votre médecin. Il faut savoir que les mouvements d'un bébé diminuent, d'une manière naturelle, à partir du 8e mois.

ALLEZ CONSULTER

si vous constatez une diminution progressive des mouvements de votre bébé d'un jour à l'autre.

Commencez les exercices de relaxation

La relaxation vous apportera une détente de l'esprit et du corps plus complète qu'une nuit de sommeil, où votre esprit, toujours en activité, commande encore à vos muscles.

Vous commencerez maintenant les exercices de relaxation et vous les poursuivrez jusqu'à l'accouchement.

L'idéal est, bien sûr, de vous inscrire à un cours de relaxation traditionnelle ou à un cours de sophrologie (voir page 265) ; vous y apprendrez tous les exercices avec un professeur chevronné et, au bout de quelques séances, vous serez capable de les faire correctement chez vous.

Pour aller plus loin
Retrouvez tous les conseils de la psychologue
p. 374

Pour celles qui n'ont ni le temps ni les moyens de s'inscrire à un cours, voici quelques exercices simples que vous n'aurez aucune difficulté à réaliser.

Allongez-vous sur le dos, sur le sol ou, si vous préférez, sur votre lit. Glissez des coussins sous votre tête et sous vos pieds. Vos genoux sont maintenus surélevés par un gros oreiller plié en deux.

Si votre ventre est trop volumineux et vous opprime lorsque vous êtes couchée sur le dos, allongez-vous sur le côté, le ventre reposant sur le lit.

Les rideaux sont tirés, vous êtes au calme, dans la pénombre. Vous êtes bien.

1er temps : prenez conscience de vos muscles

Vous allez prendre conscience de vos muscles en les contractant très lentement, en inspirant, puis en les relâchant peu à peu, tout en expirant.

Commencez par les membres :

◆ pour les bras : serrez les poings lentement, tenez quelques secondes, puis relâchez la tension avant de contracter et de relâcher les muscles des bras ;
◆ pour les jambes : contractez d'abord les muscles des pieds, relâchez, puis passez de la même façon aux mollets et ensuite aux cuisses.

Poursuivez par le corps : les fessiers, le périnée, les abdominaux, le thorax et le visage. À chaque fois, contractez les groupes de muscles concernés en inspirant, maintenez quelques secondes la tension puis relâchez-la en expirant.

2e temps : sachez contrôler tous vos muscles

Faites les exercices précédents de façon à décontracter entièrement tous vos muscles. Pour cela, vous ne travaillerez pas tous les muscles à la fois, mais vous vous exercerez à décontracter localement les bras le premier jour, les jambes le lendemain, l'abdomen un autre jour, etc.

Par exemple, votre bras sera complètement détendu si on peut le soulever sans aucune résistance et s'il retombe parfaitement inerte.

3e temps : relâchez en même temps tous les muscles

En inspirant, contractez tous vos muscles à la fois. Restez sous tension pendant quelques secondes, puis relâchez entièrement en expirant.

Quand vous aurez parfaitement maîtrisé cet exercice, vous aurez l'impression que votre corps est devenu mou et s'enfonce sous vous. Votre respiration est régulière.

Pour prendre conscience de vos muscles.

Pour bien sentir tous vos muscles en contraction puis en décontraction, tendez en même temps un bras et une jambe opposés ; tenez la position quelques secondes avant de relâcher ; alternez les deux côtés.

Contraction et décontraction des jambes.

Contractez les jambes, les talons soulevés, les orteils souples. Tenez la position pendant quelques secondes avant de relâcher.

Pour relâcher vos muscles.

Fléchissez une jambe en relâchant tous vos muscles. Tendez l'autre jambe en la contractant le plus possible. Alternez les jambes.

25e SEMAINE DE GROSSESSE

Début de la **27e semaine** depuis
le 1er jour de vos dernières règles

Les neurones de votre bébé poursuivent leur
différenciation, étape capitale pour le bon
fonctionnement de son cerveau. Vous allez passer la
quatrième visite obligatoire ; faites attention à votre
alimentation et ne mangez pas trop salé pour ne pas
favoriser la rétention d'eau.

Votre bébé

Sa taille est de 20,5 cm de la tête au coccyx et de 32 cm de la
tête aux talons. Son poids est de 750 g. Le diamètre de sa tête
est maintenant de 7 cm.

La peau

Le vernix caseosa qui recouvre sa peau continue de s'épaissir. Il se renouvelle d'une manière régulière par l'élimination progressive de l'ancienne couche dans le liquide amniotique. Les cellules adipeuses sont entrées en action, et
un peu de graisse commence à se former sous la peau, qui
s'enrichit désormais en tissu conjonctif.

Les neurones

Les neurones poursuivent leur différenciation. Les ramifications dendritiques et leurs connexions forment un câblage
touffu. C'est de leur nombre et de leur qualité que dépendra le bon fonctionnement cérébral. Les axones, qui sont
les longs prolongements des neurones et dont le rôle est de
conduire l'influx nerveux, pénètrent au niveau de la moelle
épinière pour se rassembler en fibres plus grosses et former
des nerfs. Ils vont conduire les influx moteurs de la moelle
vers les muscles, permettant ainsi le mouvement.

VOTRE BÉBÉ

◆ Taille : 20 cm de la
tête au coccyx, 32 cm
de la tête aux talons

◆ Poids : 750 g

◆ Le câblage du cerveau
se poursuit.

◆ Formation des nerfs,
épaississement
du vernix

◆ Le liquide amniotique
est renouvelé
entièrement toutes
les 3 heures.

VOUS

Votre urine est riche
en lactose, sucre
normalement émis
pendant la grossesse.

Vous

Votre urine est riche en acides aminés, les matériaux de base pour fabriquer les protéines, en lactose, un sucre émis normalement pendant la grossesse, et en vitamines.

L'aldostérone, une hormone dont l'un des effets est de retenir le sel, se trouve dans le sang de la femme enceinte à un niveau trois à cinq fois plus élevé que la normale. Cette augmentation est nécessaire pour compenser la tendance à la perte de sel causée par le taux élevé de progestérone.

Le taux de sel dans l'organisme étant constant, si on en réduit l'apport par l'alimentation, le sang va se concentrer pour le maintenir à son taux fixe. Cela signifie que le volume total de la masse sanguine va diminuer avec, pour conséquence possible, une oxygénation insuffisante pour le bébé. Certains médecins qui, dans les années 1970, prescrivaient un régime sans sel très strict dès que la future mère prenait un peu de poids, sont revenus sur cette pratique, même pour des cas précis et graves tels que la toxémie gravidique (voir pages 222-223). Aujourd'hui, les médecins préfèrent prescrire des médicaments adéquats.

La raison conseille donc de manger peu salé et d'éviter les aliments trop salés tels que la charcuterie et les chips, car le sel a tendance à retenir l'eau. En cette période où votre métabolisme hydrique est perturbé du fait de l'augmentation de la masse sanguine et du travail accru des reins, vous risqueriez de voir apparaître des œdèmes.

Comme toujours, c'est le bon sens qui doit l'emporter dans votre conduite !

La quatrième visite médicale obligatoire

Elle permet de contrôler que la croissance du bébé et la santé de la future mère sont bonnes. Elle se déroule comme les précédentes.

On vous demandera, en particulier, la date d'apparition des premiers mouvements actifs de votre bébé ainsi que leur intensité.

C'est le moment pour vous de parler des petits malaises que vous pouvez ressentir : une insomnie, de la constipation, des hémorroïdes, des régurgitations acides...

L'examen général

Il comprend la pesée, la prise de la tension artérielle et la mesure de la hauteur utérine. La mesure de la hauteur utérine ne donne pas la taille du bébé mais indique le volume qu'il prend dans l'utérus. Il renseigne sur son développement à une période précise de la grossesse.

L'examen gynécologique et obstétrical

Votre médecin appréciera, par un toucher vaginal, la longueur de votre col utérin et sa fermeture. Il écoutera les bruits du cœur de votre bébé avec un stéthoscope posé sur votre abdomen, à l'endroit où s'est placé le bébé au moment de l'examen.

Des examens de laboratoire

On recherche :

- dans les urines des traces de sucre et d'albumine ;
- dans le sang des anticorps de la toxoplasmose (voir pages 105-107) si vous n'êtes pas immunisée contre cette maladie et si vous ne possédiez pas d'anticorps lors du premier examen ; cela permet de vérifier que vous n'avez pas été contaminée depuis. À partir du 6e mois, le contrôle sera effectué chaque mois ;
- des agglutinines anti-D quand la mère est Rh – (voir page 73).

> **BON À SAVOIR**
>
> Les initiales BDC + ou BDC ++ que vous entendrez prononcer par le médecin ou la sage-femme signifient « bruits du cœur », le nombre de croix indiquant leur intensité. Ils doivent être réguliers et avoisiner les 120 battements par minute.

Si vous étiez malade avant d'être enceinte

Si tel est le cas, vous faites partie des grossesses à risque (voir pages 173) et vous serez donc particulièrement surveillée pendant tout le temps de votre grossesse. Vous n'avez donc aucun souci à vous faire.

Vous êtes diabétique

Maladie due à un mauvais fonctionnement du pancréas, le diabète, à un stade précoce, se traduit par un taux anormal de sucre dans le sang ainsi que par la présence de sucre dans les urines. C'est le cas de 2 % de la population en général.

La grossesse tend à accentuer le diabète, et des femmes jusque-là non diabétiques peuvent voir apparaître du glucose dans leurs urines autour du 5e ou du 6e mois de leur grossesse. C'est le cas de 2 à 3 % des femmes enceintes. Ce diabète, sans gravité, sera réversible dans les jours qui suivront l'accouchement.

Dans le cas d'un diabète vrai, quand la grossesse n'est pas surveillée, il existe 80 % d'accidents, contre 10 % seulement quand elle l'est. Sans précautions particulières, le diabète vrai de la mère peut être responsable d'un avortement précoce, de toxémie gravidique (voir pages 222-223), d'hydramnios – c'est-à-dire d'une quantité trop importante de liquide amniotique – et surtout d'une souffrance fœtale qui, très souvent, risque d'entraîner la mort *in utero*, au terme de la grossesse.

Il existe plusieurs facteurs permettant de soupçonner un risque de diabète chez une future maman:
♦ des antécédents familiaux;
♦ un surpoids ou une obésité de la future maman;
♦ une prise de poids excessive ou rapide, en particulier au 6e mois;
♦ un fœtus de grande taille avec un excès de liquide amniotique.

Une grossesse antérieure peut fournir des indications sur la présence d'un diabète. Ces signes sont:
♦ un diabète gravidique;
♦ une hypertension artérielle;
♦ un bébé pesant plus de 4 kg à la naissance;
♦ une malformation inexpliquée chez l'enfant;
♦ la mort du bébé *in utero*.

Si vous êtes diabétique, vous l'avez dit à votre médecin lors de la première visite obligatoire. Il se peut qu'il vous fasse hospitaliser à un moment donné de votre grossesse afin de réajuster les médicaments et le régime alimentaire dont l'équilibre s'est trouvé rompu par votre état de grossesse. On en profitera alors pour mesurer la vitesse du flux sanguin dans les vaisseaux du bébé grâce au doppler (voir page 130) – entre la 24e et la 28e semaine d'aménorrhée – et on s'assurera ainsi qu'il ne souffre pas d'hypotrophie.

En règle générale, la future mère diabétique est de nouveau hospitalisée au cours des cinq dernières semaines de sa grossesse pour une meilleure surveillance de l'enfant. On lui fera une césarienne le moment venu afin d'éviter au bébé, qui pèse souvent près de 4 kg et qui est fragile, les risques d'une naissance difficile.

Si tout va bien, il sera possible de le faire naître par les voies naturelles aux alentours de la 38e semaine, après avoir vérifié son poids par une échographie. Le bébé sera particulièrement surveillé dès sa naissance. On vérifiera notamment son taux de glycémie.

La diabète gestationnel

Si vous n'avez jamais été diabétique mais que vous découvrez pendant votre grossesse du sucre dans vos urines, ne vous inquiétez pas. Signalez-le rapidement à votre médecin. Il fera rechercher de quel sucre il s'agit ainsi que sa quantité :

◆ s'il s'agit de lactose, sa présence est normale au cours des derniers mois ;
◆ s'il s'agit de glucose, c'est le signe d'une petite perturbation au niveau de la filtration du rein. Liée à la grossesse et en particulier au taux élevé de progestérone qui diminue les fonctions rénales, elle n'a rien d'alarmant. Rassurez-vous, tout rentrera dans l'ordre après l'accouchement.

Pour aller plus loin
Retrouvez tous les conseils de la nutritionniste p. 382.

Vous souffrez d'insuffisance rénale

Si vous souffrez d'insuffisance rénale ou d'hypertension artérielle, vous faites partie des grossesses à risque et vous devrez être très surveillée en milieu spécialisé.

Si un avortement, une souffrance fœtale *in utero* et un accouchement prématuré sont des accidents encore fréquents, la santé de la mère est aujourd'hui rarement mise en péril.

Vous souffrez d'hypertension artérielle

L'hypertension artérielle apparaît brutalement dans la seconde moitié de la grossesse chez 6 % des femmes enceintes. Dans ce cas, il est en général recommandé de limiter le sel, le sucre et les graisses, et de respecter le repos complet.

Vous souffrez d'une maladie cardiaque

Du fait de la grossesse, le cœur fournit un travail supplémentaire. Aussi, si vous avez une maladie cardiaque, devez-vous être fréquemment surveillée et, surtout, être au repos complet, sans stress; votre médecin vous prescrira un traitement.

En cas d'urgence, une intervention chirurgicale est tout à fait possible.

Vous êtes séropositive

Si vous êtes séropositive sans présenter les signes du sida, vous devez être très surveillée : en modifiant l'immunité, la grossesse peut en effet déclencher l'apparition de la maladie. Cela s'ajoute aux risques encourus par votre enfant (voir pages 107-108).

Si vous présentez déjà les symptômes de la maladie, la grossesse peut également en provoquer une poussée évolutive grave.

TO-DO LIST

semaine
25

✓ **Quatrième visite médicale obligatoire :**
  – examen gynécologique et obstétrical ;
  – examens de laboratoire.

✓ **Envoyer à la Sécurité sociale** la feuille de maladie signée correspondant à la visite. Duplicata à la CAF.

SEMAINE DE GROSSESSE

Début de la **28ᵉ semaine** depuis
le 1ᵉʳ jour de vos dernières règles

Surveillez votre alimentation, car à partir de
maintenant, vous allez prendre rapidement du
poids : votre bébé grossit, le placenta et la poche
des eaux se sont beaucoup développés et votre
corps constitue des réserves de graisse en vue de
l'allaitement. Veillez à avoir une bonne posture afin
de corriger le déséquilibre entraîné par le poids de
votre ventre : vous souffrirez moins du dos.

Votre bébé

Sa taille est de 21 cm de la tête au coccyx et de 33 cm de la
tête aux talons. Son poids est de 870 g. Cela représente environ le tiers de son poids de naissance. Le diamètre de sa tête
est de 7,2 cm. Sa peau est rouge et recouverte par le film protecteur gras que constitue le vernix caseosa. Sous la peau,
la graisse s'accumule doucement. Ses cheveux poussent.
L'ivoire des futures dents de lait se recouvre d'émail.

Le liquide amniotique

Votre bébé avale de plus en plus de liquide amniotique. Tandis qu'une petite partie est rejetée par la peau, une grande
quantité traverse les voies digestives et, après être passée par
le filtre des reins, est excrétée sous la forme d'urine. Votre
bébé inspire du liquide amniotique dans ses poumons, puis
l'expire. Il permet le développement des bronchioles en empêchant leurs parois de se coller. Le liquide amniotique est
constitué à 97 % d'eau, qui contient des sels minéraux et diverses substances trouvées dans le sang. On y décèle également des cellules détachées de la peau et des muqueuses du
bébé, des poils et des cheveux, ainsi que de la matière grasse
éliminée du vernix en continuel renouvellement. Ce liquide
est entièrement changé toutes les trois heures : il est absorbé
par l'intestin du bébé, passe dans sa circulation sanguine et,
par l'intermédiaire du placenta, retourne à l'organisme maternel. Les particules solides accumulées dans l'intestin du
bébé forment le méconium (voir aussi page 191).

(voir aussi page 191)

EN BREF
CETTE SEMAINE

VOTRE BÉBÉ
- Taille : 21 cm de la tête au coccyx, 33 cm de la tête aux talons
- Poids : 870 g
- La peau de votre bébé est rouge.
- La graisse commence à s'accumuler sous la peau.
- L'ivoire des futures dents de lait se recouvre d'émail.
- Votre bébé urine.

VOUS
Vous allez prendre 350 à 400 g par semaine pour constituer une réserve de graisse.

Vous

À partir de maintenant, vous allez prendre environ 350 à 400 g par semaine. Non seulement votre bébé grossit, mais les annexes que sont le placenta et la poche des eaux (voir page 57) se sont beaucoup développées. Quant à vous, vous êtes en train de vous constituer une réserve de graisse. Ce phénomène est physiologique ; vous ne pouvez y échapper. Aussi, limitez-en les effets en surveillant votre alimentation. Soyez exigeante envers vous-même. Votre santé présente et à venir et votre beauté en dépendent. Cela n'est pas négligeable, n'est-ce pas ?

Au quotidien

Si vous avez « mal aux reins »

Il s'agit plutôt de douleurs de la colonne vertébrale. Le poids de votre ventre déplaçant votre centre de gravité, vous devez vous cambrer exagérément pour garder l'équilibre. C'est cette tension permanente exercée dans la région lombaire qui vous cause ce « mal aux reins ».

→ **Une ceinture de grossesse** peut vous soulager si vous trouvez votre ventre trop lourd à porter ou si vous avez mal au dos.

Pour y remédier, portez des chaussures confortables. Ce n'est pas le moment de porter des talons hauts, qui accentuent encore la cambrure et requièrent un certain équilibre. Or, l'équilibre devient de plus en plus précaire au fur et à mesure que votre grossesse avance. Choisissez des chaussures souples, avec un talon un peu large et d'une hauteur raisonnable. Faites attention à la cambrure de la chaussure, qui doit soutenir toute la voûte plantaire.

Faites des exercices physiques pour acquérir une bonne attitude et soulager vos reins.
Si votre ventre est vraiment très lourd et que cela peut vous soulager, vous pouvez adopter provisoirement le port d'une ceinture de grossesse.
En général, cette ceinture n'est pas utile. Il vaut mieux faire travailler ses muscles abdominaux, qui constituent une ceinture naturelle. Mais si vous avez déjà eu plusieurs enfants, si votre paroi abdominale est distendue ou encore si vous attendez des jumeaux, peut-être éprouverez-vous le besoin de vous sentir soutenue. La ceinture de grossesse peut également fournir un bon support pour le dos.
Achetez votre ceinture de grossesse dans une maison spécialisée et, surtout, essayez-la : elle doit vous soutenir sans vous comprimer. Elle est bien adaptée à votre silhouette si, en la portant, vous sentez un réel soulagement. Vous mettrez votre ceinture couchée sur le dos : elle se placera mieux et sera donc plus efficace.
La ceinture de grossesse est remboursée à 100 % par la Sécurité sociale après entente préalable.

Ayez une bonne posture

Les modifications du corps dues à la grossesse changent la position du centre de gravité. S'il se déplace trop, l'équilibre devient instable. Pour le rétablir, des tensions se créent, entraînant le plus souvent des douleurs. La posture est alors moins bonne et des déformations peuvent survenir : le dos est voûté, les reins sont trop cambrés, la démarche est en canard...

Une femme enceinte doit savoir s'adapter à sa nouvelle forme et à son nouveau poids. Si sa statique se transforme progressivement, en même temps qu'évolue sa grossesse, elle gardera un bon équilibre et pourra se déplacer d'une manière normale. Les femmes qui conservent une bonne attitude pendant leur grossesse souffrent beaucoup moins du dos que les autres.

Comment placer correctement son bassin pour éviter les tensions dans le bas du dos.

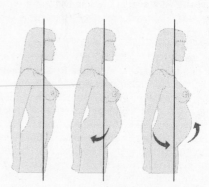

Bonne posture.   Le centre de gravité s'est déplacé.   Rétablissement d'une bonne posture.

Position de confort allongée.

Utilisez oreillers et coussins à profusion pour soulager le mal au dos.

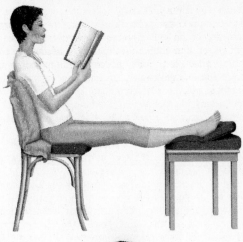

← **Position de confort** assise.

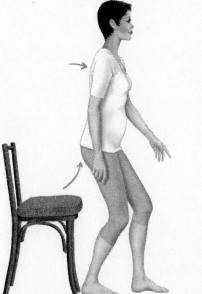

← **Pour vous lever** d'une chaise.

Placez un pied devant l'autre et penchez-vous vers l'avant pour placer le centre de gravité devant les hanches. Gardez le cou et le dos droits, levez-vous en prenant appui sur les pieds.

Quelques exercices à faire

Tous les exercices permettant de corriger une mauvaise posture possèdent donc leur importance ; en effet, ils aident à éliminer les tensions musculaires dues aux mauvaises positions, ils tonifient les muscles sollicités et enfin évitent la souffrance des articulations.

Pour sentir et trouver votre bonne statique, faites-vous aider par un kinésithérapeute. En quelques séances, il vous fera prendre conscience de l'attitude la mieux adaptée à votre forme et à votre poids, et vous apprendra à faire correctement la bascule du bassin. Vous aurez ainsi toutes les chances de garder votre démarche et d'éviter également la fameuse sciatique des femmes enceintes.

Par une série d'exercices faciles, vous arriverez à soulager vos reins, qui se cambrent de plus en plus au fur et à mesure que votre utérus s'alourdit. En répétant le mouvement inverse, c'est-à-dire en basculant le bassin vers l'avant, vous pourrez assouplir votre colonne vertébrale au niveau du bassin.

Exercice n° 1 : la bascule du bassin

Debout, les jambes légèrement écartées, inspirez tout en creusant les reins, le ventre en avant.

En expirant, contractez les muscles abdominaux, serrez les fesses en les poussant vers l'avant et vers le bas. Vous devez sentir votre bassin basculer vers l'avant.

Répétez cet exercice cinq fois. Pour vous aider, appuyez-vous contre un mur.

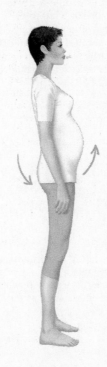

La bascule du bassin.

Exercice n° 2

Allongée sur le dos, les mains derrière la tête, inspirez. En expirant à fond, levez la tête avec l'aide de vos mains en même temps que vous monterez le bassin vers le haut, comme si vous vouliez faire se toucher la tête et le coccyx. Répétez l'exercice cinq fois avant de passer éventuellement au suivant.

Exercice n° 3

Allongée sur le dos, placez une main sous les reins et l'autre sur une hanche.

Poussez votre dos contre le sol à l'aide des muscles abdominaux situés au niveau de l'estomac. Vous devez sentir votre hanche se déplacer et votre bassin se lever doucement.

Répétez l'exercice cinq fois.

Exercice n°3 →

Exercice n° 4 : l'étirement en équilibre de la colonne vertébrale

Debout, les pieds parallèles écartés, levez doucement les bras en inspirant et en montant doucement sur la pointe des pieds. La bascule du bassin est essentielle pour garder l'équilibre.

Expirez en abaissant les bras et en reposant lentement la plante des pieds.

←

L'étirement en équilibre de la colonne vertébrale.

3

LE TROISIÈME
TRIMESTRE

LE SEPTIÈME MOIS

Votre bébé est viable ! Mais ne soyez pas trop pressée de le voir. Laissez-le encore un peu à l'abri, bien au chaud. Car s'il naissait maintenant, il serait un grand prématuré, avec tous les risques que cela comporte. Alors, ce mois-ci, ne vous agitez pas trop, laissez-le grandir et prendre des forces, doucement.

Votre bébé a déjà une perception aiguisée des sons, mais aussi des sensations. Quand il bouge en réponse à une stimulation qui le sollicite, c'est pour marquer son agrément ou son désagrément. Il le fait d'une manière spontanée, tel un réflexe, sans processus intellectuel lui permettant d'interpréter ce qui se passe. Il perçoit ainsi les émotions intenses que vous pouvez ressentir ; il les ressent d'une façon indirecte par l'adrénaline que vous sécrétez soudain et qui traverse le placenta.
Ne vous inquiétez pas : il n'en est pas affecté durablement pour autant.

●

SEMAINE DE GROSSESSE

Début de la **29e semaine** depuis le 1er jour de vos dernières règles

Votre bébé pèse maintenant 1 kg ! Sa croissance occasionne une grosse surcharge de travail à votre organisme, et tous vos organes, sauf le foie, ont grossi. Faites attention à vous, limitez vos activités et reposez-vous : si votre enfant naissait maintenant, il serait viable mais très prématuré.

Votre bébé

Sa taille est de 22 cm de la tête au coccyx et de 34 cm de la tête aux talons. Son poids est de 1 kg ! Le diamètre de sa tête est aux environs de 7,5 cm.

Au cours du développement pulmonaire, les bronches ont subi une série de divisions. Chacune d'entre elles s'est divisée en deux, et ainsi de suite, ce qui aboutit à la fin du 6e mois de grossesse à des bronches de 17e ordre. L'arbre bronchique est entièrement rempli de liquide amniotique, qui se résorbera rapidement au moment de la naissance.

Le cerveau et la myélinisation des nerfs

Au niveau du cerveau, l'ensemble des neurones accrochés les uns aux autres par l'intermédiaire de leurs dendrites forme un réseau câblé, support nécessaire à la conduction de l'influx nerveux. Pour que la propagation du message soit rapide et de bonne qualité, il faut que se forme autour des fibres nerveuses une gaine appelée « myéline », dont le rôle isolant est semblable à la gaine isolante des fils électriques. Cette myélinisation des nerfs est la dernière étape de la maturation du cerveau. Elle va durer près de 20 ans !

La myélinisation débute à la fin du 2e trimestre et est très active pendant tout le 3e trimestre.

Il faudra attendre la myélinisation progressive des différentes zones du cerveau pour voir s'accomplir les progrès moteurs, sensoriels et psychiques de l'enfant.

Cette myélinisation sera intense de la naissance jusqu'à l'âge de 3 ans, une période de grand apprentissage pendant laquelle l'enfant va acquérir la marche, la propreté, le langage et manifester les premiers signes d'une pensée cohérente ; elle se poursuivra d'une manière plus graduelle pendant toute l'enfance, puis au cours de l'adolescence.

Vous

Pendant cette 27ᵉ semaine, la plupart des mères prennent environ 400 g. Tandis que près de 60 % de cet apport vont au bébé et à ses annexes, 40 % restent à la mère.

Tous vos organes ont grossi pour assumer la nouvelle surcharge de travail. Le foie, quant à lui, n'a pas bougé.

Sous l'effet de la progestérone, la vésicule biliaire ne se vide pas aussi bien qu'auparavant, et le risque de calcul biliaire augmente pour les femmes qui y sont prédisposées.

ATTENTION

Attention à l'accouchement prématuré : reposez-vous.

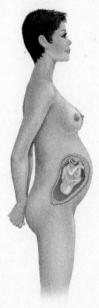

←

Tous vos organes ont grossi, sauf le foie.

Attention à l'accouchement prématuré

À ce stade de son développement, votre bébé est, en théorie, viable ; mais s'il venait au monde maintenant, il aurait beaucoup de mal à passer le premier handicap d'une naissance très prématurée.

Le 7ᵉ mois est un cap parfois délicat à franchir. Une cause bénigne les mois précédents peut devenir critique à ce moment de la grossesse et déclencher l'accouchement. Aussi, soyez très attentive à ce que vous ressentez et signalez toute anomalie à votre médecin.

Si vous découvrez du sang dans vos sous-vêtements

Consultez sans tarder. Vous avez probablement le placenta inséré dans la partie basse de l'utérus, assez près du col. C'est ce qu'on appelle un « placenta *praevia* ».

À cette étape de votre grossesse, de légères contractions utérines peuvent décoller en partie le placenta, provoquant des hémorragies plus ou moins importantes. Le médecin consulté vous prescrira le repos absolu, en position couchée, jusqu'au terme de la grossesse.

ATTENTION

Signalez toute anomalie à votre médecin.

Si vous attendez des jumeaux

La surveillance médicale est très stricte, car les grossesses gémellaires arrivent difficilement à terme : 75 à 80 % des primipares et 45 % des multipares accouchent avant terme. Cela est dû au fait que l'utérus, plus distendu que d'ordinaire, se contracte plus facilement.

À partir de ce 7ᵉ mois :

- on vous fera une analyse d'urine tous les 15 jours, car les risques d'albuminurie sont plus grands ;
- vous verrez le médecin tous les 15 jours ;
- reposez-vous le plus possible.

D'une façon générale, reposez-vous

Ne vous agitez pas trop. Ce n'est plus le moment de partir en voyage, de déménager ou d'entreprendre une activité fatigante. Ménagez-vous le plus possible. Votre bébé est bien petit, il a encore énormément besoin de vous.

Cessez toute activité sportive

Les activités sportives sont maintenant fortement déconseillées. Mais si vous vous sentez bien, vous pouvez poursuivre ou pratiquer la gymnastique spécifique à la grossesse.

Les causes de l'accouchement prématuré

On appelle « prématuré » un enfant né entre la 35e et la 37e semaine d'aménorrhée. 20 à 30 % sont des jumeaux. Un enfant né à moins de 35 semaines est un grand prématuré.

L'accouchement prématuré a des causes diverses :
- l'insertion anormale du placenta, ou placenta *praevia* ;
- une insuffisance de fermeture du col utérin ;
- une distension trop grande de l'utérus ; c'est le cas des grossesses gémellaires ;
- une maladie de la mère telle que le diabète (voir page 239), l'herpès (voir page 229), le sida (voir pages 107-108), la toxémie gravidique (voir pages 222-223) ou encore une hypertension artérielle (voir page 241) ;
- une maladie infectieuse contractée au cours de la grossesse, comme la toxoplasmose (voir pages 105-107), la listériose (voir pages 269-270) ou l'hépatite virale (voir page 105). Il arrive souvent, dans ce cas, que le médecin provoque l'accouchement afin d'éviter à l'enfant les risques encourus par la maladie maternelle ;
- un choc ou un traumatisme, le cas le plus fréquent étant naturellement l'accident de voiture ;
- la fatigue due aux conditions de travail ou de transport.

L'accouchement prématuré est plus fréquent chez les femmes dont le niveau socio-économique est bas.

En cas de contractions rapprochées

La menace d'accouchement prématuré se manifeste par des contractions de plus en plus rapprochées et de plus en plus douloureuses. Elles peuvent être accompagnées de pertes légères, roses ou brunâtres. Le mieux est de vous rendre à la maternité, sans affolement ni précipitation. Vous y resterez quelques jours sous surveillance avec des antispasmodiques et un traitement destiné à arrêter les contractions. Une fois rentrée chez vous, reposez-vous le plus souvent possible, en position allongée.

S'il y a eu perte des eaux, même sans contractions, vous devez partir d'urgence à la maternité.

ALLEZ CONSULTER

S'il y a eu perte des eaux, même sans contractions, vous devez partir d'urgence à la maternité.

L'enfant prématuré

Malgré l'amélioration des techniques permettant de suppléer aux besoins du bébé né trop tôt, la prématurité reste une situation difficile à vivre pour l'enfant et pour ses parents. Il demande de la part du personnel soignant une disponibilité totale, car c'est de lui que tout dépend.

À poids égal, un bébé prématuré est différent d'un bébé de faible poids né à terme, car ses organes n'ont pas terminé leur maturation.

Né à 7 mois, il mettra deux mois pour arriver à la maturité du terme et gardera assez longtemps ce retard de poids et de taille. Un enfant prématuré né à moins de 35 semaines pèse moins de 2 kg; son aspect est caractéristique: sa peau est rouge et recouverte de lanugo, ce duvet spécial au fœtus; très fine, elle laisse apparaître les vaisseaux sanguins les plus gros.

De nombreux soins

Les soins à donner à ce bébé sont nombreux, car:

- le lanugo empêche la transpiration et contraint à le maintenir dans une atmosphère constamment humide;
- il faut lui fournir de l'oxygène, car sa capacité respiratoire est réduite;
- l'autorégulation de sa température interne est encore déficiente; aussi faut-il lui assurer une température ambiante de 36 °C;
- ses muscles sont flasques;
- les parois des vaisseaux sanguins sont fragiles, et le sang qui y circule manque de globules rouges et se coagule mal;
- sa résistance aux infections est faible;
- le système nerveux est très immature. C'est la stimulation des sens qui développera le cerveau. Or, le bébé, bien qu'il soit prématuré, a déjà tous ses sens en éveil; en particulier, il réagit aux sons. C'est la raison pour laquelle il est primordial pour son évolution de le considérer comme un enfant né à terme et de lui accorder énormément d'attention. C'est pour cette raison encore, et pour ne pas créer de rupture entre la grossesse et la présence de l'enfant, que le contact avec les parents doit se faire le plus tôt possible et tous les jours.

L'alimentation

L'enfant prématuré est nourri dès le premier jour. Mais son estomac possède une toute petite capacité, de l'ordre de 5 à 6 cm³, et ses réflexes de succion et de déglutition sont encore très primitifs. On lui donne donc des solutions lactées par l'intermédiaire d'une sonde gastrique passant par le nez et on lui administre du sérum glucosé au moyen d'une sonde placée dans une veine de la tête.

Dès que ses réflexes sont suffisamment évolués, ce sont les petits biberons de lait maternel qui prendront le relais. On demande à sa mère de tirer son lait artificiellement et de l'apporter à l'hôpital pour nourrir son enfant, car le lait maternel est vital pour le bébé prématuré : il constitue le lien affectif entre la mère et son enfant. Quand la mère n'a pas de lait, l'hôpital s'adresse à un lactarium.

Dès que possible, le bébé sera sorti de son incubateur pour grands prématurés et placé dans une couveuse moins sophistiquée. Il sera rendu à ses parents quand il atteindra le poids de 2,5 kg.

TO-DO LIST

semaine
27

✓ **Si vous attendez des jumeaux :**
analyse d'urine et visite médicale
tous les 15 jours.

SEMAINE DE GROSSESSE

Début de la **30ᵉ semaine** depuis le 1ᵉʳ jour de vos dernières règles

Votre bébé est un peu moins fripé, et même s'il vit dans sa bulle, il est relié à vous et à vos émotions. Commencez à vous intéresser aux cours de préparation à l'accouchement. Vous avez le choix entre plusieurs méthodes : la préparation classique, le yoga, la sophrologie, la préparation en piscine, l'haptonomie, la psychophonie ou la musicothérapie.

Vous

Votre cœur bat plus vite qu'avant votre grossesse : 12 battements de plus à la minute environ. Votre masse sanguine augmentée circule plus vite : 185 millilitres environ de votre sang traversent le placenta à chaque minute. La pigmentation de votre peau continue d'évoluer ; lors du dernier trimestre, beaucoup de femmes enceintes remarquent l'apparition d'une ligne verticale sombre, située au milieu de l'abdomen, du nombril au pubis. Cette ligne redeviendra claire après la délivrance. Ce changement de pigmentation est dû à l'accroissement d'une hormone sécrétée par l'hypophyse.

Préparez-vous à l'accouchement

Quelle que soit la méthode choisie, vous avez tout intérêt à suivre une préparation à l'accouchement, et ce le plus tôt possible.

Par une préparation à la fois psychique et physique, liée avant tout à l'apprentissage d'une méthode de respiration, vous aborderez le moment venu sans panique et ainsi serez capable de participer d'une manière active à la naissance de votre enfant.

Toute femme enceinte devrait commencer sa préparation à l'accouchement le plus tôt possible, car c'est par une pratique régulière que se créent des réflexes qui apparaîtront automatiquement au moment voulu. Hélas, tandis que certaines ne se sentent pas prêtes à commencer avant la date fixée, d'autres n'ont pas le temps. Quant à celles qui ne peuvent se déplacer car elles doivent observer un repos allongé absolu, elles peuvent tout de même travailler la respiration (voir pages 203-205), le périnée (voir page 210) et la relaxation (voir pages 234-236); si elles consacrent chaque jour un peu de temps à la répétition de tous ces exercices, elles pourront aborder l'accouchement en pleine confiance.

La préparation classique

Près de 80 % des futures mères suivent des cours de préparation à l'accouchement. La majorité d'entre elles assistent aux cours classiques d'accouchement sans douleur.

La psychoprophylaxie obstétricale, qu'on appelait autrefois l' « accouchement sans douleur », n'a pas pour ambition de supprimer toute douleur. Néanmoins, en connaissant bien les principaux mécanismes qui en sont la cause, la femme qui accouche peut mieux les contrôler. Malgré des faiblesses, l'accouchement sans douleur a eu le très grand mérite de permettre aux femmes, qui jusqu'alors ignoraient tout d'elles-mêmes et *a fortiori* du développement de l'enfant qu'elles portaient, ainsi que des modalités de l'accouchement, d'accéder à une compréhension de l'ensemble de ces phénomènes physiologiques.

Une participation active à l'accouchement

La future mère, parce qu'elle a la possibilité de participer activement à son accouchement, aborde celui-ci avec une certaine sérénité. Elle est d'autant plus détendue que sa connaissance des principales étapes du déroulement de l'accouchement la débarrasse de la peur qu'elle nourrissait jusqu'alors, une peur due à l'ignorance qui a prévalu au cours des siècles.

Ne pas avoir peur signifie avoir des muscles non contractés qui sont capables de répondre à la stimulation et qui accompagnent les phénomènes naturels au lieu de les freiner par des tensions inverses. Cela veut aussi dire : moins souffrir.

BON À SAVOIR

Commencez sans plus tarder votre préparation à l'accouchement. La future maman qui se prépare à la naissance de son enfant ne subit plus la grossesse. Elle n'est plus seulement enceinte mais déjà mère, car l'entraînement physique va de pair avec toute évolution intérieure, dont le but est l'accueil progressif du bébé.

Une préparation indispensable

La préparation classique à l'accouchement est indispensable, même si vous envisagez d'accoucher sous péridurale. Elle est assurée par des sages-femmes, des kinésithérapeutes et des gynécologues obstétriciens au cours de huit séances remboursées par la Sécurité sociale.

Cette préparation à l'accouchement commence vers le 7e mois de grossesse ; le plus souvent, le futur père est cordialement invité à y participer.

Cette préparation à l'accouchement étant fondée sur l'idée que la douleur est moindre si la femme comprend ce qui se passe et possède les moyens de faire face à la situation, les cours sont orientés à la fois sur l'information et sur la préparation physique.

Le déroulement des séances

La première séance est une prise de contact, comprenant des explications théoriques sur la grossesse, depuis la conception jusqu'au déroulement de l'accouchement. Des informations pratiques sur l'hygiène de la grossesse et l'allaitement, sur toutes les démarches à effectuer et ce qu'il faut prévoir pour soi et son bébé lors du séjour à la maternité complètent les cours. On répondra à toutes vos questions. Les autres séances sont réservées à l'apprentissage d'exercices physiques, qui sont à répéter chez soi. Vous apprendrez à :

♦ vous relaxer pour profiter au maximum du repos entre les contractions ;

♦ respirer selon les différents modes de respiration utilisés au cours de l'accouchement ;

♦ entraîner vos muscles qui auront à fournir un effort particulier, notamment au moment de l'expulsion.

Ces exercices visent aussi à vous donner confiance en vous. C'est déjà essentiel.

Pour aller plus loin
Retrouvez tous les conseils de la sage-femme p. 350.

Les autres préparations à l'accouchement

À côté de la préparation à l'accouchement classique, de nouvelles méthodes de préparation se sont développées, fondées pour la plupart sur des techniques de relaxation. Votre médecin pourra vous conseiller et vous indiquer quelques adresses utiles. Renseignez-vous également à la maternité.

Le yoga

La pratique du yoga au cours de la grossesse permet une adaptation progressive aux transformations du corps et constitue une excellente préparation à l'accouchement. Cet ensemble de techniques vise à la maîtrise du corps et de l'esprit. Le travail musculaire, tout en douceur mais en profondeur, est lié à une recherche de relaxation optimale. Des cours conçus spécialement pour les femmes enceintes existent un peu partout.

Pour aller plus loin
Retrouvez tous les conseils de la coach sportive p. 395.

La sophrologie

Son but est de parvenir à la maîtrise de soi par la relaxation et la suggestion.

Pour que les bienfaits de la sophrologie soient ressentis lors de la grossesse et que des mécanismes neurophysiologiques soient mis en place, l'entraînement doit durer 20 minutes environ chaque jour. Destinés à renforcer la concentration, les exercices musculaires, articulaires et respiratoires permettent une meilleure adaptation aux événements, qui sont alors vécus avec un certain recul.

Pendant la grossesse, la préparation sophrologique est un remède contre l'angoisse et le stress, générateurs de fatigue et d'insomnie.

La préparation en piscine

La préparation dans l'eau permet d'obtenir une bonne relaxation et un excellent entraînement musculaire ; en effet, les mouvements sont plus faciles à réaliser, les problèmes de poids étant supprimés. Le corps travaille harmonieusement et tout en souplesse.

L'haptonomie

Cette préparation, qui ne constitue pas une méthode d'accouchement à proprement parler, a pour but de développer une communication directe avec le bébé par un contact affectif et émotionnel. Cette communication s'établit par l'intermédiaire du toucher de la paroi abdominale de la mère. Le bébé, qui sent les mains de la mère ou du père qui le cherchent et le caressent, manifeste sa présence. C'est l'occasion pour le futur père de participer d'une manière active à la grossesse de sa compagne ; avec les mains posées sur l'abdomen de la maman, il sollicite son enfant tout en lui parlant. Peu à peu, le bébé répond par des mouvements.

ATTACHEMENT ET BIEN-ÊTRE PHYSIQUE

L'haptonomie tend à créer les conditions optimales pour développer, dès le moment de la grossesse, l'attachement entre les parents et l'enfant. En plus de ce contact étroit qui se noue avec le bébé à naître, l'attouchement des mains permet la libération de toutes les contractures et des tensions internes, et modifie donc le tonus corporel. Les bons gestes ne s'improvisent pas. Ils sont à apprendre avec des médecins compétents dans cette technique.

La psychophonie, ou le chant prénatal

C'est la création d'une relation privilégiée entre la mère et son enfant par l'intermédiaire du chant. Dans l'utérus, le bébé est sensible aux sons et tout spécialement aux fréquences graves. Il réagit au chant de sa mère, qui perçoit les réactions du bébé suivant que les sons sont aigus ou graves. Rappelons en outre que la pratique du chant favorise, pour la mère, la respiration et lui permet de faire travailler, par l'alternance de contraction et de détente, les muscles abdominaux et le périnée.

La musicothérapie

Cette technique, qui associe des exercices de relaxation à un conditionnement musical, vise à une meilleure prise de conscience de son corps, donc à une plus grande détente.

BON À SAVOIR

Quelle que soit la méthode que vous choisirez, vous avez intérêt, en dehors des séances de préparation à l'accouchement, à pratiquer chez vous, tous les jours, des exercices de respiration, de relaxation et de travail du périnée.

TO-DO LIST

semaine

28

✓ Commencez si vous le pouvez **votre préparation à l'accouchement**.

SEMAINE DE GROSSESSE

Début de la **31ᵉ semaine** depuis
le 1ᵉʳ jour de vos dernières règles

Votre bébé bouge moins ; il a tellement grossi
qu'il a moins de place pour faire des galipettes !
Le volume de votre utérus a encore augmenté :
vous vous sentez lourde, essoufflée, et vous souffrez
d'aigreurs d'estomac. Surveillez votre santé et
faites attention à ne pas contracter de maladies
infectieuses, elles peuvent atteindre gravement
le bébé. Un dépistage précoce permettra de mettre
en place un traitement pour protéger le bébé.

Votre bébé

Sa taille est de 24 cm de la tête au coccyx et de 36 cm de la
tête aux talons. Son poids est de 1,3 kg. Le diamètre de sa
tête est de 8 cm.

Son corps s'arrondit doucement par le dépôt progressif de
tissu adipeux sous-cutané. D'ailleurs, votre bébé prend de
plus en plus de place dans l'utérus, et ses mouvements commencent à être moins amples, faute d'espace.

Désormais, les yeux de votre bébé sont entièrement ouverts,
mais étant donné que la rétine ne reçoit aucune lumière,
elle reste inactive. Les cils sont déjà longs.

L'estomac, l'intestin et les reins fonctionnent d'une façon
normale en cette 29ᵉ semaine de grossesse. Ils assimilent le
liquide amniotique, que votre bébé avale en assez grande
quantité.

Il semblerait que le liquide amniotique possède une saveur
qui varie en fonction de l'alimentation de la mère, tout
comme le lait maternel après la naissance. Ainsi, déjà dans
votre ventre, votre bébé découvre et commence à développer
un sens qu'il ne cessera d'affiner tout au long de son existence : le goût.

Vous

Les glandes mammaires

Au cours du 1er trimestre, vos glandes mammaires se sont hypertrophiées, tout est prêt en vue de la lactation. Il se peut que vous découvriez sur vos vêtements des taches au niveau des seins. Ne vous inquiétez surtout pas : il s'agit de colostrum, un liquide épais et jaunâtre qui s'écoule d'une manière spontanée. Pressez vos seins et vous le verrez poindre. Le colostrum est le premier lait qu'absorbera votre bébé si vous le faites téter. Il est purgatif et contient de nombreux anticorps.

La production du colostrum dépend de la stimulation des seins par la prolactine. Cette hormone d'origine placentaire est responsable non seulement du colostrum pendant la grossesse puis de sa libération, au moment de l'accouchement, mais également de la synthèse du lait au cours de l'allaitement.

L'utérus

Votre utérus a encore augmenté de volume : à ce stade de votre grossesse, il dépasse votre nombril de 4 à 5 cm. Cela accentue, bien sûr, tous les malaises dont vous souffriez déjà : la sensation de pesanteur, la tendance à l'essoufflement et autres aigreurs d'estomac (voir pages 203 et 89).

Attention aux maladies infectieuses

À ce moment de la grossesse, une maladie infectieuse de la mère peut être lourde de conséquences, car de nombreux virus et bactéries sont capables de franchir la barrière placentaire (voir page 215) ; ils pénètrent dans la circulation sanguine du bébé en traversant la membrane des villosités, qui est devenue très mince afin de laisser filtrer un maximum d'éléments nutritifs.

Ces virus ou ces bactéries qui provoquent une maladie de la mère sont d'une gravité variable pour elle : cela peut aller d'une simple grippe à une hépatite virale.

VOS SYMPTÔMES

◆ Sensation de pesanteur, aigreurs d'estomac.

◆ Tendance à l'essoufflement.

ALLEZ CONSULTER

Attention aux maladies infectieuses : au moindre signe de fièvre, consultez immédiatement.

De grands risques pour le bébé

Pour le développement de l'enfant en ce 7e mois de gestation, le risque lié aux infections est toujours très sérieux, car le passage du microbe dans son organisme peut, selon les cas, déclencher sa naissance prématurée, ou, pire, lui être fatal. Plus la maladie sera dépistée à un stade précoce, plus le traitement, qui sera aussitôt mis en route, sera efficace.

C'est la raison pour laquelle vous devez rester très vigilante à l'égard de votre santé.

Signalez à votre médecin le moindre signe anormal :

- l'apparition inexpliquée d'une fièvre légère et qui dure sans motif apparent ;
- l'apparition d'une fièvre qui, au contraire, se manifeste par de fortes poussées ;
- la congestion du visage ;
- des maux de tête ;
- un mal de gorge ;
- une infection urinaire ;
- une infection génitale ;
- des troubles intestinaux.

La listériose

Environ 1 femme enceinte sur 1 000 est concernée par la listériose, une maladie infectieuse due à une bactérie, le listeria monocytose. Elle se transmet en priorité par voie digestive du fait de la consommation d'aliments contaminés, en particulier la viande mal cuite et les produits laitiers.

La contamination par voie respiratoire au contact d'animaux domestiques ou d'élevage ne doit pas non plus être négligée.

Bénigne pour la mère...

La maladie est bénigne pour la mère et se déclare le plus souvent autour du 7e mois, époque à laquelle le listeria est capable de franchir la barrière placentaire.

L'infection qui en résulte provoque chez la mère une fièvre subite, qui peut être élevée et atteindre 38 à 39 °C, avec une forte congestion du visage. Quand elle est légère – dans un quart des cas seulement –, elle dure plus longtemps que pour un simple rhume et récidive sans raison. Elle est souvent accompagnée de courbatures, de maux de tête et de maux de gorge ; des troubles intestinaux ou une infection urinaire peuvent compléter le tableau clinique.

... mais dangereuse pour l'enfant

Pour l'enfant, la situation est critique : dans les cas non trai-tés, deux tiers des fœtus contaminés meurent *in utero* ou dans les 48 heures qui suivent la naissance, tandis qu'un tiers souffrent d'hypotrophie grave.

Plus rarement, la maladie risque de provoquer une septicé-mie ou une méningite avant ou après la naissance.

Dans la majorité des cas, la maladie entraîne un accouche-ment prématuré. Tout dépend de la rapidité d'action dans le diagnostic ainsi que dans la mise en route du traitement.

Pour tout accès de fièvre, consultez absolument un médecin. Il vous fera effectuer un test de dépistage ; mais avant d'en connaître le résultat, il vous prescrira un traitement à base d'antibiotiques. La bactérie est très sensible aux dérivés de la pénicilline et n'y résiste pas plus de 48 heures. Par sécuri-té, le traitement sera poursuivi pendant trois semaines.

Avec un traitement déclenché suffisamment tôt, votre en-fant aura toutes les chances d'être indemne.

LA LISTÉRIOSE

Depuis 1998, la listériose est une maladie à déclaration obligatoire : tout médecin qui diagnostique un cas de listériose doit le déclarer immédiatement à l'Agence régionale de santé (ARS), en précisant s'il s'agit d'une femme enceinte. Les malades interrogés doivent signaler tous les aliments à risque consommés, leur marque ainsi que l'endroit où ils ont été achetés. Les informations, qui sont regroupées à l'Institut de veille sanitaire, permettent de repérer la denrée polluée. Cela n'empêche pas que, chaque année, une cinquantaine de femmes soient contaminées.

Les précautions à prendre

◆ Pendant tout le temps de votre grossesse, évitez le contact étroit avec les chiens et les chats.

◆ Lavez très soigneusement les légumes et les fruits.

◆ Faites bien cuire la viande.

◆ Supprimez les produits laitiers non pasteurisés.

◆ Consultez votre médecin au moindre accès de fièvre, tout en sachant qu'une poussée de fièvre ne signifie pas néces-sairement que vous êtes atteinte de listériose.

Ces conseils recoupent ceux qui sont préconisés pour se protéger de la toxoplasmose (voir pages 105-107).

Cela signifie qu'avec une hygiène de vie correcte, alliant bon sens et prudence, votre grossesse a toutes les chances de se dérouler sans problèmes majeurs.

TO-DO LIST

✓ **Si vous êtes mère célibataire**, renseignez-vous sur vos droits et avantages auprès de la Sécurité sociale et de la Caisse d'Allocations familiales.

SEMAINE DE GROSSESSE

Début de la **32e semaine** depuis le 1er jour de vos dernières règles

EN BREF
CETTE SEMAINE

VOTRE BÉBÉ

- Taille : 25 cm de la tête au coccyx, 37 cm de la tête aux talons
- Poids : 1,5 kg
- Les testicules du garçon descendent dans le scrotum.
- Chez la fille, formation des follicules primordiaux dans l'ovaire.
- Votre bébé occupe presque tout le volume de l'utérus.

VOUS

- Une ligne verticale sombre peut apparaître au milieu de l'abdomen.

Vous êtes parfois fatiguée, mais heureuse de vivre votre grossesse. La plupart des femmes la partagent avec le père de leur enfant à naître. Dans les moments de fatigue et d'angoisse, de doute et d'inquiétude, elles trouvent en lui un soutien précieux, une aide morale et souvent matérielle pour les tâches de la vie quotidienne. Si vous attendez seule votre enfant, ne restez pas isolée. Comme toutes les femmes enceintes, vous avez besoin d'être soutenue et écoutée. Partagez vos inquiétudes et vos craintes avec votre cercle amical ou familial. Si vous ne connaissez personne, adressez-vous à des associations ou des réseaux d'amitié.

Votre bébé

Sa taille est de 25 cm de la tête au coccyx et de 37 cm de la tête aux talons. Son poids est de 1,5 kg. Le diamètre de sa tête est de 8,2 cm.

Votre bébé continue à sucer son pouce. Certains bébés, qui sont peut-être plus gourmands que d'autres, ont, à la naissance, le pouce irrité de l'avoir trop sucé !

Si votre bébé est un garçon, ses testicules quittent la région de l'aine pour descendre dans les bourses. Si c'est une fille, les millions d'ovogonies – les cellules sexuelles primitives – que contenaient ses ovaires ont dégénéré ; seules 400 à 500 cellules poursuivront leur maturation. Elles représenteront 13 ovocytes émis par an (un tous les 28 jours) pendant les 40 ans de la vie génitale de la femme.

En cette 30e semaine de grossesse, ces ovogonies restantes sont transformées en ovocytes de premier ordre ; ces derniers sont entourés de cellules folliculaires et forment ainsi les follicules primordiaux. Ce sont eux qui, à partir de la puberté, effectueront un cycle de maturation dont le but sera la libération d'un ovocyte apte à la fécondation. Encore en gestation, votre fille se prépare pour faire de futurs bébés !

Vous

À ce stade, il ne faut pas confondre anémie vraie et anémie apparente.

En effet, le plasma sanguin de la mère s'accroît plus vite que ne se forment les globules rouges et donc les dilue, donnant l'impression d'une pauvreté en globules. À présent et jusqu'au terme, la fabrication de globules rouges va s'accélérer pour reconstituer l'équilibre quantitatif plasma-globules. Buvez beaucoup d'eau pour alimenter ce volume sanguin et consommez des aliments riches en fer (voir page 116-117).

La reconnaissance de l'enfant si vous n'êtes pas mariée

Quand un enfant naît hors mariage – ce qui est aujourd'hui le cas pour plus de 50 % des enfants nés en France –, sa reconnaissance est un acte officiel : il établit sa filiation avec son père et sa mère, qui pourront alors exercer conjointement leur autorité parentale. Cette reconnaissance doit être effectuée par chacun d'entre eux, ou par les deux ensemble ; elle est distincte de la déclaration de naissance (voir page 346).

Le père et la mère peuvent reconnaître leur enfant :
- soit pendant la grossesse : c'est la reconnaissance anticipée, ou prénatale ;
- soit au moment de la naissance ;
- soit après la naissance.

La reconnaissance s'effectue au service de l'état civil, à la mairie, avec une pièce d'identité.

Quand un enfant naît hors mariage, c'est sa reconnaissance qui confère à l'un ou à l'autre parent, ou aux deux, l'exercice de l'autorité parentale.

Si le père reconnaît son enfant, cela l'engage à contribuer à son entretien. S'il ne le fait pas, vous pouvez vous adresser au tribunal d'instance dont dépend votre domicile pour l'obliger à vous verser une pension alimentaire.

BON À SAVOIR
- Consommez des aliments riches en fer.
- Buvez beaucoup pour alimenter le volume sanguin.

Quel nom portera votre enfant ?

Depuis 2005, les parents, qu'ils soient ou non mariés, peuvent donner à leur enfant :

• soit le nom du père ;
• soit le nom de la mère ;
• soit les deux noms accolés, selon l'ordre qu'ils décident.

Attention ! Ce choix est définitif pour les enfants nés ou à naître.

Vous attendez seule un enfant

Future maman qui n'avez ni compagnon ni mari, que vous soyez célibataire, séparée ou veuve, ne restez pas seule pour autant. Comme toutes les femmes enceintes, et plus qu'une autre, vous avez grand besoin d'être écoutée et épaulée dans les moments difficiles qui se manifestent tout au long de la grossesse. Si vous n'avez pas de famille ni d'amis de qui vous rapprocher, sachez qu'il existe des réseaux d'amitié qui vous apporteront du réconfort et de la solidarité. Des associations ainsi que des organismes officiels pourront vous aider sur le plan matériel, vous conseiller et vous renseigner d'une manière très utile pour vous permettre d'affronter au mieux toutes les situations.

Les sites Internet

Vous pourrez vous procurer sur Internet la liste des associations qui viennent en aide aux mères seules.

Par ailleurs, il existe plusieurs sites qui s'adressent aux familles monoparentales, leur fournissant de nombreux renseignements et organisant des forums de discussion. Parmi eux :

• www.mamansolo.net
• www.parent-solo.fr

Les organismes officiels

• Le Mouvement français pour le planning familial (MFPF) : cette célèbre association est un lieu de parole sur toutes les questions concernant la sexualité et les relations amoureuses, les droits des femmes, le sexisme, la famille, la solidarité et la bioéthique ; sur son site (www.planning-familal. org) figurent les coordonnées de tous les centres départementaux de planification qui proposent des consultations médicales sur rendez-vous et des permanences téléphoniques d'information.

♦ Vous trouverez sur le site du ministère des Affaires sociales, de la Santé et des Droits des femmes (www.social-sante. gouv.fr/espaces,770/famille,774/) diverses informations sur le soutien à la parentalité, et notamment la liste des Points InfoFamille.

♦ Le Centre national d'information sur les droits des femmes et des familles (CNIDFF) : sur le site www. infofemmes.com sont répertoriées les coordonnées des centres régionaux et départementaux.

Les aides

Qu'elles soient célibataires, séparées, divorcées ou veuves, les femmes seules bénéficient des mêmes avantages sociaux donnés à toutes les femmes enceintes (voir dans les Annexes les droits et démarches). Si elles témoignent de ressources insuffisantes ou si elles sont entièrement dépourvues de ressources, elles peuvent obtenir des aides supplémentaires. Le Revenu de solidarité active (RSA) et l'Allocation de soutien familial (ASF) sont des prestations accordées par la Caisse d'allocations familiales.

Vous pouvez demander les formulaires d'inscription par téléphone, ou bien les télécharger et les imprimer sur le site Internet ; vous pouvez également remplir en ligne votre déclaration de ressources et les demandes de certaines prestations.

Retournez le plus vite possible le ou les formulaires complétés, datés et signés, et accompagnés des éventuelles pièces justificatives demandées. Si vous tardez, vous risquez de perdre des mensualités.

Le Revenu de solidarité active (RSA)

Depuis 2009, l'Allocation de parent isolé (API) a été remplacée par le Revenu de solidarité active (RSA), qui vise à assurer un revenu minimal par mois.

Pour bénéficier du RSA, vos ressources et vos prestations familiales ne doivent pas dépasser un certain montant. Le montant forfaitaire du RSA est calculé selon la composition de votre foyer et le nombre de vos enfants à charge. Il est majoré si vous vivez seule et/ou si l'un de vos enfants a moins de 3 ans. Toutes les ressources de votre foyer sont considérées : les rémunérations au titre d'une activité professionnelle, qu'elle soit ou non salariée, ou de stages de formation ; les aides au logement sont prises en compte d'une manière forfaitaire.

Pour estimer le montant de votre Revenu de solidarité active, faites le test RSA sur le site de la Caisse des allocations familiales (www.caf.fr).

♦ Si vous êtes sans activité ou si les revenus de votre foyer sont inférieurs au niveau du montant forfaitaire du RSA, prenez rendez-vous avec votre Caisse d'allocations familiales pour l'étude de votre dossier ; l'ensemble de vos droits seront alors évoqués, en particulier pour l'assurance-maladie.

♦ Si vous exercez une activité ou si les revenus de votre foyer sont supérieurs au niveau du montant forfaitaire du RSA, le test sur le site www.caf.fr vous permettra de savoir si vous pouvez en bénéficier.

Après le versement des trois premières mensualités, votre Caisse d'allocations familiales vous adressera, chaque trimestre, une déclaration à remplir pour connaître vos ressources et recalculer éventuellement votre prestation.

L'Allocation de soutien familial (ASF)

Si vous avez au moins un enfant à charge et si vous vivez seule, cette allocation peut vous être versée par la Caisse des allocations familiales.

Si votre enfant est orphelin de père ou si son père ne l'a pas reconnu, vous avez droit automatiquement à l'Allocation de soutien familial.

Si le père de votre enfant ne participe plus à son entretien depuis deux mois au moins, vous pouvez bénéficier de l'Allocation de soutien familial d'une manière provisoire et selon certaines conditions : si son père est hors d'état d'assumer son obligation d'entretien ; si son père se soustrait à son obligation d'entretien, l'Allocation de soutien familial vous sera versée pendant quatre mois au moins ; enfin, si son père se soustrait au versement d'une pension alimentaire, la Caisse des allocations familiales engagera à votre place une action en justice et vous versera cette allocation à titre d'avance.

Par ailleurs, une aide au logement peut être fournie aux familles monoparentales ; son attribution dépendra de vos ressources.

TO-DO LIST

semaine
30

✓ Passez votre 3e échographie.

LE HUITIÈME
MOIS

Depuis une quinzaine de jours, votre bébé grossit
de plus en plus. Il ne va plus s'arrêter pour devenir,
le jour de sa naissance, un petit poupon bien rond.

Pendant ses deux derniers mois et demi de vie intra-
utérine, il prendra 50 % du poids total qu'il aura
à terme. C'est la raison pour laquelle votre
alimentation est d'une importance capitale.
C'est ce que vous mangez qui construit votre bébé.

C'est aussi ce mois-ci que, s'il ne l'a pas déjà fait,
votre bébé va se retourner pour s'orienter dans
la bonne direction. La tête en bas, il prend dès
maintenant ses dispositions pour sortir, avant
d'être trop gros et de ne plus pouvoir le faire.

•

SEMAINE DE GROSSESSE

Début de la **33e semaine** depuis le 1er jour de vos dernières règles

VOTRE BÉBÉ

- Taille : 26 cm de la tête au coccyx, 39 cm de la tête aux talons
- Poids : 1,7 kg
- Les stimulations sonores provoquent des mouvements du bébé et une accélération cardiaque visible à l'échographie.
- Mesure du diamètre de la tête possible par échographie

Votre bébé occupe presque tout le volume de l'utérus. Il n'a plus assez de place pour se déplacer d'un point à un autre. Avant de bouger plus discrètement, il va faire une dernière galipette et se retourner entièrement, prenant ainsi la position définitive qu'il aura au moment de l'accouchement. Grâce à la troisième échographie, il sera possible de voir comment il fera son entrée dans le monde : la tête la première ou par le siège. C'est ce qu'on appelle la « présentation ».

Votre bébé

Sa taille est de 26 cm de la tête au coccyx et de 39 cm de la tête aux talons. Son poids est de 1,7 kg. Le diamètre de sa tête est de 8,5 cm.

Il va encore beaucoup grandir et grossir ; l'utérus aussi, d'une manière parallèle, mais l'espace est définitivement restreint.

Des stimulations sonores telles que la musique ou encore la voix des parents, en particulier celle du père, car elle est à fréquence plus basse, déclenchent des mouvements chez votre bébé, ainsi qu'une accélération du cœur, perceptibles à l'échographie.

Vous

L'utérus est un organe remarquable. Au cours de la grossesse, il multiplie son poids au moins par dix et augmente de 500 fois environ en volume. La progestérone joue probablement un rôle dans cet incroyable étirement.

En augmentant de volume, l'utérus appuie sur le diaphragme, qui remonte et porte sur le bord de la cage thoracique. C'est en position assise que vous sentez avant tout cette gêne, qui peut finir par être douloureuse. Si c'est le cas, levez-vous et étirez-vous en levant les bras tout en inspirant. Baissez les bras en expirant.

La peau de votre abdomen étant très tendue, votre nombril est, lui aussi, tiré et aplati. Chez certaines femmes, il est si tiré qu'il se retourne et apparaît alors en relief.

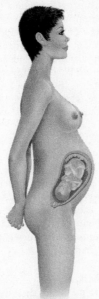

←

Votre bébé
fait une dernière
galipette pour se
préparer à sortir.

La troisième échographie

Entre la 32e et la 34e semaine d'aménorrhée, c'est le moment de faire une troisième échographie, la meilleure date étant la 32e semaine d'aménorrhée, c'est-à-dire la 30e semaine de grossesse. Cette troisième échographie a sa raison d'être si:

- on craint un retard de développement du fœtus, par exemple quand la mère a contracté une maladie infectieuse (voir pages 268-270); on vérifie alors la taille du bébé, ses mouvements cardiaques et ses mouvements réflexes au bruit et à la lumière;

- on soupçonne une anomalie curable. L'échographie permet de voir et ensuite d'agir vite, dès la naissance. Tel est le cas pour la sténose du pylore ou une malformation cardiaque par exemple;

VOS SYMPTÔMES

Vous pouvez ressentir une gêne au niveau de l'utérus en position assise.

- le placenta est situé très près de l'orifice interne du col de l'utérus. On mesure alors la distance définitive qui les sépare. Certains placentas *praevia* descendent très bas, jusqu'à recouvrir l'orifice du col, obligeant à procéder, le moment venu, à une césarienne ;
- on craint une mauvaise présentation. Le bébé amorce sa descente vers l'entrée du bassin maternel aux alentours de la 31e semaine dans le cas d'une première grossesse. Il est en place définitivement aux alentours de la 34e semaine. Chez les multipares, le positionnement du bébé peut avoir lieu plus près du terme. En vue de l'accouchement, on mesure le BIP, ou bipariétal, c'est-à-dire le diamètre de la tête du bébé. On mesure également son diamètre abdominal, au niveau de l'ombilic. Ces deux mesures doivent être en harmonie.

La présentation de votre bébé

La présentation est la façon dont le bébé se place dans l'utérus vers la fin du 7e mois. Elle est appréciée par palpation de l'abdomen et, s'il y a un doute, par échographie ou par radiographie fœto-pelvienne. Il est essentiel que la présentation soit verticale pour le déroulement normal de l'accouchement : elle peut être tête en bas – le cas de loin le plus fréquent – ou tête en haut.

Pour aller plus loin
Retrouvez tous les conseils de l'échographiste p. 364.

La présentation céphalique

L'enfant qui occupe tout l'espace de son habitacle s'adapte au mieux à la forme de celui-ci. C'est pourquoi, dans 97 % des cas, il place la partie la plus volumineuse de son corps dans la zone de l'utérus la plus large. Il se retrouve donc la tête en bas, avec le dos le plus souvent orienté à gauche.

La présentation du sommet

C'est la présentation la plus fréquente. Le sommet du crâne se présente à l'entrée du bassin. La tête s'engagera dans le bassin, au moment de l'accouchement, le menton sur le thorax.

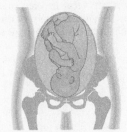

Présentation du sommet : 95 % des cas

La présentation de la face

Dans ce cas, la tête est complètement rejetée en arrière. L'accouchement est souvent difficile et peut nécessiter une césarienne.

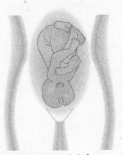

Présentation de la face

La présentation du front

La césarienne est ici obligatoire : la tête se présente dans son plus grand diamètre et rend l'accouchement impossible.

La présentation du siège

L'enfant est en position verticale mais présente les fesses au lieu de la tête. Cette disposition peut être due à un utérus trop petit ou mal formé. Au moment de l'accouchement, l'expulsion peut être difficile et nécessiter une anesthésie générale.

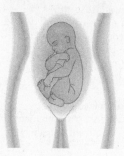

Présentation du siège

La présentation transverse

L'enfant est placé en travers de l'entrée du bassin. Il en ferme le passage avec son dos. C'est alors l'épaule qui se présente en premier. Une césarienne est indispensable.

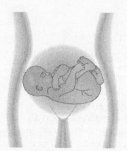

Présentation transverse

SEMAINE DE GROSSESSE

Début de la **34e semaine** depuis
le 1er jour de vos dernières règles

Votre bébé a besoin de calcium pour construire son squelette ; veillez à consommer tous les jours des produits laitiers pour aider votre bébé, mais aussi pour préserver vos os et vos dents. Profitez de votre congé maternité pour vous reposer — vous en avez bien besoin — et pour préparer l'arrivée de votre bébé.

Votre bébé

Sa taille est de 27 cm de la tête au coccyx et de 40,5 cm de la tête aux talons. Son poids est de 1,9 kg. Le diamètre de sa tête est de 8,7 cm.

Les ongles de votre bébé atteignent à présent le bout de ses doigts, mais pas encore l'extrémité de ses orteils.

S'il continue à accumuler de la graisse, son corps possède encore néanmoins une apparence fripée.

Sa peau est un peu moins rouge, plutôt rose, et son revêtement protecteur, le vernix caseosa, est à présent très épais.

En cette 32e semaine de grossesse, le niveau du calcium dans le sang du bébé est plus haut que dans celui de la mère. Le placenta est quelquefois surnommé la « pompe à calcium », car il distribue le minéral de la mère au bébé, en une quantité considérable, pour permettre l'élongation des os.

Situées au sommet des reins, les glandes surrénales sont, chez votre bébé, de la taille de celles d'un adolescent. Chaque jour, ces glandes produisent près de dix fois plus d'hormones stéroïdes que celles d'un adulte normal !

Une partie de ces hormones est transformée en une hormone œstrogène, qui se trouve à l'origine du colostrum, ce premier lait, épais et jaunâtre, qui peut s'écouler désormais de vos seins (voir pages 267-268).

Après la naissance, les glandes surrénales régresseront d'une manière incroyable, puisqu'elles seront, cette fois-ci, proportionnelles à la taille de votre bébé.

Vous

Les os de votre bébé continuent de s'allonger et de s'épaissir. Il ne faut pas que ce soit au détriment de votre propre squelette ou de votre dentition. Consommez tous les jours du lait et des fromages pasteurisés afin de lui apporter la quantité de calcium dont il a besoin.

Pour aller plus loin
Retrouvez tous les conseils de la nutritionniste p. 382.

Par ailleurs, ne négligez pas :
◆ votre poids. Continuez à vous peser régulièrement ;
◆ le contrôle de vos urines.

Bientôt le congé de maternité

Vous êtes à 7 semaines du terme. Votre congé de maternité va commencer dans les 7 jours à venir.

Le congé de maternité n'est pas un luxe. Vous êtes alourdie par un utérus très gros, fatiguée par une circulation sanguine et une respiration difficiles, car tous les organes sont comprimés. Mettez ce temps à profit pour vous reposer et vous préparer, sur le plan matériel et psychique, à la venue de votre bébé.

À la fin de cette 32e semaine, vous pourrez saluer vos collègues et votre patron. Ils ne vous verront pas avant un certain temps. Vous les quitterez un peu lasse de porter vos formes épanouies et, quand vous les retrouverez, vous serez une jeune mère heureuse.

Pendant votre congé de maternité

◆ Reposez-vous le plus possible. Évitez toute activité qui pourrait déclencher un accouchement prématuré. Si la gestation est de neuf mois, c'est qu'il faut neuf mois à votre bébé pour parvenir à une maturation complète de ses organes. Plus il naîtra proche du terme, plus il aura de chances de réussir une bonne entrée dans la vie.

◆ Faites vos exercices de relaxation, de respiration et d'assouplissement du périnée.

◆ Achevez de préparer la chambre du bébé. Il est préférable qu'il ne dorme pas dans votre chambre, mais dans la sienne. Si vous êtes angoissée à la pensée de ne pas l'entendre, placez pendant quelque temps son berceau tout à côté de votre chambre et laissez la porte ouverte. Sachez que les babyphones vous permettront d'entendre votre bébé où que vous soyez dans la maison.

◆ Organisez la garde de vos éventuels autres enfants pendant votre séjour à la maternité.

◆ Pensez à vous faire aider durant les premiers jours de votre retour de la maternité. Si le papa n'est pas disponible et si vous n'avez ni mère ni belle-mère près de vous, vous pouvez vous adresser à votre mairie qui vous indiquera une aide familiale. Vous devrez vous reposer et avoir du temps pour suivre les cours de gymnastique ou de rééducation du périnée. Pour cela, vous devez être déchargée de temps en temps de la garde de votre bébé. Pour obtenir la liste des associations d'aide familiale de votre région, consultez Internet ou adressez-vous à votre mairie.

Les modalités légales du congé de maternité

Soumises régulièrement à diverses modifications, les modalités légales du congé de maternité peuvent être consultées sur Internet : www.caf.fr ou www.ameli.fr

Le congé de maternité comprend un congé prénatal – avant l'accouchement – et un congé postnatal – après l'accouchement. La durée de chaque congé varie selon le nombre d'enfants que vous attendez et s'il s'agit ou non votre premier enfant (voir le tableau p.288).

Toute femme a le droit de prendre un congé plus court, à condition de s'arrêter au moins deux semaines avant l'accouchement et six semaines après, sous peine de perdre ses droits aux indemnités journalières.

À la fin de votre congé de maternité, vous devrez envoyer à votre caisse de Sécurité sociale une attestation de reprise de travail signée par votre employeur.

BON À SAVOIR

Le retour à la maison avec le bébé n'est pas toujours facile. Prévoyez de vous faire aider, le temps de vous organiser.

Si vous attendez un seul enfant et si c'est votre premier

Le repos prénatal commence 6 semaines avant l'accouchement et se poursuit par un repos postnatal de 10 semaines après l'accouchement. Le congé de maternité classique comprend donc 16 semaines de repos.

La durée légale du congé de maternité, qui est déterminée par le code du travail, peut varier selon votre convention collective. Si vous êtes salariée, renseignez-vous, vous pourrez peut-être bénéficier de quelques jours en plus.

	Vous attendez	Congé prénatal	Congé postnatal
Vous n'avez pas d'enfant	• votre premier enfant • des jumeaux • des triplés et plus	6 semaines 12 semaines 24 semaines	10 semaines 22 semaines 22 semaines
Vous avez déjà un enfant	• un deuxième enfant • des jumeaux • des triplés et plus	6 semaines 12 semaines 24 semaines	10 semaines 22 semaines 22 semaines
Vous avez déjà deux enfants et plus	• un nouvel enfant • des jumeaux • des triplés et plus	8 semaines 12 semaines 24 semaines	18 semaines 24 semaines 22 semaines

Si l'accouchement est prématuré

Les semaines qui n'ont pas été prises pendant le congé prénatal pourront être reportées à la suite du congé postnatal afin de constituer les 16 semaines légales.

♦ Si l'accouchement a lieu avant le début du congé prénatal, l'ensemble des 16 semaines sera entièrement reporté en congé postnatal.

♦ Si l'accouchement a lieu plus de 6 semaines avant la date prévue et réclame l'hospitalisation du bébé, la mère bénéficiera d'une période supplémentaire d'indemnisation par l'assurance-maternité.

Si l'accouchement a lieu après la date prévue pour le terme

Le congé prénatal sera prolongé jusqu'à la date de l'accouchement; en revanche, le congé postnatal ne sera pas modifié.

Si la mère est malade à partir du 6e mois de sa grossesse

Elle peut bénéficier au maximum d'un congé prénatal de 2 semaines supplémentaires, qui seront indemnisées au tarif du congé de maternité; les autres congés maladie pris au cours de la grossesse seront indemnisés au tarif maladie.

Si le bébé est hospitalisé

La mère peut reprendre son travail pendant cette période. Les semaines de congé postnatal qu'elle n'aura donc pas prises pourront l'être plus tard, quand l'enfant aura quitté l'hôpital. Si le bébé décède, la mère peut prendre son congé postnatal.

Si vous ne désirez pas reprendre le travail

Si vous travaillez dans le secteur public, vous avez droit à un congé sans solde pendant trois ans. À la fin de ce congé, vous serez réintégrée dans votre emploi ; vous pouvez demander un temps partiel, mais ce droit n'est pas systématiquement accordé.

Si vous travaillez dans le secteur privé, vous avez une possibilité légale : le congé parental d'éducation.

Le congé parental d'éducation

Ce congé est accordé pour un an et peut être renouvelé deux fois jusqu'au troisième anniversaire de votre enfant. Il peut être pris soit à mi-temps soit à plein-temps. L'employeur ne peut refuser ce congé à la mère ou au père, quel que soit l'effectif de son entreprise.

À ce congé parental d'éducation s'ajoute le complément optionnel de libre choix d'activité de la Prestation d'accueil du jeune enfant (PAJE) (voir en annexe les prestations de la Caisse des allocations familiales). D'une durée d'un an, pouvant être partagé entre le père et la mère, il ne s'applique que dans le cas d'un troisième enfant. Les deux types de congés ne peuvent être cumulés.

Les conditions

Pour demander un congé parental d'éducation, il faut, à la naissance de son enfant :

- avoir travaillé au moins un an dans l'entreprise ;
- prévenir son employeur par lettre recommandée avec accusé de réception de son intention de prendre un congé parental d'éducation. Il faut le faire au moins un mois avant l'expiration du congé de maternité et deux mois avant de s'arrêter, dans le cas d'une reprise de travail entre-temps.

BON À SAVOIR

Le congé parental est souvent remis en cause. En 2014, le gouvernement a annoncé qu'il souhaitait le raccourcir, d'une part pour ne pas éloigner trop longtemps les femmes du monde du travail et inciter les hommes à partager avec elles les éventuels congés ; d'autre part pour faire des économies. Le gouvernement promet de créer de nouvelles places d'accueil et de revaloriser les prestations.

Le parent n'est pas obligé de prendre le congé parental d'éducation à la suite du congé de maternité ; il peut le faire dans les deux ans qui le suivent. Dans ce cas, si la mère a repris son travail avant de demander le congé, ce dernier sera diminué de la période pendant laquelle elle a travaillé. Si c'est le père qui demande le congé parental d'éducation, la mère doit envoyer à l'employeur de celui-ci une lettre recommandée avec accusé de réception, précisant qu'elle ne peut pas ou qu'elle ne souhaite pas prendre ce congé. En théorie, à l'expiration du congé, le parent retrouve son emploi ou un emploi similaire.

Les congés d'accueil de l'enfant et de paternité

Le congé de naissance

Pour la naissance de son enfant, tout père qui est salarié – sauf s'il est travailleur temporaire ou salarié agricole – dispose de 3 jours de congés rémunérés, quelle que soit son ancienneté dans l'entreprise.

Ce congé de naissance doit être pris dans les 15 jours qui précèdent ou qui suivent l'accouchement. Certaines conventions collectives peuvent également prévoir des congés supplémentaires, assortis d'une condition d'ancienneté.

Le congé de paternité

Tout père actif – qu'il soit salarié, fonctionnaire, travailleur indépendant, employeur ou chômeur indemnisé – peut prendre 11 jours de congés consécutifs rémunérés dans les quatre mois qui suivent la naissance de son enfant, ou 18 jours en cas de naissances multiples.

Ce congé de paternité est cumulable avec les 3 jours de congé de naissance ; il est indemnisé dans les mêmes proportions que le congé de maternité.

Le futur père doit avertir son employeur un mois avant le début de son congé.

SEMAINE DE GROSSESSE

Début de la **35e semaine** depuis
le 1er jour de vos dernières règles

Vous allez passer la sixième visite médicale
obligatoire. En plus de constater la croissance de
votre bébé, votre bon état de santé et la fermeture
du col, celle-ci permettra de connaître la
présentation de votre enfant. En effet, celui-ci,
à l'étroit dans votre utérus, n'aura plus la place
de se retourner.

Votre bébé

Sa taille est de 28 cm de la tête au coccyx et de 42 cm de la
tête aux talons. Son poids est de 2,1 kg. Le diamètre de sa
tête est d'environ 8,8 cm.

Le méconium

Votre bébé avale beaucoup de liquide amniotique et urine
beaucoup. Le méconium, fait de débris cellulaires et graisseux contenus dans le liquide amniotique, de mucus et de
bile qui se déverse de la vésicule, s'accumule dans ses intestins. C'est une matière verdâtre ou noirâtre, épaisse et
visqueuse, que le bébé éliminera à la naissance. Il le rejettera mieux s'il tète au sein maternel le colostrum, qui est un
léger purgatif.

À partir de maintenant et jusqu'à la naissance, la détection
de méconium dans le liquide amniotique, qui normalement
doit être clair, est un signe de détresse fœtale. La première
manifestation de souffrance fœtale est en effet la contraction de l'intestin.

Des dispositions doivent alors être prises. En général, le médecin décide de provoquer l'accouchement.

Le méconium est repéré dans le liquide amniotique par amnioscopie. Cet examen est pratiqué près du terme en cas de
suspicion de souffrance fœtale, par exemple à la suite d'une
maladie infectieuse contractée par la mère. On regarde l'aspect du liquide à travers les membranes formant la cavité
amniotique en introduisant un tube fin dans le col de l'utérus.

EN BREF
CETTE SEMAINE

VOTRE BÉBÉ
- Taille : 28 cm de la
  tête au coccyx, 42 cm
  de la tête aux talons
- Poids : 2,100 kg
- Votre bébé avale
  beaucoup de liquide
  amniotique et urine
  beaucoup.
- Le méconium
  s'accumule dans
  son intestin.
- Il se retourne,
  tête en bas.

VOUS
- Du fait de son
  accroissement, votre
  utérus pèse 1 kg de
  plus qu'avant votre
  grossesse.

La présentation

S'il ne l'a pas déjà fait, votre bébé se retourne pour placer sa tête dans la partie la plus étroite de l'utérus. 97 % des bébés ont ainsi la tête en bas, le dos orienté vers la gauche (voir page 282).

→

La présentation par le sommet : c'est la tête qui s'engagera en premier dans le bassin.

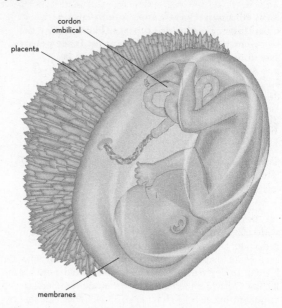

cordon ombilical

placenta

membranes

Vous

Un accroissement continuel de l'utérus s'est produit tout au long de votre grossesse. Ce développement s'est fait sur plusieurs paramètres : le volume et le poids. Le poids actuel de votre utérus, indépendamment du bébé qu'il contient, est supérieur de 1 kg environ à celui d'un utérus non gravide.

La sixième visite médicale obligatoire

Cette visite doit impérativement avoir lieu lors des deux premières semaines du 8e mois. Comme la visite précédente, elle a pour but :

♦ de contrôler si la croissance du bébé est normale, si le col est encore correctement fermé et si la santé de la mère est satisfaisante ;
♦ d'apprécier si la présentation est bonne, car le bébé a maintenant pris sa position presque définitive ;
♦ de juger, au cours de l'examen obstétrical, de la forme et des dimensions du bassin. S'il est inférieur aux normes, on pourra compléter l'examen par une radiopelvimétrie (voir page 307), un examen radiologique du bassin osseux qui en donne les mensurations exactes.

L'assurance-maternité

On désigne sous le terme « assurance-maternité » l'ensemble des avantages qui, pour toute femme assurée sociale ou ayant-droit d'un assuré social, vient compléter l'assurance-maladie (voir en annexe les remboursements de l'assurance- maternité). Ces avantages sont accordés par la caisse de Sécurité sociale. Il s'agit :
♦ des remboursements des frais médicaux et des divers examens occasionnés par la grossesse et par l'accouchement ;
♦ des remboursements pour l'enfant ;
♦ des prestations familiales accordées aux femmes qui se soumettent aux visites médicales obligatoires et aux examens prénataux et postnataux ;
♦ des indemnités journalières de congé prénatal et postnatal versées aux femmes qui travaillent (voir pages 286-290).
La condition de durée de travail nécessaire pour bénéficier de l'assurance-maternité est la même que celle requise pour l'assurance-maladie.

TO-DO LIST

semaine
33

✓ **Sixième visite médicale obligatoire** en cas de suspicion de souffrance fœtale (maladie infectieuse de la mère).

✓ **Renseignez-vous sur les aides financières** auprès de votre caisse de Sécurité sociale et de la Caisse d'allocations familiales.

SEMAINE DE GROSSESSE

Début de la **36ᵉ semaine** depuis le 1ᵉʳ jour de vos dernières règles

Votre bébé se fait une beauté : il a bien grossi, il n'a presque plus de rides mais un beau visage lisse. Vous souffrez peut-être de contractions ; soyez vigilante, mais ne vous affolez pas : si elles sont irrégulières, elles n'indiquent pas le début du travail.

Votre bébé

Sa taille est de 29 cm de la tête au coccyx et de 43 cm de la tête aux talons. Son poids est de 2,2 kg. Le diamètre de sa tête est de 9 cm.

Alors qu'il était jusqu'alors plutôt maigre et fripé, votre bébé a maintenant, en cette 34ᵉ semaine de grossesse, des contours un peu plus ronds, et son visage est lisse. La plupart de ses rides ont disparu au fur et à mesure que les couches de graisse sont déposées sous sa peau.

Si c'est une fille, les ovaires ne sont toujours pas descendus dans l'abdomen. Ils migreront seulement après la naissance.

Les taches de naissance

Au cours du développement peuvent survenir des défauts mineurs, qui seront visibles à la naissance, par exemple une tache qu'on appelle une « marque de naissance » ou encore une « envie ». L'appellation est en réalité mauvaise, car ces taches n'ont aucun rapport avec le mécanisme de la naissance et ne résultent d'aucun traumatisme, pas plus qu'elles ne proviennent d'une envie non satisfaite de la future mère. La marque de naissance n'est pas une tumeur et pousse à peu près à la même vitesse que les tissus qui l'entourent. Si n'importe quelle partie du corps peut être touchée, plus de la moitié des marques de naissance apparaissent sur la peau du visage, de la tête ou du cou.

Tandis que quelques marques de naissance persistent pendant toute l'existence, d'autres régressent d'une façon appréciable ou disparaissent entièrement au cours de l'enfance. Le laser permet de les supprimer.

Vous

À ce stade de leur grossesse, nombreuses sont les femmes qui ont des contractions utérines périodiques. Elles ressentent habituellement au sommet de l'utérus comme une raideur ou une tension, qui s'étend vers le bas, puis se relâche.

Si quelques contractions peuvent être fortes, elles ne sont pas fréquentes et, surtout, elles sont à intervalles irréguliers. Aussi les distingue-t-on facilement des contractions qui signalent le commencement du travail de l'accouchement. Ne vous affolez pas ; prévenez néanmoins votre médecin.

VOS SYMPTÔMES

Vous pouvez avoir quelques contractions utérines. Pas d'affolement, mais prévenez votre médecin.

POUVEZ-VOUS ENCORE FAIRE L'AMOUR ?

Sauf contre-indication majeure, une femme enceinte peut faire l'amour jusqu'à son accouchement, à condition de prendre quelques précautions :

♦ choisir des positions adaptées pour éviter tout faux mouvement douloureux ;

♦ éviter les pénétrations trop longues ou trop fortes qui risqueraient de déclencher des contractions.

Des contre-indications à la pénétration existent néanmoins en cas de grossesse gémellaire ou multiple, d'un accouchement prématuré précédent, d'hypertension artérielle et de placenta implanté trop bas (placenta *praevia*). L'absence de pénétration momentanée n'empêche nullement les caresses, donc le plaisir, chez un couple.

Le sperme contient des prostaglandines, des hormones qui agissent directement sur les fibres musculaires de l'utérus et déclenchent des contractions. C'est la raison pour laquelle les rapports sexuels à un stade avancé de la grossesse provoquent souvent l'accouchement.

Préparez vos affaires

Vous n'êtes plus tellement loin du terme et votre bébé peut maintenant arriver à tout moment. Aussi vaut-il mieux prévoir un départ anticipé à la maternité et tout préparer à l'avance, sur le plan administratif et pratique.

N'oubliez pas vos papiers

Rassemblez vos papiers dans une grande enveloppe pour être sûre d'avoir tout sous la main : votre livret de famille ou reconnaissance anticipée, votre pièce d'identité, votre carte de groupe sanguin, votre carte Vitale et de mutuelle, votre guide de surveillance médicale, les derniers résultats d'analyses, ainsi que votre fiche d'inscription à la maternité avec le reçu de la somme déjà versée au moment de l'inscription s'il s'agit d'une clinique agréée.

Si vous accouchez dans un hôpital
En théorie, vous n'avez besoin de rien : tout le linge vous est fourni, pour vous et pour votre bébé. Vous pouvez donc vous contenter d'apporter simplement votre nécessaire de toilette, c'est-à-dire vos objets personnels, sans oublier naturellement une robe de chambre ou une petite laine et des chaussons. Toutefois, il sera plus agréable pour vous de recevoir votre famille et vos amis dans une tenue confortable. Et vous serez heureuse de mettre à votre bébé les bodys et grenouillères (pyjamas) que vous aurez apportés pour lui.

Si vous accouchez dans une clinique
Vous devez apporter votre linge et celui de votre bébé. Notez que dans une clinique, le séjour est souvent plus long d'un à deux jours qu'à l'hôpital : cela permet de vous aider à commencer au mieux l'allaitement de votre bébé et de voir si tout va bien.

Votre valise pour le séjour
- Un tee-shirt ample dans lequel vous êtes à l'aise et des chaussettes pour l'accouchement
- 2 chemises (de nuit) courtes qui s'ouvrent facilement devant, surtout si vous allaitez
- Une robe de chambre/peignoir et des chaussons
- Si vous allaitez, 2 soutiens-gorge qui s'ouvrent devant, des coussinets d'allaitement et une crème cicatrisante pour éviter les crevasses (demandez conseil à votre pharmacien)
- Des serviettes hygiéniques et des culottes jetables ou en filet (souvent fournies par la maternité)
- Du linge et votre nécessaire de toilette
- De quoi lire et écrire

La valise de votre bébé

Lors des cours de préparation à l'accouchement, la sage-femme vous dira ce qu'il faut emporter. Prévoyez :

- 1 gigoteuse ou un nid d'ange ;
- 4 pyjamas qui se ferment sur le devant et à l'entrejambe ;
- 4 chemises en coton ou brassières ;
- 4 bavoirs ou langes ;
- des serviettes-éponges
- 4 paires de chaussettes ou de chaussons (facultatif) ;
- 1 bonnet de naissance ;
- une tenue complète pour la sortie.

Les contractions utérines

**BON
À SAVOIR**

Renseignez-vous à propos des couches et des produits de soin : assurez-vous que la maternité les fournit.

L'utérus est un muscle constitué de plusieurs types de fibres qui, en se contractant, vont jouer un rôle précis au cours de l'accouchement. Les fibres musculaires longitudinales qui constituent l'extérieur de l'utérus permettent, en se contractant, l'effacement du col. La conjugaison des contractions simultanées de fibres circulaires et de fibres longitudinales internes fait descendre l'enfant vers la partie inférieure de l'utérus afin d'en être expulsé.

La cause précise du déclenchement de l'accouchement est encore ignorée. Si on connaît bien sûr un certain nombre de facteurs déclenchants, on ne sait pas ce qui soudain décide du moment.

Les facteurs hormonaux

- Par sécrétion d'une hormone hypophysaire du bébé, le taux de progestérone de la mère, jusqu'alors très élevé, chute d'une manière brutale. Cela entraîne la sécrétion par l'hypophyse de la mère d'une nouvelle hormone, l'ocytocine, dont la présence est essentielle pour l'accouchement, car elle déclenche les contractions de l'utérus. D'ailleurs, on en administre aux femmes dont les contractions ne sont pas assez efficaces ou pour déclencher le travail lors d'un accouchement provoqué.
- Le taux de prostaglandines, des hormones sécrétées par le muscle utérin lui-même, augmente, provoquant des contractions.

Les facteurs mécaniques

- À un moment, la distension de l'utérus déclenche la sécrétion des prostaglandines.
- Engagée dans le bassin, la tête de l'enfant exerce une pression et tire sur le col. Par un réflexe nerveux dont le point de départ est le col, des contractions peuvent être amorcées et entretenues ; il n'est pas rare qu'un examen de fin de grossesse déclenche l'accouchement dans les 24 heures.

Le résultat des contractions

L'effacement du col

Les contractions exercent leur force du fond de l'utérus vers le col. À chaque contraction, les parois de l'utérus tirent le col vers le haut. Il se raccourcit ainsi peu à peu jusqu'à disparaître complètement ; s'il finit par se confondre avec le reste de l'utérus, il reste cependant toujours fermé par le bouchon muqueux. Dans certaines grossesses à risque, l'effacement du col peut avoir lieu plusieurs semaines avant l'accouchement. Chez les primipares, la dilatation commence une fois le col effacé. Selon les femmes, il peut mettre plusieurs heures à s'effacer.

$\rightarrow$

Effacement et dilatation du col au cours de l'accouchement.

La dilatation du col

Toujours sous l'effet des contractions, le col s'ouvre peu à peu. La dilatation complète du col correspond à une ouverture de 10 cm de diamètre. Le corps de l'utérus se trouve alors en continuité avec le vagin.

L'enfant ne peut pas sortir de l'utérus tant que la dilatation du col est incomplète, et la mère qui sent la tête de l'enfant appuyer en bas de l'utérus a tendance à vouloir pousser. Cela ne sert à rien. Attendez que le médecin ou la sage-femme qui dirige l'accouchement vous le demande.

Chez les multipares, l'effacement et la dilatation ont lieu plus ou moins en même temps.

La poussée de l'enfant en avant

Les contractions agissent sur l'enfant en le poussant peu à peu en avant ; elles l'aident à se tourner légèrement pour s'orienter selon le meilleur axe de passage à travers le bassin. Au moment de l'expulsion, les contractions utérines ont pour rôle de pousser le bébé vers l'extérieur.

La délivrance

Après la naissance du bébé et après un temps d'arrêt des contractions, celles-ci reprennent, mais cette fois-ci de façon beaucoup moins douloureuse. Elles ont pour objectif le décollement et l'expulsion du placenta par rétraction de l'utérus, ainsi que la ligature naturelle des vaisseaux sanguins qui les reliaient.

L'espèce humaine est la seule espèce qui perd une forte quantité de sang au moment de la délivrance – environ un demi-litre.

 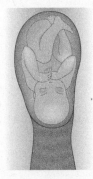

La dilatation complète du col correspond à une ouverture de 10 cm de diamètre. Le corps de l'utérus se trouve alors en continuité avec le vagin.

LE NEUVIÈME
MOIS

Ça y est, c'est bientôt la fin de votre long parcours ! Vous n'êtes pas la seule à désirer que cette gestation s'achève : votre bébé aussi ! Il a hâte de sortir de son habitacle de plus en plus étroit pour voir enfin ce monde qui l'entoure et dont il entend les bruits.

Il est surtout pressé de vous rencontrer : il connaît votre voix, le bruit de votre cœur ; il sait si vous dormez, si vous mangez ou bien si vous marchez. Et il aime beaucoup quand vous marchez ! C'est pour lui un réel plaisir, car il est bercé au rythme de vos pas. Un plaisir qu'il réclamera à grands cris quand il sera né !

Vous vivez ensemble depuis bientôt neuf mois. Enfin, vous allez vous découvrir. Vous vous aimez déjà, mais ce n'est que le début.

●

SEMAINE DE GROSSESSE

Début de la **37e semaine** depuis le 1er jour de vos dernières règles

Votre bébé, qui a commencé à descendre dans votre bassin, appuie fortement sur le bas-ventre, ce qui n'est pas confortable pour vous. Plus de la moitié des accouchements prématurés commencent à cette période, sans raison précise. À ce stade, un enfant né prématurément a 99 % de chances de survie.

Votre bébé

Sa taille est de 30 cm de la tête au coccyx et de 45 cm de la tête aux talons. Son poids est de 2,4 kg. Le diamètre de sa tête mesure 9,2 cm.

Votre bébé excrète environ 25 à 30 millilitres d'urine par heure, soit deux cuillerées à soupe. Cette urine est rejetée dans le liquide amniotique dans lequel il baigne. Le liquide amniotique se trouve à l'intérieur de deux sacs : un sac externe, le chorion, qui entoure le sac interne, l'amnios. Ces deux sacs sont tellement accolés qu'ils donnent l'apparence de n'être qu'un. Ils forment ce qu'on appelle les « membranes » ; le tout constitue la poche des eaux. Quand les membranes sont rompues, habituellement pendant le travail de l'accouchement, le liquide s'écoule par le col en cours de dilatation et par le vagin. Il sert alors de lubrifiant pour le passage de l'enfant.

Le placenta a un diamètre de 20 cm pour une épaisseur de 3 cm. Son poids est de 500 g environ. Son augmentation phénoménale tient au besoin d'échanges de nutriments et de déchets entre la mère et l'enfant.

Vous

Sans doute ressentez-vous dans le bas du ventre un poids, des tiraillements et des douleurs diffuses. Ces douleurs sont dues au relâchement des articulations du bassin, qui commencent à s'écarter un peu en vue du passage du bébé. Cet

EN BREF
CETTE SEMAINE

VOTRE BÉBÉ

- Taille : 30 cm de la tête au coccyx, 45 cm de la tête aux talons
- Poids : 2,400 kg
- Votre bébé commence à se défriper par accumulation de graisse sous la peau.
- Le lanugo commence à disparaître.
- Le placenta a un diamètre de 20 cm et une épaisseur de 3 cm. Il pèse environ 500 g.

VOUS

- Les articulations du bassin commencent à s'écarter un peu.
- Tiraillements
- Douleurs diffuses dues au relâchement des articulations.

écartement tire sur les ligaments et est ressenti d'une manière douloureuse par la mère. Vos hanches se sont donc un peu élargies. Elles reprendront la position qui était la leur avant la grossesse après une année environ.

Cet engagement peut se produire à la fin de la grossesse, dans les semaines qui précèdent l'accouchement, notamment pour un premier enfant, comme il peut avoir lieu seulement quelques jours ou parfois quelques heures avant le début des contractions.

Pour accoucher dans les meilleures conditions

Accoucher dans les meilleures conditions, sans complications et sans souffrance excessive, est bien sûr le rêve de chaque femme. Un rêve qui se réalise dans 90 % des cas. Mais il y a aussi les femmes qui ont un problème, toujours détecté à l'avance quand il est lié à une pathologie ou à une malformation, et il y a celles, enfin, pour lesquelles tout devrait bien se passer mais qui ont un accouchement long et difficile qui ne leur laissera pas un bon souvenir.

⚠ ATTENTION
Reposez-vous !

← **Votre bébé descend dans le bassin,** appuyant fortement dans le bas-ventre.

BON À SAVOIR

Vous allez vivre
un grand moment :
la venue au monde
de votre bébé. Soyez
confiante et détendue.

Restez confiante

- Ne vous laissez pas envahir par l'appréhension de l'accouchement qui approche. Continuez à faire d'une manière régulière vos exercices de relaxation et de respiration (voir pages 234-236 et 204-205). Ils vous apportent la détente et la confiance dont vous avez besoin. Le moment venu, ils seront une aide précieuse pour vous empêcher de paniquer face à la douleur. C'est essentiel, car la peur joue un rôle extrêmement négatif dans le travail de la naissance.

- Ne pensez pas à vous ni à ce qui va vous arriver, car vous risquez bien d'être très pessimiste : vous allez avoir peur de souffrir, peur que cela se passe mal, peur de mal faire, peur que votre bébé n'ait un problème... Toutes vos craintes refoulées pendant les neuf mois de grossesse vont rejaillir à la surface.

- Soyez décontractée. Pour cela, souriez en pensant à votre bébé dans la jolie petite grenouillère que vous lui avez achetée. Essayez d'imaginer ses cheveux : sont-ils bruns ou blonds ? Pensez à ses yeux : sont-ils bleus comme les vôtres ou marron comme ceux de son père ? Aura-t-il votre nez, votre bouche ? En un mot, à qui ressemblera-t-il ? Autant de surprises qu'il vous réserve, bien que vous sachiez déjà beaucoup de choses sur lui. En particulier, si vous n'avez pas pu résister à l'envie de savoir si c'est un garçon ou une fille. Alors, parlez-lui doucement en l'appelant par le prénom que vous avez peut-être choisi depuis longtemps.

- Soyez détendue. Ne vous contrariez pas pour des petites choses. Évitez toutes les tensions inutiles, les crispations et toutes les sortes de stress. Cela vous agite et vous contracte intérieurement d'une manière tout à fait inutile. Vous allez vivre un grand moment, prenez-en pleinement conscience dans la sérénité, l'optimisme et la joie.

Un obstacle à franchir : le bassin maternel

Le bassin osseux est l'obstacle à franchir pour votre bébé. C'est un véritable tunnel au bout duquel se trouvent, dans un monde tout nouveau pour lui, la lumière et la découverte de la vie. Il est formé de quatre os : le sacrum, situé en bas de la colonne vertébrale avec, à son extrémité, le coccyx et les os iliaques qui entourent, à droite et à gauche, la symphyse pubienne.

Pendant tout le temps de la grossesse, l'enfant est situé au-dessus du bassin. C'est vers la fin du 7e mois, ou au cours du 8e, qu'il se présente, la tête en bas, vers l'orifice d'entrée du bassin.

Des adaptations successives

Au cours de l'accouchement, le bébé va entrer complètement dans le bassin par l'orifice d'entrée, appelé « détroit supérieur », le traverser et finalement en sortir par l'orifice de sortie, appelé « détroit inférieur ». De surcroît, le détroit inférieur est fermé par les muscles du périnée et la vulve.

Pour franchir ces différents obstacles, votre bébé devra effectuer une série de mouvements afin de s'adapter, au cours de sa progression, à la forme du passage. En même temps que la tête s'engage, fléchie sur la poitrine, dans le détroit supérieur, elle se tourne légèrement vers le côté droit ou gauche pour entrer plus facilement dans le bassin.

Ce premier détroit franchi, la tête du bébé descend ensuite doucement dans le bassin, puis effectue une seconde rotation afin de se trouver au niveau d'ouverture maximale de l'orifice de sortie. Cela signifie que, au cours de la traversée du bassin, l'enfant change deux fois l'orientation de sa tête. D'une manière schématique, on peut dire qu'il entre dans le bassin en regardant l'une de ses épaules et qu'il en sort en regardant le sol.

La tête est la partie la plus volumineuse de l'enfant. Lorsqu'elle a franchi un obstacle, le reste du corps suit sans difficulté.

Ce qui aide à la traversée

Plusieurs éléments interviennent d'une façon simultanée dans la traversée du bassin :

- la malléabilité du crâne du bébé, dont les os ne sont pas encore complètement soudés et qui peut ainsi épouser la forme du passage ;
- le relâchement des articulations du bassin maternel ;
- les contractions de l'utérus qui poussent l'enfant en avant et lui font effectuer les deux mouvements essentiels de la tête.

Pour aller plus loin
Retrouvez tous les conseils de la sage-femme et de l'obstétricienne p. 350 et p.359.

36e

SEMAINE DE GROSSESSE

Début de la **38e semaine** depuis le 1er jour de vos dernières règles

EN BREF
CETTE SEMAINE

VOTRE BÉBÉ

- Taille : 32 cm de la tête au coccyx, 46,5 cm de la tête aux talons
- Poids : 2,650 kg
- Le lanugo a disparu.

VOUS

- La courbure de votre colonne vertébrale s'est accentuée pour compenser l'accroissement du poids sur le devant du corps.

Votre bébé pèse maintenant presque 3 kg et ressemble à un poupon bien dodu. Vous allez passer le dernier examen prénatal obligatoire.
Il permettra notamment de prévoir la manière dont l'accouchement se déroulera.

Votre bébé

Sa taille est de 32 cm de la tête au coccyx et de 46,5 cm de la tête aux talons. Son poids atteint 2,65 kg. Le diamètre de sa tête est de 9,3 cm.
Le lanugo a maintenant disparu. La peau de votre bébé n'est presque plus ridée, car la graisse s'est beaucoup épaissie sur toute la surface du corps. Désormais, votre bébé est bien dodu !
Tout de suite après la naissance, la circulation sanguine du nouveau-né sera entièrement différente de celle qui fut la sienne durant les neuf mois de vie intra-utérine. La raison est simple : avant la naissance, le placenta fait le travail des poumons, ce qui permet à la presque totalité du sang fœtal de les éviter. Après la naissance, l'enfant sera devenu totalement autonome, et l'ensemble de son sang devra traverser ses poumons pour rendre possibles les échanges d'oxygène et de gaz carbonique.

Vous

Depuis que vous êtes enceinte, vous voyez le monde sous un nouvel angle ! En effet, l'augmentation importante du poids sur le devant de votre corps est compensée par un accroissement de la courbure de la colonne vertébrale ainsi que par un déplacement des épaules vers l'arrière. Cela a pour effet de rejeter la tête en arrière, ce qui, par voie de conséquence, change la ligne de vision.

Vous voyez, c'est simple : c'est parce que votre centre de gravité a changé que vous commettez un peu plus de maladresses qu'auparavant !

Le dernier examen prénatal obligatoire

Il comporte un examen obstétrical qui permet de :
- constater, par l'appréciation du volume de l'utérus, si l'enfant continue ou non de se développer normalement ;
- prévoir la manière dont se déroulera l'accouchement. En observant le positionnement du corps de l'enfant, on peut savoir s'il se présente bien par la tête ou s'il faut s'attendre à quelques difficultés. On mesure également les dimensions du bassin maternel, qui s'est sensiblement élargi au cours des derniers mois : c'est seulement maintenant qu'il atteint ses dimensions définitives.

VOS SYMPTÔMES

Vous pouvez être maladroite. Cette maladresse est due au changement de votre centre de gravité.

Suivant ces observations, le médecin peut demander une radiopelvimétrie.

La radiopelvimétrie

La radiopelvimétrie est un examen d'une innocuité totale, qui concerne 3 à 4 % des futures mères. Elle est demandée par le médecin dans le cas :
- d'un doute sur la présentation de l'enfant ;
- d'un bassin trop étroit de la future mère ;
- d'un bassin ayant subi un traumatisme grave au cours d'un accident.

Cet examen permet de mesurer les dimensions du bassin de la mère et de les comparer avec celles du tour de tête du bébé, calculées par échographie.

La radiopelvimétrie ne nécessite aucune préparation particulière ; elle peut être réalisée par la radiologie classique ou par le scanner.

Si l'examen révèle que votre bassin est trop étroit pour accoucher par voie basse, votre médecin sera amené à pratiquer une césarienne. S'il estime que votre bébé a une petite chance de naître par les voies naturelles, il la lui laissera : c'est ce qu'on appelle l'« épreuve du travail ». Mais tout sera prêt pour intervenir et, si nécessaire, pour procéder à la césarienne.

Des examens de surveillance générale

La dernière visite médicale obligatoire comporte aussi des examens de surveillance générale portant sur le poids de la mère et sur sa pression artérielle.

À partir de maintenant, une analyse d'urine sera effectuée chaque semaine afin de dépister toute éventualité de toxémie gravidique (voir pages 222-223).

L'accouchement avec interventions

Dans la très grande majorité des cas, l'accouchement se déroule normalement. Cependant, des complications, qu'elles soient ou non prévues, peuvent apparaître ; une intervention instrumentale ou chirurgicale doit alors avoir lieu.

Les interventions instrumentales

L'accouchement se déroulant normalement, il peut arriver que, pour différentes raisons, le bébé ne puisse pas sortir tout seul. Dans ce cas, le médecin ou la sage-femme vont s'aider d'instruments.

Les forceps ou spatules

Il s'agit d'une grande pince dont l'extrémité en forme de cuillères s'adapte à la tête de l'enfant. Les forceps sont destinés à le tirer hors de sa mère au cours de difficultés survenant au moment de l'expulsion.

Autrefois dénommés « fers », les forceps ne présentent plus aucun danger ni pour la mère ni pour l'enfant ; en effet, en cas de difficulté majeure, une césarienne est aussitôt pratiquée. Les forceps sont employés dans un accouchement sur dix. Ils sont utilisés quand :

- le bébé est trop gros ;
- il s'agit d'un bébé prématuré, trop petit et trop faible, afin que sa tête ne souffre pas trop des efforts de la poussée et qu'il ne se fatigue pas au moment de l'expulsion ;
- il y a eu une anesthésie par péridurale. Cela n'est pas systématique, mais selon la sensibilité à l'anesthésique, le besoin de pousser peut être diminué ;
- on veut tout simplement éviter une expulsion longue et fatigante.

BON À SAVOIR

Certains médecins accoucheurs préfèrent encore utiliser une ventouse, appelée *vacuum extractor*. Elle permet de maintenir la tête de l'enfant entre deux contractions et de profiter de la force de la contraction pour le tirer vers l'extérieur.

Les interventions chirurgicales

Il existe essentiellement deux interventions chirurgicales, qui sont pratiquées d'une manière courante et dont la technique, parfaitement maîtrisée, ne fait courir aucun danger ni à la mère ni à l'enfant.

La césarienne

La césarienne consiste à inciser la peau de l'abdomen et l'utérus afin de sortir l'enfant qui ne peut naître par les voies naturelles. Près de 20 % des accouchements se font aujourd'hui par césarienne, parmi lesquels une forte proportion parmi les grossesses à risque, souvent interrompues avant le terme sous peine d'être dangereuses pour l'enfant.

La césarienne est programmée

C'est en particulier le cas quand la future mère présente un diabète grave, de l'herpès génital, une hypertension artérielle ou encore une insuffisance rénale. Une césarienne peut également être pratiquée lorsque la future mère a développé une maladie au cours de sa grossesse telle que la toxémie gravidique, la toxoplasmose ou la listériose. Le taux de césariennes varie selon les maternités.

Certaines causes de la césarienne sont purement physiques quand :

◆ le bassin de la mère est trop étroit et l'enfant trop gros, ou encore s'il présente une malformation ;

◆ le placenta recouvre en partie ou en totalité l'ouverture du col ;

◆ il y a procidence du cordon, c'est-à-dire que le cordon ombilical sort en premier et se trouve comprimé par la tête du bébé qui, subitement, est alors mal alimenté en sang, donc en oxygène ; le cordon peut également être trop court et empêcher l'enfant de descendre ;

◆ la présentation de l'enfant est transverse, ou par la face, ou par le front.

Dans tous ces cas, le problème a été observé au cours des examens de surveillance de la grossesse, et la césarienne a été programmée.

La césarienne est faite dans l'urgence

Il se peut que la césarienne soit décidée en cours de travail. C'est le cas lorsque l'accouchement traîne en longueur, parce que l'enfant ne peut pas descendre ou parce que le col se dilate mal. Dans ces conditions, dès que le médecin détecte, en particulier grâce au monitoring (voir pages 317-318), une souffrance fœtale, la décision de pratiquer une césarienne est prise.

Une cicatrice invisible

L'utérus est incisé dans sa partie la plus mince, d'une manière horizontale, sur 8 à 9 cm, juste au-dessus du pubis ; cela présentera l'avantage de laisser une cicatrice invisible, car elle sera dissimulée par les poils. Cependant, dans les cas d'urgence, il peut arriver que l'incision soit pratiquée d'une manière verticale, sur toute la longueur de l'abdomen de la femme, afin de donner au médecin accoucheur une plus grande facilité et une plus grande rapidité de mouvements.

Une anesthésie péridurale

On pratique de plus en plus rarement une anesthésie générale ; cette dernière est faite au dernier moment, quand tout est prêt, pour éviter à l'enfant d'être soumis trop longtemps à l'anesthésique.

Dans la majorité des cas, la césarienne est réalisée sous anesthésie péridurale. La mère aura ainsi le bonheur d'assister à la venue au monde de son enfant, d'entendre son premier cri et de le tenir contre elle : elle ne connaîtra pas la frustration des mères qui ne voient pas la naissance de leur enfant. En cas d'anesthésie générale, cette frustration peut être diminuée par le rôle actif du père lors de la naissance : il doit y participer au maximum, car, en tant que témoin privilégié, il pourra raconter à sa compagne comment leur enfant est né et comment il l'a accueilli.

Les suites de césarienne ne sont guère plus longues que celles d'un accouchement normal. La jeune mère peut se lever dès le lendemain, aller et venir dès le deuxième ou le troisième jour. La Sécurité sociale accorde plus de jours d'hospitalisation – en général deux jours de plus – que pour un accouchement normal.

Pour aller plus loin
Retrouvez tous les conseils de l'anesthésiste p. 403.

Après une césarienne, il est possible d'accoucher ultérieurement par les voies naturelles : tel est le cas pour 50 % des femmes césarisées. Il est coutumier de dire qu'on ne peut pas avoir plus de trois césariennes, mais c'est plus par excès de prudence que par contre-indication absolue.

L'épisiotomie

L'épisiotomie est l'incision de la paroi vaginale et des muscles sous-jacents du périnée ; elle est pratiquée par le médecin au moment de l'expulsion afin d'éviter une déchirure. C'est une intervention tout à fait bénigne, qui était encore il y a peu réalisée par certains médecins d'une manière systématique, tandis que d'autres n'y recouraient qu'en cas de stricte nécessité. Elle est particulièrement indiquée dans le cas :

◆ d'un bébé dont le périmètre crânien est important ;
◆ de souffrance fœtale ;
◆ s'il y a nécessité d'utiliser les forceps.

Elle est toujours réalisée quand le bébé est prématuré, pour éviter à sa tête de forcer. L'épisiotomie est pratiquée quand la tête du bébé est visible, au moment d'une poussée. La distension du périnée insensibilise provisoirement la région et ne nécessite pas de piqûre d'anesthésique. Cependant, cette dernière sera faite après l'accouchement afin de recoudre l'incision.

Les jours qui suivent l'épisiotomie sont assez pénibles, car la position assise est douloureuse. Il faut compter trois à quatre semaines pour que la cicatrice soit tout à fait insensible.

BON À SAVOIR

Pour aider la cicatrisation, lavez-vous délicatement après chaque selle pour ne pas infecter la cicatrice ; puis séchez-vous avec un mouchoir en papier pour supprimer l'humidité locale.

L'ÉPISIOTOMIE AUJOURD'HUI

Aujourd'hui, l'épisiotomie pratiquée d'une manière systématique est remise en cause. Au début des années 1990, l'Organisation mondiale de la santé (OMS) a ainsi annoncé que le taux d'épisiotomies ne devrait pas dépasser 20 %, car ce geste systématique ne présente aucun bénéfice ni pour la sortie du bébé ni pour la protection du périnée de la mère. En France, le Collège des gynécologues et obstétriciens français (CNGOF) a demandé aux équipes médicales des maternités d'essayer de faire baisser ce taux à 10 %. Le taux est aujourd'hui en net recul : 51 % en 2003 contre 30 % en 2014. Une vraie avancée, même si on constate encore des différences importantes entre les établissements et que l'on sait qu'un pays comme la Suède a atteint moins de 6 %...

Une hygiène rigoureuse de cette région est bien sûr indispensable ; l'abstention de rapports sexuels est souhaitable tant que la cicatrice est un peu douloureuse : cela évitera surtout que s'installe une appréhension des rapports sexuels.

TO-DO LIST

semaine
36

✓ **Septième examen prénatal obligatoire.**

✓ **Envoyez à la Sécurité sociale et aux Allocations familiales** la feuille de maladie.

SEMAINE DE GROSSESSE

Début de la **39ᵉ semaine** depuis le 1ᵉʳ jour de vos dernières règles

Votre bébé se tient la tête en bas, les bras croisés sur la poitrine, les jambes relevées et pliées afin de tenir le moins de place possible. En fin de compte, il sera sans doute très content de sortir pour se dégourdir un peu ! Vous risquez d'accoucher à tout moment ; si vous ne l'avez pas déjà fait, c'est le moment de parler avec le père de votre enfant de son éventuelle présence dans la salle d'accouchement.

Votre bébé

Sa taille est de 33 cm de la tête au coccyx et de 48 cm de la tête aux talons. Son poids est d'environ 2,9 kg. Le diamètre de sa tête avoisine 9,4 cm.

La peau de votre bébé est bien lisse. Le lanugo qui recouvrait tout le corps est tombé, tandis que le vernix qui tapissait la peau en une couche épaisse s'est en partie détaché et flotte sous la forme de gros flocons dans le liquide amniotique.

Votre bébé ne peut plus faire de galipettes, car il est maintenant bien trop grand et bien trop gros. Il ne possède plus l'espace nécessaire dans l'utérus pour faire sa petite gymnastique. Malgré tout, il donne encore de petits coups de pied, des coups de coude ou de tête pour vous montrer qu'il est toujours là.

Vous

À tout moment, vous risquez de partir pour la maternité. En effet, si l'accouchement se situe normalement à la 40ᵉ semaine d'aménorrhée, il peut avoir lieu entre la 38ᵉ et la 41ᵉ semaine.

Votre médecin peut décider de vous faire accoucher avant terme. Dans ce cas, l'accouchement sera déclenché artificiellement.

L'accouchement provoqué

L'accouchement provoqué peut l'être pour des raisons médicales :
- si la mère est diabétique ou souffre d'hypertension ou d'une maladie de cœur ;
- s'il y a incompatibilité de rhésus entre la mère et son bébé, ou encore si la poche des eaux est rompue.

Il peut l'être également pour des raisons personnelles :
- si la future mère tient expressément à être accouchée par le médecin qui l'a suivie au cours de sa grossesse, alors que l'emploi du temps de ce dernier ne le permettrait pas ;
- pour des questions d'organisation du service de la maternité.

Dans tous les cas, le médecin veille à ce que l'enfant soit assez descendu et examine si le col de l'utérus est suffisamment mûr pour se prêter à la dilatation.

En ce qui concerne l'enfant, il ne s'agit pas de faire naître un prématuré. Aussi, si l'accouchement doit être déclenché un peu tôt pour des raisons médicales, on s'assurera, par la recherche dans le liquide amniotique prélevé par amniocentèse, de la présence des éléments caractéristiques du surfactant, qui empêche les alvéoles pulmonaires de se rétracter. La condition essentielle à la naissance du bébé est qu'il puisse respirer.

L'accouchement est provoqué par l'injection d'ocytocine et de prostaglandines, des hormones qui déclenchent les contractions. Étant donné qu'elles sont très fortes dès le début du travail tout en étant moins efficaces, une péridurale est le plus souvent pratiquée. Le travail est plus long et plus pénible pour la mère et pour l'enfant que lors d'un accouchement déclenché d'une manière naturelle : en règle générale, la nature n'apprécie pas beaucoup d'être contrariée.

La présence du père à l'accouchement

Si certaines femmes n'imaginent pas de mettre leur enfant au monde sans la présence du père, d'autres se trouvent partagées entre deux sentiments :
- avoir quelqu'un près d'elles pour les soutenir ;
- être seules pour vivre leur accouchement sans contraintes,

crier si elles en ont envie, ne pas être contractées par l'angoisse de ne pas être à la hauteur, ou la peur de montrer d'elles une image qu'elles estiment peu flatteuse.

Si, pour certains pères, leur présence auprès de leur compagne qui accouche est tout à fait naturelle, pour d'autres, il s'agit plutôt d'un devoir, d'une obligation qui leur est imposée par la pression sociale du moment et par l'entourage. Mal à l'aise et gauches, impressionnés par une situation trop riche en émotions, ils se sentent inutiles et n'apportent pas une grande aide à leur compagne.

Il y a donc matière à réfléchir sur la présence du père à l'accouchement.

Pour l'harmonie future du couple, il est essentiel qu'il n'y ait, à ce sujet, ni frustrations ni contraintes pour l'un comme pour l'autre. La future mère doit être capable de comprendre les réticences du père à assister à son accouchement, tout comme il doit comprendre le besoin qu'elle a d'un environnement psychologique, affectif et sécurisant dans ce moment de stress intense pour elle.

Dans un climat de respect réciproque, une décision satisfaisante pour l'un et pour l'autre peut être prise. Chacun saura à l'avance ce qu'il peut attendre de l'autre et quelles seront les limites.

La mère doit bien prendre conscience que la présence du père à l'accouchement n'est pas un acte anodin et qu'elle peut témoigner de ramifications psychologiques et affectives profondes, pouvant avoir un retentissement sur leurs futures relations sexuelles.

La présence du père à l'accouchement doit donc être entièrement consentie et souhaitée par lui, de même qu'il revient à la mère seule de décider du mode d'allaitement de son enfant.

BON À SAVOIR

Pour que le père vive bien l'instant de l'accouchement, il ne doit à aucun moment se sentir un témoin gênant et gêné. Aussi ne faut-il pas lui demander plus qu'il ne peut donner.

Pendant le travail de la dilatation

S'il préfère, le futur père peut éventuellement assister sa compagne uniquement pendant le travail de la dilatation: cela dure 7 heures environ pour une primipare, autant de moments partagés avec la mère à lui tenir compagnie et à lui parler pour éviter qu'elle ne s'angoisse.

En attendant les venues répétées de la sage-femme, qui s'assure de temps en temps de la bonne avancée du travail, le père peut aider sa compagne en suivant le tracé des contractions sur le monitoring. Il lui annoncera la fin de la contraction afin qu'elle sache qu'une phase de repos est là, toute proche. En revanche, il évitera de lui annoncer l'approche de la contraction suivante, car elle aurait pour réflexe de se crisper, ce qui est contraire à la relaxation préconisée. S'il a suivi avec elle les cours de préparation à la naissance, il peut également aider sa compagne à respirer au moment des contractions.

Au moment de l'expulsion

Lorsque la dilatation est terminée et que la mère est installée sur la table d'accouchement, le père peut ne pas avoir envie d'assister à la phase finale. Son comportement est tout à fait compréhensible. La mère ne doit pas insister pour qu'il regarde naître son enfant. Voir sa femme en train de souffrir et voir du sang, c'est autre chose que de regarder un documentaire sur la naissance. Cette vision peut le traumatiser d'une manière beaucoup plus profonde qu'on ne le pense. Aussi, quand arrivera le moment de l'expulsion, il doit être tout à fait libre d'aller dans le couloir, où on ira le chercher dès la sortie de l'enfant, afin de partager le plaisir de son arrivée avec la maman.

S'il veut continuer à soutenir sa compagne et entendre le premier cri de son enfant sans pour autant tout voir, le futur père restera sur le côté, près de la tête de sa compagne, à qui il parlera doucement. Il pourra se rendre utile en lui passant, à sa demande, le masque à oxygène ou en l'aidant dans la mise en pratique de ses exercices de respiration. Le père joue ainsi son rôle de soutien auprès de la mère, qui se sent alors en pleine confiance.

Le dialogue avant l'accouchement entre les futurs parents est essentiel : c'est lui qui permettra de définir l'attente et le rôle de chacun. Cette capacité de dialogue est synonyme de réussite du couple, car elle est sans cesse mise à l'épreuve.

La médicalisation de l'accouchement

Accrue depuis plus d'une vingtaine d'années, la surveillance médicale concerne non seulement la grossesse, mais également l'accouchement. Accoucher n'est plus une entreprise périlleuse. À chaque étape, la technologie est là pour informer et la compétence médicale pour décider.

Le monitoring

Le terme « monitoring » désigne un appareillage de surveillance électronique du travail de l'accouchement. Il permet de dépister une éventuelle souffrance de l'enfant. Le déroulement de l'accouchement est estimé d'après l'enregistrement des contractions, la bonne santé du bébé est appréciée par celui des bruits de son cœur.

À côté de la sécurité apportée par le monitoring grâce à une surveillance constante du bébé, signalons qu'il existe en retour une certaine servitude. En effet, le plus souvent, dès le début du travail, la future mère est reliée à l'appareil par des capteurs posés sur son ventre et ne possède donc plus sa liberté de mouvements.

Le rythme cardiaque du bébé est normalement de 120 à 160 battements par minute. Au cours des contractions, il s'accélère jusqu'à atteindre 180 battements. Le monitoring permet de surveiller ces changements de rythme. Si le cœur révèle un rythme élevé de 200 battements par minute ou, au contraire, s'il faiblit au point de n'en avoir plus que 60 à la minute, l'équipe médicale fait en sorte d'accélérer l'accouchement. Si la dilatation est complètement terminée, l'enfant sera aidé par les forceps pour naître plus rapidement. Si la dilatation est incomplète et semble traîner en longueur, le médecin peut décider de pratiquer une césarienne.

La perfusion

La majorité des maternités mettent systématiquement les femmes qui accouchent sous perfusion, même dans le cas d'un accouchement qui se déroule parfaitement bien, car cela constitue une sécurité supplémentaire. La perfusion permet d'injecter en cas de besoin :

◆ un tranquillisant, si le stress de la mère est trop important, au point de contrarier l'efficacité des contractions par une sécrétion d'adrénaline ;

◆ un analgésique, pour diminuer l'intensité de la douleur ;

◆ du calcium et du magnésium en cas de tétanisation, c'est-à-dire d'une crispation intense des muscles ;

◆ du sérum enrichi en glucose, pour hydrater la mère avec un apportant calories dans le cas d'un travail très long.

Mais l'intérêt premier de la mise en place d'une perfusion est de ne pas perdre de temps à chercher une veine en cas de complications et permettre, par exemple :

- l'injection d'un anesthésique, pour une césarienne urgente ou pour l'utilisation des forceps ;
- l'injection d'ocytociques – hormones de synthèse semblables aux hormones naturelles, qui accélèrent la dilatation quand les contractions sont inefficaces ou irrégulières en intensité et en durée ;
- l'injection d'un régularisateur de la pression artérielle, qui a tendance à baisser lorsqu'une péridurale a été pratiquée.

La perfusion est posée dans une veine de l'avant-bras afin de ne pas gêner l'articulation du coude. En général, elle est mise en place quand le travail est déjà bien commencé.

Adrénaline contre endorphines

Sous l'effet de la douleur, le cerveau sécrète des substances proches de la morphine, qui ont pour rôle de l'atténuer : ce sont les endorphines.

Or, sous l'effet d'un stress aussi grand que peuvent l'être l'angoisse et la peur, les glandes surrénales se mettent à sécréter de l'adrénaline, qui inhibe la production des endorphines. Le résultat est une perception de la douleur aiguisée, associée à une accélération des rythmes cardiaque et respiratoire, ainsi qu'une augmentation de la tension artérielle. Par conséquent, le muscle utérin, qui est d'une part stimulé par l'ocytocine et d'autre part freiné par l'adrénaline, travaille d'une façon parfaitement incohérente, sans aucune efficacité ; il se charge de toxines émanant de la fatigue musculaire engendrée par les contractions et, de ce fait, devient de plus en plus douloureux. Le travail traîne en longueur, la dilatation ralentit, voire s'arrête complètement. La douleur devient alors insupportable.

Un soutien sécurisant

La douleur n'est plus, comme autrefois, considérée comme un mal nécessaire à l'enfantement. Le milieu médical propose des solutions pour l'atténuer ou la supprimer, par exemple la péridurale. Cependant, beaucoup de femmes préfèrent encore vivre pleinement leur accouchement – une sorte de défi lancé à elles-mêmes, une expérience à la fois physique et émotionnelle. Elles souhaitent repousser leurs propres limites et, surtout, aller jusqu'au bout de cette expérience.

BON À SAVOIR

La douleur doit rester supportable. Une préparation à l'accouchement bien faite sera d'un réel secours.

Néanmoins, elles se sentent sécurisées de savoir qu'en dernier recours, si la douleur devient trop forte et trop difficile
à supporter, une médication pourra leur être donnée. Cette
confiance des femmes qui accouchent dans le déroulement
de l'action leur permet d'être beaucoup plus détendues et,
par là même, de bien mieux supporter la douleur. Dès lors,
le recours à la péridurale devient superflu.

Quoi qu'il en soit, la douleur doit rester supportable. Et une
préparation à l'accouchement bien faite est d'un réel secours. Il n'en reste pas moins vrai que, dans certains cas,
elle ne suffit pas. Soulager la douleur quand elle atteint une
certaine intensité évite de transformer l'accouchement en
un véritable cauchemar que la future mère ne voudra re-
vivre à aucun prix.

Quant à savoir si la douleur est supportable ou non, l'appréciation en revient à la femme et à elle seule. La capacité à supporter la douleur n'étant pas la même pour toutes,
une thérapeutique analgésique doit pouvoir être envisagée
quand la femme en exprime le besoin.

L'atténuation de la douleur relève de techniques qui sont
maintenant bien contrôlées. Toutefois, il faut savoir que,
quelle que soit la méthode employée, elle ne peut pas être
envisagée dès le commencement du travail.

Pour aller plus loin
Retrouvez tous les conseils de l'anesthésiste p. 403.

L'accouchement sous anesthésie générale

L'anesthésie générale est pratiquée quand la future mère
souffre trop et quand son état d'épuisement ou de panique
compromet la bonne venue de l'enfant. En général, elle ne
dépasse pas une heure. Par conséquent, elle est commencée
seulement lorsque la dilatation du col est déjà bien avancée,
c'est-à-dire en fin d'accouchement, quand les contractions
sont trop fortes, et surtout dans le cas de difficultés à sortir
l'enfant.

L'anesthésie générale est beaucoup moins utilisée depuis
que la péridurale a pris le relais. On la pratique désormais
quand cette dernière ne peut avoir lieu si :
◆ il y a urgence à pratiquer une césarienne ;
◆ il est nécessaire d'utiliser les forceps, dans certaines conditions, au moment de l'expulsion ;

La médecine au secours de la douleur

Accoucher sans douleur, est-ce possible ? A *priori* non, sauf dans quelques cas exceptionnels. En règle générale, la douleur est tout à fait supportable, sauf pour 25 % des femmes qui la trouvent intolérable. Cette tolérance dépend en réalité de l'état psychologique de la future mère au moment de l'accouchement.

Si vous arrivez avec une confiance en vous et en la préparation à la naissance que vous avez suivie à la maternité, vous possédez déjà quelques techniques qui vous rassureront, en vous donnant l'impression de pouvoir faire face à la situation. Et c'est vrai. Pour un accouchement normal, où tout se déroule sans aucun problème – ce qui est la grande majorité des cas –, les techniques de respiration et de relaxation bien menées (voir pages 204-205 et 234-236) vous aideront d'une façon efficace tout au long du travail.

À l'inverse, une femme mal préparée, et surtout trop anxieuse pour prendre un peu de recul par rapport à l'événement qu'elle est en train de vivre, n'arrive pas à contrôler sa douleur. Elle la vit d'une manière si intense qu'elle la crée elle-même. Et cela n'est pas purement suggestif, comme on pourrait le croire, mais il s'agit d'un phénomène tout à fait physiologique.

L'anesthésie péridurale

La péridurale est pratiquée d'une façon courante : 80 à 90 % des futures mamans la demandent. Elle présente un avantage considérable sur l'anesthésie générale : en insensibilisant uniquement la partie inférieure du corps, elle laisse la conscience en éveil. Selon le dosage pratiqué, une femme qui accouche perçoit encore des sensations, ou ne perçoit plus rien du tout.

La péridurale est pratiquée quand la dilatation du col est déjà avancée, autour de 3 cm environ. L'anesthésiste injecte entre la troisième et la quatrième vertèbre lombaire un produit anesthésique qui agit sur les nerfs partant de la moelle épinière. Un cathéter – un fin tube en plastique – est laissé en place pour une éventuelle réinjection. En effet, la première dose est faible afin de ne pas insensibiliser complètement le petit bassin et ne pas frustrer la mère de toutes ses sensations, pour ne pas lui « voler », en quelque sorte, son accouchement.

BON À SAVOIR

La péridurale nécessite la présence d'un anesthésiste en permanence. Aussi devez-vous poser la question lorsque vous vous inscrivez dans une maternité : pratique-t-on la péridurale d'une façon courante ou non ?

L'anesthésie péridurale est remboursée par la Sécurité sociale.

Vous êtes tout à fait libre de refuser la péridurale pour accoucher naturellement. Cependant, sachez qu'une péridurale se décide à l'avance avec le médecin accoucheur et ne peut donc pas être pratiquée au dernier moment, dans le cas d'un accouchement douloureux.

Les indications de la péridurale

- Elle évite l'anesthésie générale dans tous les cas où cette dernière était auparavant pratiquée : l'utilisation des forceps et même le recours à une césarienne. La césarienne sous péridurale permet à la mère d'assister à la naissance de son enfant, d'entendre son premier cri et de le toucher. Les suites d'une césarienne sous péridurale sont moins pénibles que sous anesthésie générale.
- Elle est utile lors d'un accouchement long et douloureux.
- Elle est indiquée quand la dilatation n'avance pas. Par son effet antispasmodique sur le col, elle le rend plus souple et accélère ainsi la dilatation.
- Enfin, elle permet de faire accoucher normalement des femmes à risque, diabétiques ou cardiaques, qui, sinon, auraient dû subir une césarienne.

La péridurale présente peu d'inconvénients, en regard de ce qu'elle apporte :

- elle augmente les recours aux forceps chez les femmes primipares : du fait de l'insensibilisation du petit bassin, l'envie de pousser est diminuée ;
- des douleurs lombaires peuvent se faire sentir 24 à 36 heures après ;
- des maux de tête importants pendant les deux ou trois jours qui suivent l'accouchement peuvent également se manifester.

La rachianesthésie

Proche de la péridurale, cette technique est uniquement réservée aux femmes chez qui est pratiquée une césarienne. Contrairement à la péridurale, il n'y a pas de diffusion du produit anesthésique en continu. Une seule injection suffit, car la césarienne est plus rapide qu'un accouchement par les voies naturelles. L'aiguille est plus fine et il n'existe aucun risque de fuite du liquide céphalorachidien, qui peut être responsable de maux de tête.

BON À SAVOIR

L'acupuncture est une méthode marginale. Son intérêt réside dans le fait qu'elle ne nécessite pas la présence d'un anesthésiste et qu'elle peut être pratiquée par une sage-femme formée spécialement. Elle permet de :

- déclencher l'accouchement ;
- soulager rapidement la douleur, en particulier les douleurs lombaires ;
- diminuer les doses de médicaments associés lors d'une complication.

Les autres méthodes

Il existe d'autres méthodes de soulagement de la douleur pendant l'accouchement, qui reposent sur une relaxation maximale liée à une décontraction musculaire. Il s'agit de la sophrologie et de l'haptonomie (voir page 265), une technique manuelle qui semble faciliter la descente et l'engagement de l'enfant, ainsi que le relâchement musculaire de la mère. Dans ce cas, il faut avoir suivi les cours de préparation à la naissance pendant la grossesse.

TO-DO LIST

semaine

37

✓ Si vous avez été cerclée, décerclage.

SEMAINE DE GROSSESSE

Début de la **40ᵉ semaine** depuis
le 1ᵉʳ jour de vos dernières règles

Vous arrivez au terme de votre grossesse. D'ici la
fin de cette semaine, vous allez enfin voir ce bébé
avec qui vous vivez depuis neuf mois. L'apparition
de contractions régulières indique que vous devez
partir à la maternité. Mais ne vous affolez pas : vous
avez le temps, surtout si c'est votre premier enfant.
En revanche, si vous perdez les eaux, il ne faut pas
attendre.

Votre bébé

Sa taille est de 50 cm de la tête aux talons et son poids de
3,3 kg. Le diamètre de la tête est de 9,5 cm.
Dès la naissance, divers changements vont intervenir dans
le fonctionnement des organes de votre bébé.

La circulation sanguine
Tout d'abord, sa circulation sanguine va se modifier. Une fois
le cordon ombilical coupé, votre bébé devra assumer tout
seul ses fonctions de nutrition et d'oxygénation. Son sang,
chargé en gaz carbonique résultant du métabolisme de ses
cellules, ne pourra plus s'en débarrasser dans le sang de sa
mère mais au contact de ses propres alvéoles pulmonaires.
De même, l'oxygène ne lui sera plus fourni par le sang de sa
mère mais par l'air qu'il respirera. Un circuit entre le cœur
et les poumons va donc s'établir.
Le foie abandonne le pouvoir qu'il avait de fabriquer les globules rouges et blancs du sang. C'est désormais la moelle
osseuse qui assurera cette fonction.

L'arbre pulmonaire
Après la naissance, l'arbre pulmonaire va subir six nouvelles
divisions avant d'atteindre sa forme définitive. Lors des premières inspirations d'air qui auront lieu au moment de la
naissance, le liquide amniotique qui le remplit se résorbera

EN BREF
CETTE SEMAINE

VOTRE BÉBÉ

◆ Taille : 50 cm de la
  tête aux talons

◆ Poids : 3,300 kg

◆ La circulation
  sanguine va changer :
  un circuit cœur-
  poumons va s'établir.

◆ Le foie ne fabrique
  plus de globules
  rouges. C'est la
  moelle osseuse
  qui s'en charge.

◆ Les alvéoles
  pulmonaires
  se déploient à
  la naissance.

VOUS

◆ L'accouchement
  est imminent !

rapidement, tandis que l'extrémité des bronches se déploie-
ra afin de former les alvéoles pulmonaires.
Toutes les alvéoles seront dilatées vers le troisième jour qui
suivra la naissance de votre bébé.

Le cerveau

L'organe le moins développé à la naissance est le cerveau. Il
va poursuivre lentement sa maturation biologique jusqu'à
ce que l'enfant ait atteint l'âge de 18 à 20 ans.

◆ À la naissance, le poids du cerveau atteint 300 à 350 g.
◆ À 1 an, il est de 800 g, soit 60 % de celui d'un adulte.
◆ À 3 ans, il pèse 1,3 kg. Sa croissance est alors presque com-
  plète.
◆ De la naissance à 6 mois de vie postnatale, le cerveau gros-
  sit de 2 g par jour, soit de 60 g par mois.
◆ Du 6e au 36e mois, la croissance est de 0,35 g par jour, soit
  11 g par mois.
◆ De 3 à 6 ans, elle est de 0,15 g par jour, soit 5 g par mois.
◆ De 6 à 20 ans, elle est de 0,027 g par jour, soit environ 0,80 g
  par mois.

Une construction à partir des expériences

À la naissance, le cerveau représente donc une puissance
potentielle. Sa destinée est de s'autoconstruire à partir des
expériences de l'existence. Il va poursuivre son développement en accroissant et en complexifiant ses connexions
nerveuses.
Sous l'influence de diverses stimulations motrices, sensorielles, affectives et psychosociales, les cellules cérébrales
nobles que constituent les neurones vont former, en réponse
à ces stimulations, des dendrites en nombre considérable –
plusieurs milliers par cellule. Elles vont se rejoindre de cellule à cellule et établir ainsi d'innombrables connexions, tels
des circuits électriques, qui permettent la transmission et la
circulation de l'influx nerveux. Les montages et les circuits
s'élaborent comme ceux d'un ordinateur, au fur et à mesure
de la perception des informations.
Ce processus aboutit à un type de câblage qui sera différent
pour chaque personne, donc à des facultés d'adaptation et
de compréhension propres à chacun, aboutissant à l'élaboration de la pensée individuelle.

Vous

Vous allez savoir que vous êtes bientôt tout près de la date de votre accouchement par différents petits signes, qui vont se manifester quelques jours auparavant, voire la veille du jour J.

♦ Vous pouvez soudainement ressentir une grande fatigue et un état nauséeux alors que, jusqu'à présent, tout allait très bien. La modification hormonale qui survient à la fin de la grossesse en vue du déclenchement de l'accouchement est responsable de ces sensations.

♦ Vous allez perdre le bouchon muqueux. L'expulsion de la glaire qui a bouché le col de l'utérus pendant tout le temps de la grossesse a lieu en général au moment des contractions, quelquefois 3 jours avant l'accouchement.

♦ Il se peut que vous vous surpreniez à faire le ménage à fond, à astiquer pour que tout brille. Vous avez à cœur que tout soit impeccable, rangé et propre. Cette frénésie de rangement annonce l'imminence de l'arrivée du bébé. Ce comportement instinctif est commun à tous les mammifères. En effet, les femelles de toutes les espèces s'affairent le moment venu afin que le nid soit accueillant. L'espèce humaine n'échappe pas à cette règle.

> **VOS SYMPTÔMES**
>
> ♦ État nauséeux
> ♦ Perte du bouchon muqueux 1 à 3 jours avant l'accouchement
> ♦ Fébrilité de rangement

Allaiter ou pas

Tout au long de votre grossesse, sans vous en rendre compte, vous avez évolué sur le plan psychologique.

Dans les premiers mois, vous ne désiriez pas allaiter puis, lentement, au fur et à mesure que vous avez senti votre bébé grandir en vous, vous avez peut-être commencé à ressentir le besoin de prolonger cette relation exceptionnelle. Maintenant qu'il est bientôt là, vous avez envie de lui donner ce qu'il y a de mieux : votre lait maternel (voir page 150).

N'hésitez surtout pas, même si ce besoin d'allaiter votre bébé s'impose au tout dernier moment, quand vous découvrirez sa petite frimousse.

Faites-vous aider

♦ À la maternité : vous avez fait part de votre désir d'allaiter. Une sage-femme vous aidera pour les premières mises au sein et vous prodiguera ses conseils.

♦ Chez vous : une fois rentrée à votre domicile, dans la mesure

La Leche League est une organisation internationale qui, depuis 50 ans, milite pour l'allaitement maternel. Elle est là pour vous aider et vous épauler à tout moment. N'hésitez pas à contacter cette association : des femmes ayant allaité ou qui sont en cours d'allaitement sauront répondre à vos questions, à vos doutes et à vos angoisses, et vous conseiller utilement. Des réunions mensuelles sont organisées ; chaque femme peut y assister, pendant sa grossesse ou après la naissance de son bébé. Vous y trouverez un soutien, un contact de mère à mère. Près de 190 antennes locales existent. Vous connaîtrez les coordonnées de l'animatrice de permanence en composant le 01 39 584 584 (répondeur national).

Sur Internet : www.lllfrance.org Courriel : boitecontact@lllfrance.org

où vous n'avez pas eu de préparation à l'allaitement, vous risquez de vous poser de nombreuses questions. Ne vous inquiétez pas, vous n'êtes pas seule : dans les centres de Protection maternelle et infantile (PMI), des sages-femmes et des puéricultrices peuvent vous aider ; de nombreuses associations existent, par exemple Solidarilait (répondeur national : 01 40 44 70 70 et sur Internet : www.solidarilait. org) et la Leche League (voir l'encadré ci-dessus).

La place du père
N'excluez pas le père de cette relation privilégiée et intime qui commence à se nouer entre vous et votre bébé. Faites-le participer le plus possible : en vous aidant à trouver la bonne position, en vous encourageant, en allant chercher le bébé pour la tétée, en le portant pour lui faire faire son rot... Voilà autant de gestes qui aideront votre compagnon à partager avec vous ce moment précieux de l'alimentation de votre enfant.

Quand partir à la maternité ?

Pas d'affolement : ne partez pas trop tôt à la maternité. Votre départ va être conditionné par deux événements principaux, qui peuvent survenir ensemble ou séparément :
◆ l'apparition de contractions régulières ;
◆ la perte des eaux.

Les contractions

S'il s'agit de votre premier enfant, il est inutile de vous pré-cipiter sur votre valise à la première contraction régulière. Vous avez grandement le temps de vous rendre à la materni-té, puisqu'entre les premières contractions et la dilatation complète du col, plusieurs heures vont s'écouler.

Assurez-vous qu'il ne s'agit pas d'une fausse alerte. Il n'est pas rare qu'au cours des dernières semaines de la grossesse, votre utérus se contracte. Ces contractions indolores et sans rythme précis n'indiquent pas le début de l'accouchement.

L'accouchement débute réellement à la perception de contractions douloureuses, qui sont ressenties dans le ventre ou au niveau des reins.

Posez la main sur votre ventre, vous le sentez durcir en même temps que vous ressentez la douleur. Si ces contrac-tions ne cèdent pas à la prise d'analgésiques, c'est qu'il s'agit de véritables contractions annonçant le début du travail.

L'accouchement est caractérisé par des contractions régu-lières, de plus en plus rapprochées, de plus en plus longues et de plus en plus fortes. Vous sentez monter la contraction, qui devient de plus en plus douloureuse au fur et à mesure que votre utérus se durcit. Elle atteint un sommet, puis re-descend. Vous n'avez alors plus mal. C'est le repos, avant qu'une autre contraction apparaisse, et ainsi de suite.

Notez le temps de repos entre deux contractions. Quand elles apparaîtront d'une façon régulière toutes les 10 mi-nutes, vous pourrez alors partir pour la maternité.

Dès cet instant, ne buvez et ne mangez plus rien, car il vaut mieux avoir l'estomac vide pour le cas où une anesthésie serait nécessaire.

S'il s'agit de votre deuxième enfant, et a *fortiori* de votre troi-sième enfant, partez à la maternité dès que les contractions deviendront régulières, car la dilatation se fait en général d'une façon beaucoup plus rapide.

La perte des eaux

Votre bébé baigne dans le liquide amniotique – qu'on ap-pelle les « eaux » –, qui est contenu dans les membranes constituant la « poche des eaux ».

Quand le col de l'utérus est effacé et le bouchon muqueux évacué, seules les membranes protègent l'enfant et ses annexes (voir pages 55-56). À ce moment, les membranes

BON À SAVOIR

Ne vous affolez pas aux premières contractions. Pour partir à la maternité, attendez des contractions régulières. Mais si vous perdez les eaux, partez immédiatement.

Pour aller plus loin
Retrouvez tous les conseils de la sage-femme p. 350.

peuvent alors se fissurer ou se rompre, et le liquide amniotique peut s'écouler.

La perte des eaux est un signe de départ immédiat pour la maternité, même si vous ne ressentez aucune contraction.

En effet, la rupture prématurée de la poche des eaux peut entraîner :

◆ un risque d'infection de l'enfant et de ses annexes par les germes qui remontent du vagin ;
◆ le risque pour le cordon ombilical d'être entraîné vers le bas, ce qui va provoquer son dessèchement ou sa compression au moment de l'accouchement. C'est ce qu'on appelle la « procidence du cordon ».

Si vous perdez les eaux, partez tout de suite à la maternité. Effectuez si possible le trajet en position allongée ou semi-assise.

Si vous êtes seule

Prenez un taxi ou une ambulance pour vous conduire à la maternité – pensez à demander une facture pour vous faire rembourser le trajet par la Sécurité sociale. En cas d'extrême urgence, appelez le Samu ou bien les pompiers, qui vous transporteront.

Le jour J

Le jour de votre accouchement est une journée extraordinaire pour votre bébé, puisque c'est celle de son entrée dans le monde.

Il va pouvoir faire connaissance avec vous qui l'avez conçu, et vous allez enfin le découvrir dans ses moindres détails ! Si vous savez déjà beaucoup de choses sur lui, lui aussi vous connaît déjà !

L'arrivée à la maternité

Sachez qu'à votre arrivée à la maternité, on ne se précipitera pas sur vous pour vous examiner. Rien ne presse. La première chose à laquelle vous avez à vous soumettre, ce sont les formalités administratives.

Vous êtes un peu angoissée, c'est tout à fait normal. Vous commencez à ressentir les contractions d'une manière beaucoup plus forte. Ne les contrariez pas avec une inquiétude mal fondée.

Détendez-vous, tout va très bien se passer. L'accouchement est un acte naturel, pour lequel vous avez la chance d'être assistée sur le plan médical. Pensez à votre bébé dans vos bras, imaginez les vacances avec lui... C'est pour bientôt.

Une fois les formalités administratives terminées, on va s'occuper de vous sur le plan médical :

◆ on contrôle votre tension artérielle, votre température et vos urines ;

◆ on mesure la dilatation de votre col. Si elle n'en est qu'à son début, on vous installe dans une chambre pour la durée de ce travail de dilatation ;

◆ en général, on vous rase le pubis pour rendre visible et net votre périnée ;

◆ un lavement est normalement effectué, car l'enfant ne peut sortir qu'une fois le rectum vidé. Si cela n'est pas prévu par la maternité, prévoyez de prendre un suppositoire de glycérine pour aller à la selle.

La dilatation

C'est la partie la plus longue de l'accouchement : elle dure en moyenne 7 à 8 heures pour un premier enfant et 4 à 5 heures pour un deuxième.

Ces indications sont des moyennes statistiques, et votre cas peut être légèrement différent. Quoi qu'il en soit, on ne laisse plus traîner en longueur les accouchements ; on possède tous les moyens médicaux pour accélérer les choses.

Ce sont les 3 premiers centimètres de dilatation qui sont les plus longs à atteindre. Ils représentent près de la moitié de la durée totale de la dilatation.

À partir de ces 3 centimètres, on accélère un peu le processus par les ocytociques. C'est en général à ce moment de la dilatation que la maman est placée sous monitoring et sous perfusion.

Dans la majorité des cas, la poche des eaux se rompt entre 2 et 5 centimètres de dilatation. Quelquefois elle se rompt au tout début du travail, quelquefois pas du tout.

Dans ce dernier cas, le médecin attend une dilatation de 5 centimètres, avec la tête du bébé bien engagée, pour percer la poche avec une petite pince. Cette intervention est entièrement indolore.

Quelle position prendre pendant la dilatation ?

Il n'existe pas de règle quant au choix de la position. C'est avant tout une question de confort personnel : tandis que certaines femmes préfèrent rester allongées et sommeiller entre les contractions, d'autres préfèrent rester debout et marcher, du moins au début.

C'est tout à fait possible, à condition toutefois que la poche des eaux ne soit pas rompue. La position verticale aurait l'avantage de faciliter la descente de l'enfant, pendant que la pression de la tête sur le col favoriserait la dilatation.

Les positions peuvent donc être variables :

- debout, en marchant ou pas ;
- assise ;
- à moitié assise ;
- accroupie.

Cependant, le choix de la position est limité par la présence du monitoring (voir pages 317-318), même s'il existe aujourd'hui des monitorings sans fil, qui laissent donc les femmes libres de leurs mouvements et leur permettent de se détendre sur un ballon ou même d'aller dans l'eau.

Pendant la dilatation, vous êtes seule la plupart du temps, même si vous êtes surveillée d'une manière régulière. Ne pensez pas que vous êtes délaissée ; sachez que cette première étape de votre accouchement ne demande pas une présence constante du corps médical. Lorsque la sage-femme passera vous voir, elle constatera :

- l'efficacité des contractions et la bonne condition de l'enfant par l'observation des tracés du monitoring ;
- la progression de la dilatation du col par un toucher vaginal.

C'est un moment éprouvant pour la future maman, car à la douleur ressentie se greffe l'inquiétude de savoir si tout va bien se passer.

À ce moment-là, le rôle du futur père est très important, même s'il ne tient pas à assister à l'accouchement proprement dit. Il va pouvoir réconforter sa femme, l'aider à se souvenir de ses mouvements de respiration, lui tenir la main pendant qu'elle se repose entre deux contractions et, par sa présence rassurante, apaiser la future maman.

**Mettez en pratique vos cours de préparation
à la naissance**

La douleur n'est pas constante. Elle survient quand l'utérus
se contracte pour dilater le col ; pendant le relâchement de
la contraction, elle cesse. Chaque contraction a pour but de
dilater le col davantage, et plus il se dilate, plus l'intensité
des contractions augmente.

La contraction constitue un travail musculaire qui, à l'instar de tout travail musculaire, consomme de l'oxygène et
rejette du gaz carbonique. Une bonne respiration est donc
essentielle.

Quand la contraction arrive

Concentrez-vous et respirez calmement en soufflant pro-
fondément et longuement pendant le temps de la contraction. Il faut qu'un maximum d'oxygène circule dans votre
sang pour alimenter votre utérus qui travaille et votre bébé
qui en consomme également beaucoup.

Quand la contraction est là

Évitez de vous raidir, comme on a tendance à le faire quand
monte une douleur. Au contraire, décontractez-vous en relâchant tous vos muscles. Ils consommeront ainsi moins
d'oxygène, qui sera alors disponible pour le muscle utérin.
En restant détendue, vous n'opposerez pas de résistance à la
contraction, et la dilatation se fera mieux.

Tout en vous détendant, continuez à respirer et expirer lentement, ou bien pratiquez la respiration superficielle. Ainsi,
votre diaphragme bouge très peu et n'appuie pas sur l'utérus, ce qui gênerait ce dernier dans sa contraction.

Quand la contraction est passée

Faites une respiration complète et respirez normalement en
attendant la contraction suivante.

Quand la dilatation est à 5 centimètres et si les contractions
sont trop douloureuses, on vous donnera un analgésique ou
on vous fera une péridurale, si le service est équipé pour cela
et si vous le demandez.

L'expulsion

Voici la phase terminale de votre accouchement: la naissance de votre bébé. L'expulsion dure environ 30 minutes
pour un premier enfant, moins de 20 minutes pour un deuxième.

Quand la dilatation est presque terminée, les contractions
sont très fortes et très rapprochées: en moyenne 1 minute
de contraction pour 2 minutes de repos. À ce moment, vous
serez dirigée vers la salle d'accouchement où vous vous ins-
tallerez sur la table gynécologique, car la venue au monde
de votre bébé ne saurait tarder. À présent, vous allez être
extrêmement entourée par l'équipe médicale, qui est là au
grand complet.

	Contraction utérine	Repos	Durée totale
Commencement du travail	15 secondes	15 à 20 minutes	Environ 7 à 8 heures pour un 1er enfant
Dilatation à 1 cm	30 secondes	10 à 12 minutes	
Dilatation à 5 cm	45 secondes	4 à 5 minutes	
Expulsion	60 secondes	2 à 3 minutes	Environ 30 minutes

Quelle position prendre pendant l'expulsion?

La question se discute. En France, les femmes accouchent
sur une table gynécologique, couchées sur le dos, les jambes
relevées dans des étriers. Cette position est avant tout com-
mode pour le médecin ou pour la sage-femme, qui voient
ainsi parfaitement ce qui se passe et peuvent intervenir sans
être gênés.

Mais ce n'est pas nécessairement la position la plus appropriée pour faciliter l'accouchement lui-même. Si la position
accroupie, en se suspendant, ou assise est sans doute la plus
appropriée sur le plan physiologique, elle ne fait pas partie

de notre culture médicale. Toutefois, il est possible de s'en inspirer pour aménager la position gynécologique classique (voir par exemple l'ouvrage du Dr Bernadette de Gasquet, *Trouver sa position d'accouchement*, Marabout, 2009).

Mettez en pratique vos cours de préparation à la naissance

En fin de dilatation, la tête du bébé, qui vient de franchir l'orifice de sortie du bassin osseux, appuie sur les muscles du périnée, déclenchant un réflexe de poussée. L'envie de pousser est si intense qu'elle domine toutes les autres sensations, même la douleur des contractions.

À cette étape de votre accouchement, vous devrez suivre les indications du médecin ou de la sage-femme qui vous accouchent. S'ils vous disent de ne pas pousser, malgré une envie impérieuse, c'est que le col n'est pas entièrement dilaté et, dans ce cas, vous gêneriez le bébé dans sa progression. Cette envie de pousser, qui devient tout à fait irrépressible quand la tête du bébé appuie sur l'ensemble du vagin et du périnée, est extrêmement difficile à contrôler. La respiration sera votre aide précieuse; un bon entraînement lors de la préparation à l'accouchement trouve ici toute sa justification.

À l'arrivée de la contraction

Inspirez longuement par le nez et soufflez très lentement par la bouche légèrement entrouverte. Soudain, vous allez entendre la sage-femme crier: « Poussez! » Le moment est venu de libérer votre bébé. La poussée n'est pas douloureuse. C'est une force qui, avec l'aide de vos muscles abdominaux, sort votre enfant hors de vous. Pour vous aider, la respiration est, là encore, essentielle.

Quand la contraction commence

Faites une respiration complète tout en relâchant bien le périnée.

Quand la contraction est là

Inspirez par le nez, la bouche fermée. Bloquez votre respiration et poussez, en contractant vos muscles abdominaux le plus longtemps possible. L'air des poumons appuie sur le diaphragme qui, lui-même, pousse l'utérus en avant.

Autre technique : expirer très lentement, en ouvrant le périnée. Cette technique requiert une excellente préparation (voir page 210).

Quand la contraction est passée

Inspirez et expirez. Entre deux contractions, relâchez vos muscles et respirez normalement. Recommencez à chaque contraction, tant que la sage-femme vous le demandera ; elle vous guidera tout du long et, au fur et à mesure, vous dira ce que vous devez faire.

Quand la tête de votre bébé pointera au niveau de la vulve, la sage-femme vous demandera de ne plus pousser pour que le périnée et la vulve aient le temps de se détendre. Relâchez au maximum vos muscles abdominaux et votre périnée. Inspirez et soufflez lentement. La sage-femme va dégager lentement la tête de l'enfant qui apparaît, afin d'éviter un risque de déchirure. Une fois la tête sortie, vous pousserez encore un peu à la demande de la sage-femme pour la sortie du corps tout entier. Puis vous vous reposerez. Le cordon ombilical sera ligaturé, puis coupé.

La délivrance

Environ 20 minutes après la naissance de votre bébé, vous ressentirez de nouveau des contractions, mais beaucoup plus légères. Elles visent à décoller le placenta qui adhérait à l'utérus. Pour le détacher, la sage-femme appuie sur l'utérus, puis tire sur le cordon pour le faire sortir. Votre accouchement est terminé. Vous allez rester encore une ou deux heures sous surveillance dans la salle d'accouchement, puis vous retournerez dans votre chambre, où votre bébé vous rejoindra.

Accoucher de jumeaux

L'accouchement de jumeaux ne présente aucune complication particulière. Il est simplement un peu plus long qu'un accouchement normal, puisqu'il s'écoule un temps de repos de 15 à 30 minutes avant que de nouvelles contractions commencent en vue de la seconde naissance.

En général, l'expulsion est simple, car les jumeaux sont souvent de petite taille. S'il y a deux poches distinctes, on perce la seconde poche après la naissance du premier enfant et

BON À SAVOIR

Pour un premier bébé, l'accouchement dure environ 7 à 8 heures, depuis le début des contractions jusqu'à la naissance. Il est en général plus court quand il s'agit d'un deuxième enfant.

on attend la reprise des contractions pour la seconde expulsion. La délivrance a lieu après la naissance du second bébé, qu'il y ait un seul ou deux œufs. L'aîné des enfants est celui qui sort le premier. La perte de sang est beaucoup plus abondante que pour un seul enfant, les risques d'hémorragie également. C'est la raison pour laquelle il est nécessaire d'accoucher dans une maternité très bien équipée lorsqu'on attend plusieurs enfants.

SEMAINE DE GROSSESSE

Début de la **41e semaine** depuis le 1er jour
de vos dernières règles

Ça y est, votre bébé est né ! Après cette longue
attente de neuf mois, jalonnée de joies,
d'inquiétudes et de fatigue, vous faites enfin
connaissance. Vous êtes heureuse. Profitez de votre
séjour à la maternité pour vous reposer et écouter
les conseils donnés par les puéricultrices pour
prendre soin de votre bébé ; leur expérience vous
permettra de vous sentir moins démunie
si vous êtes mère pour la première fois.

Votre nouveau-né

Dès que votre bébé est sorti de vous, on l'a posé sur votre
ventre pendant quelques instants. Vous avez alors pu sentir,
sur vous, tout contre vous, cette petite masse chaude qui
poussait des cris. Sa première sensation de douceur après
l'épreuve de la naissance est votre corps doux et chaud,
dans lequel il s'enfonce. Ses cris vont très vite cesser à votre
contact et, si on lui en laisse le temps, il va peut-être exercer
le réflexe de succion, ou réflexe de fouissement, qui fait qu'un
nouveau-né tète d'une manière instinctive le sein de sa
mère.

Le premier cri

Le cri que le bébé pousse à sa naissance peut être plus ou
moins fort. Ce n'est pas un signe de détresse mais tout simplement un besoin vital. La cage thoracique comprimée
pendant l'accouchement décompresse dès sa sortie de la
mère, provoquant une entrée d'air brutale dans la bouche
qui s'ouvre. Tandis que les alvéoles pulmonaires se dé-
plissent rapidement, le liquide amniotique qui jusqu'alors
remplissait l'arbre pulmonaire se résorbe. Le sang venant du
cœur se précipite dans les vaisseaux pulmonaires afin de se
charger de l'oxygène qui vient d'arriver par cette première
inspiration et de se décharger du gaz carbonique au cours de
l'expiration. La circulation cœur-poumons est ainsi établie.

Les premiers soins de bébé

- Tout d'abord, on va désobstruer ses voies respiratoires, c'est-à-dire aspirer les mucosités qui peuvent plus ou moins encombrer la bouche et le nez. Le médecin s'assure ainsi que les voies respiratoires sont bien dégagées.

- Environ 5 minutes après la naissance, on serre le cordon ombilical par deux pinces. On coupe entre les pinces, à quelques centimètres du ventre du bébé. Avant de faire un léger pansement maintenu par une bande de gaze ou un sparadrap, on prélève un peu de sang au cordon pour différents examens. La partie restante du cordon va se sécher et tomber après une petite semaine, laissant sur l'abdomen du bébé une légère plaie, qui se cicatrisera rapidement.

- On verse deux gouttes de collyre dans chacun des yeux.

- On pèse votre bébé. S'il pèse moins de 2,7 kg, c'est un petit bébé. S'il pèse plus de 3,7 kg, c'est un gros bébé. On mesure sa taille ainsi que la circonférence de sa tête, qui se situe entre 33 et 35 cm, et celle de sa cage thoracique. Dans les jours qui suivent sa naissance, votre bébé perd environ le dixième de son poids de naissance. Cette perte de poids, tout à fait physiologique, est due à l'évacuation du méconium qui remplit son intestin et au fait qu'il est peu nourri. Il reprendra du poids dès le 3e jour pour ensuite retrouver son poids de naissance autour du 10e jour.

BON À SAVOIR
Une fois muni d'un petit bracelet portant son nom, votre bébé va recevoir les premiers soins.

Tous les soins sont donnés sur une table chauffante ou sous un cône de chaleur, car le bébé se refroidit très vite. Il ne faut pas oublier qu'il vient de vivre de longs mois à une température, toujours égale, de 37 °C, et que soudain, il se retrouve à 22 °C. Il n'est pas encore capable d'adapter sa température interne, qui baisse de 1 à 2,5 °C. Ce n'est que deux à trois jours plus tard qu'il retrouvera une température de 37 °C.

De plus en plus fréquemment, les premiers soins étant donnés, on fait prendre un bain chaud au bébé pour lui rappeler le milieu d'où il vient. Il manifeste son bien-être en retrouvant immédiatement son calme. On le trempe 5 minutes environ, sans le laver, afin de ne pas lui retirer son vernix, un enduit blanchâtre qui protège sa peau fragile.

Après les premiers soins et le bain, votre bébé va subir une série de tests qui ont pour but de vérifier sa respiration, ses battements cardiaques, qui sont aux alentours de 100 à 120 par minute, son tonus musculaire ainsi que ses réflexes. Ces tests (Apgar) renseignent le médecin sur le bon fonctionnement du système nerveux central.

À quoi ressemble votre bébé?

Lorsque votre bébé a été posé sur vous, vous l'avez regardé et, malgré votre joie, vous n'avez pas osé vous avouer une légère déception. Vous ne le trouvez pas beau! Vous imaginiez un bébé rose et joufflu, et le bébé que vous avez là n'est pas du tout comme cela!

C'est normal. Tous les bébés sont ainsi le jour de leur naissance. Attendez deux à trois semaines et vous aurez un bébé qui répond à votre attente.

Pour aller plus loin
Retrouvez tous les conseils de la psychologue p. 374.

Sa tête

Tout d'abord, vous êtes assez surprise par le volume de sa tête. Oui, c'est vrai, votre bébé a une grosse tête! En effet, chez tous les nouveau-nés, la tête représente le quart de la taille totale, alors que chez un adulte, la tête ne représente que le septième de la taille totale. Le front est également très grand par rapport au reste du visage, puisqu'il en représente les trois quarts au lieu de la moitié. À la suite de l'accouchement et selon la manière dont il s'est déroulé, la tête de votre bébé peut être allongée en pain de sucre ou bien bosselée d'un côté ou de l'autre. Rassurez-vous: dans une quinzaine de jours, il n'y paraîtra plus, et votre bébé aura une belle petite tête toute ronde.

Les os de son crâne ne sont pas encore soudés. Ils sont séparés par des espaces de tissus fibreux. Ces espaces sont très larges en deux endroits: sur le dessus du front et à l'arrière du crâne. Ce sont les fontanelles. Elles se réduiront lentement, au fur et à mesure que le crâne grandira, et se fermeront entièrement vers l'âge de 8 mois pour celle de l'arrière et vers l'âge de 18 mois pour celle du front.

La tête de votre bébé est trop lourde pour les muscles de son cou. C'est la raison pour laquelle il n'arrive pas à la redresser.

⚠ ATTENTION

Lorsque vous portez votre bébé, soutenez-le bien en mettant une main sous sa nuque.

Ses yeux, son nez et sa bouche

Ses yeux paraissent très grands. C'est normal: leur taille correspond aux deux tiers de ceux de l'adulte, alors que la tête est plus petite. Ils sont souvent bleus à la naissance, mais ils adopteront leur couleur définitive dans un mois, parfois plus tard. Les paupières sont épaisses, avec des cils apparents.

Son nez peut avoir été très aplati pendant l'accouchement, mais lui aussi va se redresser. Quant à sa bouche, elle paraît immense.

Avec ou sans cheveux ?

Votre bébé est né sans cheveux ou, au contraire, avec une abondante chevelure. Dans ce cas, elle va tomber progressivement pendant plusieurs semaines – dès à présent ou dans plusieurs mois – pour être ultérieurement remplacée par de nouveaux cheveux, qui seront en général plus fins et plus clairs.

Son corps

Si, au moment de sa naissance, votre bébé avait encore le corps recouvert de duvet, ce dernier va bientôt tomber. Recouverte du vernix à la naissance, la peau pèle durant les premiers jours et devient à la fois plus fine et plus claire. Il se peut également qu'elle prenne une belle couleur orangée lors du 2e ou du 3e jour après la naissance. Ne vous alarmez surtout pas : c'est simplement le signe que votre bébé fait une petite jaunisse, appelée l'« ictère physiologique du nouveau-né », comme le font 80 % des nouveau-nés.

Les ongles de votre bébé peuvent être très longs. Même s'il se griffe légèrement avec, il ne faut pas les lui couper avant une ou deux semaines afin d'éviter une éventuelle infection. Les organes génitaux de votre bébé sont très développés, surtout si c'est un garçon. Si c'est une fille, quelques gouttes de sang peuvent apparaître dans les couches. Cela n'a rien d'alarmant, c'est physiologique. De même, les seins des bébés, qu'ils soient filles ou garçons, sont gonflés et sécrètent une substance blanchâtre.

C'est la conséquence du passage à travers le placenta d'une petite quantité d'hormones qui doit provoquer la montée laiteuse chez la mère. Dans quelques jours, les seins de votre bébé seront parfaitement normaux. En attendant, n'y touchez pas. Tous ces signes caractérisent ce qu'on appelle la crise génitale du nouveau-né.

Les sens de votre bébé

Votre bébé n'est pas un simple tube digestif, comme on le disait volontiers autrefois. Loin de là ! C'est un être désormais entièrement autonome sur le plan physiologique et qui témoigne déjà de nombreuses sensations. Il voit, il entend, il sent, il goûte et il ressent.

Sa vision

Votre bébé ne perçoit les choses que sur un arc de cercle de 20°, à condition qu'elles soient placées à 20 ou à 25 cm de ses yeux. Il ne voit pas les couleurs, sauf peut-être la couleur rouge. Cette difficulté de la vision du nouveau-né vient du fait qu'il a toujours vécu dans un milieu obscur. Il lui faudra un certain temps pour que sa rétine s'adapte à la lumière et devienne totalement fonctionnelle.

Son ouïe

Elle est meilleure que sa vision. Il est vrai que votre bébé entend, depuis plusieurs mois déjà, et qu'il est déjà habitué à de nombreux sons. Il reconnaît parfaitement la voix humaine, puisqu'il l'entendait déjà avant de naître. Il entend même quand il dort, et de légers bruits peuvent le réveiller.

Son odorat

Il est également développé, et c'est grâce à lui qu'il reconnaît le sein maternel. C'est le sens le plus développé pour la reconnaissance de la mère, puisqu'il la reconnaît à son odeur à 10 jours, tandis qu'il ne la reconnaîtra par la voix qu'au bout de 5 semaines seulement et par les yeux pas avant 3 à 5 mois.

Son goût

Il s'est développé lors de la grossesse en avalant du liquide amniotique. Il va donc être capable de distinguer et d'apprécier immédiatement un lait à la saveur agréable. Si vous allaitez votre bébé, il goûtera à tout ce que vous goûterez. Si vous mangez du fenouil ou du cumin par exemple, votre lait sera légèrement parfumé, pour son plus grand plaisir !

Son toucher

Sans doute allez-vous être surprise par le fait de retrouver votre bébé la tête toujours collée contre le haut de son berceau. Dans cette position qui vous semble des plus inconfortables, il dort, le sourire aux lèvres.

Ce besoin de contact est pour lui nécessaire : le vide qui soudain l'entoure lui fait peur ; il y a quelques jours encore, dans votre ventre, il était lové contre les parois de l'utérus. C'est la raison pour laquelle être tenu dans vos bras, contre vous, le réconforte et le comble d'aise.

Sa réceptivité

Si vous le sollicitez, votre bébé vous sourit aux anges ou vous regarde. La communication entre la mère qui parle et qui sourit à son enfant qui, en retour, la regarde, s'établit ainsi ; elle se renforcera au fil des sollicitations de la mère, qui engendreront des stimulations nerveuses chez le bébé, qui y répondra alors selon ses possibilités. Ce sont ces diverses stimulations qui permettront la lente maturation du système nerveux central. Le cerveau se câble au fur et à mesure de la réception des informations, et la pensée d'un individu sera d'autant plus riche que les circuits seront plus nombreux.

Vous le savez déjà, il faut entre 18 et 20 ans environ pour que le cerveau soit câblé d'une manière intégrale et définitive. Cela montre l'importance cruciale que possède l'éducation dans le comportement d'un futur adulte.

Son attente de stimulations

Tous les moyens sont bons pour entrer en communication avec votre bébé – les gestes, les caresses, les paroles, les sourires, les mimiques, la musique... Non seulement il aime ces stimulations, mais il les attend. Ces contacts vont s'intensifier et s'enrichir au fil du temps qui passe, car votre bébé deviendra de plus en plus réceptif et sera capable de répondre d'une manière de plus en plus active.

Vous

....

Vous avez dépassé le terme ?

On considère que le terme est dépassé au début de la 41e semaine depuis le 1er jour de vos dernières règles. Si vous êtes dans ce cas, on vous convoquera tous les deux jours, voire tous les jours, pour écouter les bruits du cœur de votre bébé. Une amnioscopie sera réalisée pour observer la couleur du liquide amniotique (voir page 291). S'il devient verdâtre, c'est que le bébé rejette son méconium, donc qu'il souffre. Il faut alors intervenir en déclenchant l'accouchement. Par le doppler (voir page 130), on examinera également la vitalité du placenta car, en fin de grossesse, il commence à s'altérer et remplit moins bien ses fonctions de nutrition et d'oxygénation.

**BON
À SAVOIR**

3 % des femmes dépassent le terme.

Si, après 41 semaines d'aménorrhée, votre bébé tarde toujours à se manifester, on provoquera artificiellement sa naissance. En général, le bébé naît en bonne santé et ne demande pas de soins particuliers. Sa peau, qui a perdu tout son vernix, pèle et ses ongles sont très longs. Il était grand temps qu'il vienne au monde !

Les suites de couches

Tout de suite après l'accouchement, l'utérus se contracte et commence à involuer, c'est-à-dire à diminuer de volume. Il descend d'un centimètre par jour et n'est plus palpable vers le 10e jour. Cette contraction de l'utérus permet une ligature naturelle des vaisseaux, évitant ainsi les hémorragies.

Néanmoins, un écoulement sanguin va persister pendant quelque temps. Durant les 2 ou 3 jours qui suivent l'accouchement, ils sont assez abondants, car ils permettent d'entraîner la partie muqueuse de l'utérus, ou caduque, qui entourait initialement l'œuf. Ces saignements, ou lochies, diminuent au bout de quelques jours pour s'arrêter entièrement vers la fin de la 3e semaine. Chez certaines femmes cependant, ils peuvent durer jusqu'au retour de couches. Un écoulement plus important peut se produire 12 à 15 jours après l'accouchement : c'est le petit retour de couches, qui ne durera pas plus de 3 à 4 jours.

Des contractions douloureuses de l'utérus apparaissent chez les femmes ayant déjà eu un ou plusieurs enfants. Elles provoquent un écoulement de sang plus important : ce sont les tranchées. Elles sont plus fortes lorsque la mère allaite et nécessitent un léger analgésique pendant quelques jours.

Si vous avez eu une épisiotomie, vous ressentirez une douleur locale durant quelques jours, surtout quand vous urinerez. Plusieurs fois par jour, envoyez de l'air chaud, à l'aide d'un sèche-cheveux, dans la zone de l'épisiotomie afin de supprimer l'humidité locale ; la cicatrisation sera plus rapide.

La montée de lait

Dès l'expulsion du placenta, l'hypophyse sécrète une hormone de lactation, la prolactine, qui va agir directement sur les glandes mammaires. Deux à 3 jours après l'accouchement, vos seins vont gonfler et durcir : c'est la montée laiteuse. Cela peut prendre un jour de plus si vous avez eu une césarienne.

Si vous allaitez, vos seins vont rester distendus pendant tout le temps de l'allaitement. Aussi devrez-vous les soutenir par un bon soutien-gorge que vous garderez jour et nuit. Si vous décidez de ne pas allaiter, on vous fera prendre quelques comprimés qui arrêteront la montée de lait; portez un bon soutien-gorge.

Le retour de couches

Il s'agit de la réapparition des premières règles, donc du rétablissement d'un cycle menstruel normal. Le retour de couches peut survenir à des dates variables, selon que vous allaitez ou non.

- Si vous allaitez, il se produit environ 4 mois après votre accouchement, parfois plus tôt, mais le plus souvent plus tard, c'est-à-dire tant que dure l'allaitement, sauf s'il se prolonge de nombreux mois.
- Si vous n'allaitez pas, le retour des règles survient en général 4 à 6 semaines après votre accouchement, avec des variations individuelles. La plupart du temps, l'écoulement de sang de ces premières règles est supérieur à la normale.

Allez-y doucement !

Profitez de votre séjour à la maternité pour vous reposer. Neuf mois de grossesse suivis des efforts de l'accouchement vous ont fatiguée et, si vous ne bénéficiez pas de ce répit, vous risquez de le regretter dans les semaines qui suivent.
Dès le lendemain de l'accouchement, vous pourrez vous lever, mais modérément. Votre périnée s'est trouvé très distendu au moment de l'expulsion. Or, le périnée est cet ensemble de muscles sur lesquels reposent les organes génito-urinaires. Encore gros et lourd, l'utérus aura tendance à accentuer le relâchement et, insuffisamment maintenu, il risque de se retourner vers l'arrière: c'est la rétroversion de l'utérus. En conséquence de quoi, levez-vous pour faire votre toilette, marchez un peu, mais ne restez pas debout trop longtemps et, surtout, ne portez pas de charge.
Dès à présent, rééduquez votre périnée sans faire de mouvements intempestifs mais en contractant les uns après les autres les muscles de la région anale, puis génitale. Même si votre accouchement s'est bien passé, vos muscles formant le périnée ont été distendus. Rééduquez cette région par des

**BON
À SAVOIR**

Ne vous déprimez pas à la vue de votre ventre mou et fripé. Il a été incroyablement distendu par la grossesse; laissez-lui le temps de revenir à la normale.

exercices appropriés afin d'éviter des fuites urinaires, pour les années à venir (voir pages 209-210).

Attendez d'avoir récupéré entièrement votre périnée – ce qui demande 6 semaines environ – avant d'entreprendre la série de gymnastique abdominale rééducative prise en charge par la Sécurité sociale. Si vous en éprouvez le besoin, vous pourrez demander une série supplémentaire sur prescription médicale.

Quand vous n'aurez plus aucun saignement et quand la vulve sera complètement cicatrisée, surtout si vous avez eu une épisiotomie, vous pourrez aller nager à la piscine le plus souvent possible. Ces exercices, joints à une alimentation équilibrée et légère, vous permettront de retrouver votre ligne en quelques mois.

ALLEZ CONSULTER

Aux premiers signes de baby blues, voyez votre médecin. Par une aide avant tout psychologique, voire médicamenteuse, vous retrouverez votre tonus et votre sourire.

Le baby blues

Rentrée chez vous avec votre bébé, vous retrouvez avec bonheur votre compagnon et votre maison. Tout est pour le mieux, ou du moins pourrait être pour le mieux, car, chose incompréhensible et inexplicable, vous n'avez pas le moral et vous voyez tout en noir. Vous avez envie de pleurer sans raison et vous n'avez plus goût à rien. Pour un peu, même le bébé, pourtant si désiré, vous indifférerait. C'est la dépression du post-partum, c'est-à-dire la dépression des accouchées.

Due au bouleversement hormonal qui a été la cause du déclenchement de l'accouchement, cette déprime d'origine avant tout physiologique est encore accentuée par la fatigue des neuf mois de grossesse, celle des efforts de l'accouchement, du sang perdu et du sommeil perturbé par l'alimentation et les soins à donner au bébé. Sans compter toutes les questions angoissantes que peut se poser une jeune mère face à son nouveau-né.

Sachez que cet état existe et qu'il n'a rien de honteux. Et si votre compagnon réservait ses jours de congé de paternité, et pourquoi pas une semaine de congés payés supplémentaire, pour vous seconder ? Si cela n'est pas possible, essayez d'avoir près de vous votre mère, votre belle-mère ou encore une amie qui gardera le bébé, ce qui vous permettra de décompresser un peu et de sortir pour vous changer les idées. Ne laissez surtout pas s'installer en vous un état dépressif,

Pour aller plus loin
Retrouvez tous les conseils de la psychologue p. 374.

car si vous vous heurtez à l'incompréhension de votre entourage, vous glisserez vite de la simple déprime à la véritable dépression.

La reprise des relations sexuelles

Pour reprendre des relations sexuelles, attendez que les saignements qui suivent l'accouchement soient arrêtés et surtout que la vulve soit cicatrisée. N'ayez pas de relations sexuelles si elles sont douloureuses, car vous finiriez par avoir inconsciemment un réflexe négatif d'autodéfense. Dans ce cas, consultez le médecin qui vous a accouchée. Des soins souvent très simples résoudront ce problème.

Avec votre compagnon, ayez une hygiène irréprochable afin d'éviter tout risque d'infection qui pourrait monter dans l'appareil génital.

Une contraception adaptée

Dès l'instant où vous reprendrez des relations sexuelles, vous devrez envisager une contraception si vous ne voulez pas entamer une nouvelle grossesse. En effet, le retour de couches arrive, avec imprécision, 6 à 8 semaines après l'accouchement. Cela signifie qu'une ovulation a eu lieu 15 jours auparavant. C'est l'inconnu total. Autrement dit, une seconde grossesse peut survenir 4 à 6 semaines après votre accouchement.

Si vous allaitez, méfiance! Ne croyez pas la tradition selon laquelle une femme qui allaite est protégée d'une nouvelle grossesse. Cela n'est vrai qu'en partie. Une femme qui allaite complètement est protégée seulement pendant les trois premiers mois. Sachez qu'il existe une pilule contraceptive faiblement dosée en progestérone, qui peut être prise pendant l'allaitement.

Votre gynécologue décidera avec vous de la contraception la mieux adaptée. Il sait s'il s'agit de votre premier enfant, si vous avez eu une césarienne, si vos cycles étaient réguliers... Autant d'éléments qui le guideront dans le choix d'une contraception. Celle-ci peut d'ailleurs être temporaire et remplacée au bout de quelque temps par une autre.

Les obligations postnatales

Après la naissance de votre bébé, vous avez quelques obligations à remplir à l'égard de l'administration. Ne les négligez pas, car vous risquez de perdre des prestations familiales (voir en annexes les prestations de la CAF).

La déclaration de naissance

À la maternité, il vous sera remis un certificat attestant la naissance de votre enfant. Muni de ce certificat et du livret de famille si vous êtes mariée, le père ou, à défaut, une personne déléguée par la maternité, doit déclarer l'enfant à la mairie de l'endroit où a eu lieu l'accouchement. Cette déclaration doit obligatoirement être faite dans les 3 jours qui suivent la naissance sous peine d'entraîner des complications coûteuses. Elle est portée sur le livret de famille.

Les services de la mairie qui enregistrent la naissance remettent à la personne qui fait la déclaration un carnet de santé pour l'enfant et des extraits de l'acte de naissance, qui seront nécessaires pour les démarches ultérieures.

Si vous n'êtes pas mariée, vous pourrez, à ce moment-là, déposer à la mairie une demande de livret de famille.

Une visite médicale pour vous

Cette visite médicale obligatoire doit avoir lieu dans les 8 semaines qui suivent l'accouchement, l'idéal se situant un mois après votre accouchement. Elle consiste en un examen clinique au cours duquel votre médecin vérifie que tous vos organes génitaux ont retrouvé leur place et qu'ils sont en bon état. De plus, il examinera vos seins, votre paroi abdominale et votre périnée. C'est à vous de lui signaler toute anomalie ou toute gêne telle que la présence de varices vulvaires ou encore d'hémorroïdes.

Si cela n'a pas déjà été fait par l'équipe médicale de la maternité, il vous prescrira une contraception.

La surveillance médicale de votre enfant

Votre bébé sera soumis à des visites médicales obligatoires, qui doivent avoir lieu à des périodes précises sous peine, pour vous, de perdre le droit aux prestations familiales.

Au cours de la 1ère année de votre enfant, neuf visites sont obligatoires : une au cours de la semaine qui suit la naissance – effectuée par l'équipe médicale de la maternité –, une avant la fin du 1er mois et une au cours des 2e, 3e, 4e, 5e, 6e, 9e et 12e mois.

Au cours de la 2e année de votre enfant, trois visites sont obligatoires : au cours du 16e, du 20e et du 24e mois.

Ensuite, jusqu'à sa 6e année, votre enfant sera soumis à une visite obligatoire tous les 6 mois pendant les quatre années suivantes.

Lors de certaines de ces visites – celles du 8e jour, du 9e et du 24e mois –, le médecin établira un certificat de santé que vous enverrez à votre Caisse d'allocations familiales.

Ces visites obligatoires peuvent être effectuées par le médecin généraliste ou par le pédiatre que vous aurez choisi, consultant soit dans son cabinet, soit dans un centre de Protection maternelle et infantile (PMI) ; les consultations et les vaccins obligatoires seront alors gratuits. Cependant, sachez que le centre de PMI n'est pas un centre de soins ; le jour où votre enfant sera malade, vous devrez consulter un médecin.

4

LES RÉPONSES
DES SPÉCIALISTES

« Pour me suivre, sage-femme ou gynéco ? »

LE POINT AVEC ANNA ROY

Sage-femme titulaire aux Bluets, pratique également en libérale

Elle est également chargée de cours auprès de futures sages-femmes à la faculté de médecine de Paris et à l'école d'ostéopathie de Paris. Elle participe à de nombreux articles de presse et est l'auteure d'un livre.

C'est la sage-femme, à l'hôpital ou en libéral, qui va suivre votre grossesse pour que tout se passe bien pendant ces 9 mois, pour vous et votre futur bébé. Contrôles médicaux, prescription d'examens, de traitements, cours de préparation à la naissance, accouchement et conseils après la naissance, elle est incontournable. N'hésitez pas à la questionner !

Hôpital public ou privé ?

Quand s'inscrire à la maternité ? Et comment la choisir : hôpital ou clinique ?

AR : Il faut s'inscrire rapidement à la maternité après la confirmation de votre grossesse par un test sanguin. Cela est d'autant plus vrai en Région parisienne et dans les grandes villes, où certaines maternités sont prises d'assaut : des femmes n'hésitent pas à s'inscrire alors qu'elles ne sont pas encore enceintes, quitte à annuler l'inscription après ! Les maternités sont classées selon leur type (ou niveau), de 1 à 3, qui reflète leur capacité à accueillir au sein d'unités néonatales les nouveau-nés en fonction de leur poids et de leur degré de prématurité (le type 3 étant le plus équipé, puisque ces hôpitaux possèdent des services de réanimation néonatale).

En France, il existe 3 types de structures :
- les hôpitaux publics : prise en charge à 100 % par l'assurance-maladie ;
- les hôpitaux privés à but non lucratif : pas de dépassement d'honoraires sauf pour le confort personnel (chambre seule par exemple) ;
- les hôpitaux privés à but lucratif ou « cliniques » : dépassements d'honoraires. Demandez-leur un devis, les frais peuvent être élevés. À noter : il

n'existe pas de clinique de type 3.
Pour bien choisir votre maternité, déterminez ce que vous souhaitez. N'hésitez pas à en parler autour de vous !

Pourquoi mon gynécologue « de ville » doit-il passer le relais à une sage-femme ou à un gynécologue de la maternité ?

AR : Il est très important pour la structure qui va vous accueillir de vous avoir vue plusieurs fois et de connaître tous les antécédents qui pourraient interférer pendant la grossesse, l'accouchement ou les suites de couches. Votre gynécologue vous orientera vers une maternité, généralement de type 1 ; cette dernière vérifiera que vous correspondez bien à ce niveau de maternité. Il arrive en effet que certaines patientes qui désirent accoucher dans un hôpital de type 1 soient transférées au cours de leur grossesse dans un service avec une structure de soins plus technique.

De plus, lors de ce rendez-vous, l'équipe établira un pronostic pour l'accouchement en fonction de vos antécédents, lui permettant de prévoir, si nécessaire, un déclenchement ou une césarienne.

Vaut-il mieux une sage-femme ou un gynécologue obstétricien pour suivre ma grossesse ? Autrement dit, une sage-femme peut-elle remplacer un gynécologue ? Peut-elle m'accoucher ?

AR : Si votre grossesse est normale ou « physiologique », il est conseillé de vous faire suivre par une sage-femme. Elle pourra répondre à toutes vos questions, prescrire les examens, les médicaments éventuels et les arrêts de travail. Elle est la spécialiste de la grossesse et de l'accouchement physiologique. Si une pathologie se présente, elle vous adressera à un confrère obstétricien.

Si votre grossesse est dite « pathologique » ou que vous avez des antécédents qui nécessitent une prise en charge particulière, il faudra alors vous faire suivre par un obstétricien.

Puis-je choisir ma sage-femme ? Et puis-je en changer si le courant passe mal ?

AR : En libéral, vous pouvez choisir sans aucun problème votre sage-femme, comme avec tout autre professionnel médical : on choisit sa sage-femme comme on choisit son dentiste ou son médecin généraliste. À la maternité, si le courant passe mal (ce qui est rare, il faut bien le dire), n'hésitez pas à en parler à la secrétaire médicale de façon à voir si elle peut vous changer de sage-femme.

En maternité, en cabinet ou en libéral : y a-t-il une différence ?

AR : Les professionnels qui vous prendront en charge sont diplômés de la même façon et réaliseront exactement les mêmes examens. Il n'y a donc aucune différence entre la maternité, le cabinet et le libéral. Ce qui peut différer, c'est le tarif des consultations : il peut varier du simple au quintuple !

Les petits maux

Depuis quelque temps, j'ai des crampes. Comment les éviter ?

AR: Les crampes sont fréquentes au cours de la grossesse. Désagréables, voici quelques conseils pour les éviter :

- buvez suffisamment d'eau ;
- marchez au moins 15 minutes tous les jours ;
- évitez de croiser les jambes ;
- n'hésitez pas à vous faire des massages… ou à vous en faire faire !
- ne restez pas dans la même position trop longtemps, évitez de piétiner ;
- favorisez une alimentation riche en calcium, en magnésium et en potassium (laitages, légumineux, légumes verts, bananes, fruits secs…) ;
- pensez à vous étirer.

Si, malgré tout, les symptômes ne disparaissent pas, parlez-en à votre sage-femme ou à votre médecin afin qu'il vous prescrive un traitement.

J'ai plein de petites angoisses : je ne sais pas à qui en parler. La sage-femme est-elle la bonne personne ?

AR: Votre sage-femme est tout indiquée pour vous écouter. Il est très fréquent d'avoir des angoisses pendant la grossesse sans que cela soit inquiétant. N'hésitez pas à lui confier tous vos doutes, incertitudes et appréhensions comme elles se présentent. Si les angoisses sont trop invalidantes ou que la sage-femme n'arrive pas à les endiguer, elle vous adressera à un psychologue ou à un psychiatre selon la situation.

Parfois, pendant plusieurs jours, je ne sens pas mon bébé bouger. Dois-je consulter ?

AR: Contrairement à ce que l'on peut lire dans certains livres ou magazines, il faut absolument se rendre aux urgences de la maternité si votre bébé ne bouge plus ou moins. On entend souvent à tort que le bébé bouge moins les derniers mois, ce qui est faux. Les amplitudes des mouvements ne sont pas les mêmes car il a moins de place, mais il bouge tout autant en fréquences. Si vous êtes inquiète, mangez quelque chose de très sucré et allongez-vous pendant 1 heure. Si votre bébé ne répond pas, rendez-vous aux urgences de votre maternité.

J'ai des contractions douloureuses. Dois-je m'en inquiéter ?

AR: Si vous n'êtes pas à terme (plus d'un mois avant la date prévue de l'accouchement), il n'est pas normal d'avoir des contractions douloureuses. Dans ce cas, il ne faut pas hésiter à consulter, *a fortiori* si vous en avez plus de dix par jour.

À terme, les choses sont bien différentes : il est tout à fait normal d'avoir des contractions douloureuses. Elles préparent le col de l'utérus à l'accouchement. Si elles sont désagréables, n'hésitez pas à prendre un bain chaud pour tenter de les faire céder.

J'ai des troubles urinaires et des pertes de sang. Est-ce grave ?

AR: Les troubles urinaires comme les pertes de sang ne doivent pas être pris à la légère pendant la grossesse. Si vous ne parvenez pas à obtenir un rendez-vous dans la journée avec votre sage-femme ou votre gynécologue, il faut consulter aux urgences de votre maternité. En effet, une infection urinaire doit être rapidement traitée car les risques d'infection du rein sont plus importants au cours de la grossesse. Mais rassurez-vous, rien de grave, c'est fréquent et cela se traite très facilement. Quant aux saignements, nous devons savoir d'où ils proviennent.

J'ai les seins gonflés et douloureux et j'ai parfois un liquide jaunâtre qui en sort. Dois-je m'inquiéter ?

AR : C'est un des signes de la grossesse, c'est donc tout à fait normal ! Le liquide jaunâtre s'appelle le « colostrum » : c'est ce qui nourrira votre bébé les trois premiers jours avant la montée laiteuse si vous décidez d'allaiter.

Plus j'avance dans ma grossesse, moins je dors bien. Que puis-je prendre pour dormir un peu ?

AR : Parlez-en à votre pharmacien, qui pourra vous conseiller des médicaments à base de plantes.
Quoi qu'il arrive, ne prenez pas de médicaments sans avis médical. N'hésitez pas à en parler à votre sage-femme ou à votre médecin. Le praticien tentera d'en trouver la source… s'il y en a une ! Le reflux gastro-œsophagien, les jambes lourdes ou les crampes peuvent en effet perturber votre sommeil.
D'autres solutions sont aussi possibles, comme des séances de relaxation ou l'acupuncture notamment.

Pourquoi me pèse-t-on à chaque visite ? Comme je prends pas mal de poids, je me sens humiliée à chaque fois.

AR : L'épreuve de la balance, mensuelle, est redoutée par toutes les patientes.
Il est tout à fait normal de prendre du poids pendant la grossesse (idéalement entre 9 et 12 kg). La règle veut que vous preniez 1 kg par mois les six premiers mois et 2 kg par mois les trois derniers. Si vous en prenez trop, votre sage-femme vous donnera quelques conseils diététiques ou vous enverra chez un diététicien. En effet, la graisse que vous prenez se loge aussi à l'intérieur du bassin et pourra gêner la sortie de votre bébé lors de l'accouchement. De plus, une prise de poids excessive favorise la survenue de complications telles que le diabète gestationnel, des problèmes d'hypertension artérielle, etc.

Ma libido

Est-ce que je peux continuer à faire l'amour ? Mon bébé sent-il quelque chose ?

AR : Si la grossesse ne présente pas de complications, vous pouvez tout à fait continuer à faire l'amour. Aucun risque de cogner ou de faire mal à votre bébé ! Votre enfant profitera simplement de l'état de bien-être dans lequel vous serez ! Il n'y a donc que des bénéfices… pour tous les trois !

Depuis que je suis enceinte, mon mari trouve des excuses pour ne pas faire l'amour. Il a peur de cogner le bébé ou de le déranger.

AR: Rassurez-le ! Expliquez-lui qu'il ne peut absolument pas faire mal à votre bébé ou le déranger. Dites-lui aussi que le sperme n'accède pas au bébé puisqu'il est protégé par le col de l'utérus, qui est fermé par le bouchon muqueux.

Il est parfois difficile pour les hommes de s'adapter aux modifications du corps, à la présence du bébé et à votre changement de statut. Laissez-lui du temps et discutez-en calmement ensemble.

Mon terme est dépassé

Que se passe-t-il si le terme est dépassé et que mon bébé ne semble pas pressé de sortir ?

AR: Tout va se jouer en fonction du placenta. Imaginez le placenta comme un paquet de yaourts avec une date de péremption. C'est exactement la même chose. Le jour du terme prévu, vous serez convoquée à la maternité et l'équipe vérifiera si le placenta est périmé. Ils auront accès à cette information en réalisant un monitoring (monitorage du cœur de votre bébé pendant au moins 30 minutes) et une échographie.

S'ils dépistent que le placenta est périmé, on vous déclenchera le jour même. A *contrario*, s'il ne l'est pas, on vous demandera de venir toutes les 48 heures (à terme + 2 jours et + 4 jours) et une dernière fois 24 heures après (terme + 5 jours), jour du déclenchement. Les protocoles peuvent différer d'une ma-ternité à l'autre.

De votre côté, n'hésitez pas à marcher, faire l'amour, de l'acupuncture, des séances d'ostéopathie, toute chose qui pourrait aider la venue du travail.

Ma préparation à l'accouchement

Quand dois-je commencer les cours de préparation ?

AR: Au cours du 4e mois, en plus d'autres sujets, la sage-femme abor-dera avec vous les différents types de préparations qui existent et vous aide-ra à choisir celle qui vous correspond le mieux.

Les cours débutent entre le 4e et le 7e mois selon le type de préparation et le temps dont vous disposez. Certaines femmes ne peuvent en effet commen-cer la préparation avant leur congé ma-ternité. Si tel est le cas, n'oubliez pas de prendre les rendez-vous au moins un mois à l'avance.

Comment bien choisir ma préparation ? Pouvez-vous expliquer en quelques mots en quoi consiste les différentes prépa-rations : sophrologie, haptonomie, yoga, gymnastique aquatique, chant prénatal…

AR: Quoi qu'il arrive, il me semble important de faire une préparation classique. En effet, il est important de connaître le déroulement de l'accou-chement et de ses éventuelles compli-cations pour ne pas être trop surprise au moment de l'accouchement. Paral-lèlement, vous pouvez suivre un autre type de préparation.

- **La préparation en piscine ou « aqua-gym prénatale »:** c'est une très bonne préparation physique qui vous aidera à développer et à maintenir une bonne capacité pulmonaire, ainsi qu'une grande tonicité musculaire. De plus, en relative apesanteur, vous bénéficierez d'une sensation de légèreté, ce qui est appréciable au cours de la grossesse !

- **La sophrologie:** grâce à des exercices de relaxation, de visualisation et de respiration, cette méthode permet de vaincre ses angoisses au cours de la grossesse et de se préparer sereinement à l'aventure de la naissance !

- **Le chant prénatal:** grâce à l'émission de divers sons, de chant et d'exercices corporels, vous pourrez appréhender la grossesse, l'accouchement et les suites de la naissance sous un angle différent. Évidemment, même si l'on ne vous demande pas de savoir chanter, il faut au moins aimer chanter !

- **Le yoga prénatal:** c'est une très bonne préparation physique. La pratique du yoga améliorera en douceur votre tonus musculaire, votre énergie et votre souplesse. Grâce à de nombreux exercices de respiration, elle vous préparera aussi pour le jour J !

- **L'haptonomie:** cette technique de préparation consiste à entrer en contact avec le fœtus par l'intermédiaire du toucher et des sons. Le papa y a une participation active.

Justement, l'haptonomie, c'est un peu parler au bébé en le touchant. Pourquoi alors avoir besoin d'une sage-femme ? Je peux très bien le faire toute seule !

AR: La sage-femme vous apprendra, ainsi qu'au futur papa, les gestes qui vous permettront de faire réagir votre bébé, elle vous livrera ses connaissances sur le fœtus. Elle vous donnera aussi des conseils pour le jour de l'accouchement. Ces conseils permettront au père de vous aider pleinement le jour venu.

Qu'appelle-t-on un « accouchement différent » ?

AR : Tous les accouchements sont différents. Aujourd'hui, on appelle « accouchement différent » les accouchements physiologiques qui limitent au maximum les interventions médicales (péridurale, injection d'ocytocique, rupture artificielle de la poche des eaux…). Ce type d'accouchement peut se pratiquer dans certaines structures hospitalières ou en maison de naissance. Vous pouvez vous renseigner auprès des maternités qui sont proches de chez vous.

J'aimerais accoucher de la façon la plus naturelle, sans péridurale, le plus physiologiquement possible. Que me conseillez-vous ?

AR: Adressez-vous dans ce cas à une maternité dont vous savez qu'ils pratiquent ce type d'accompagnement ou à une maison de naissance. Souvent, dans la plupart des maternités, on ne vous laisse pas forcément le choix de la position ou on ne met pas à votre disposition tous les outils qui permettent d'accoucher plus facilement sans péridurale (baignoire, ballon, systèmes de suspension, galette...). Il est alors beaucoup plus difficile d'accoucher de la façon la plus naturelle possible !

Faites une bonne préparation à la naissance classique et ajoutez-y un autre type de préparation comme le yoga, la sophrologie... Cela vous permettra d'apprendre les positions antalgiques, la gestion du souffle, la façon de pousser, de connaître à l'avance tous les moyens qui vous permettront de gérer au mieux la douleur des contractions le jour venu.

Enfin le jour J

Comment savoir si le « vrai » travail a commencé ?

AR: C'est, à n'en pas douter, une question délicate. Preuve en est que de nombreuses femmes, dont c'est le premier enfant, n'arrivent pas au bon moment à la maternité.

Les contractions de « vrai » travail possèdent les caractéristiques suivantes :

♦ elles sont régulières en fréquence, en général toutes les 3 à 6 minutes ;

♦ elles durent chacune plus de 45 secondes ;

♦ elles sont douloureuses.

Voilà bien un critère subjectif, me direz-vous ! En cours de préparation à la naissance, j'aime bien mimer une femme en vrai travail et celle qui n'est encore qu'en prétravail ! Disons que la douleur est suffisamment forte pour que vous ayez du mal à parler et que vous vous sentiez obligée de prendre une position antalgique !

Mon conseil : lorsque vous vous mettez à avoir des contractions douloureuses,

faites un test. Prenez 1 g de paracétamol, des antispasmodiques (Spasfon®, en vente libre en pharmacie) et plongez-vous dans une baignoire d'eau chaude (ou, si vous avez une douche, placez le jet d'eau chaude sur votre ventre). Si, au bout de 45 minutes, les contractions ont cédé, c'est que ce n'était pas le « vrai » travail. Si elles persistent, il semble bien que ce soit le travail ! Attendez qu'elles soient régulières et longues et partez à la maternité !

En poussant, j'ai peur de faire caca.

AR: C'est une peur partagée par toutes les femmes. L'idée d'aller à la selle devant des étrangers et devant la personne qui vous accompagne vous terrifie... et je vous comprends ! Avant de partir à la maternité ou en y arrivant, pensez à aller aux toilettes. En cas de difficulté, n'hésitez pas à utiliser un suppositoire à la glycérine ou autre lavement.

Mais rassurez-vous, c'est une chose très fréquente et les équipes sont parfaitement rodées pour que vous ne le sachiez même pas. Au moment de l'accouchement, il y a de nombreuses compresses pour tout dissimuler et l'odeur des détergents hospitaliers masque toutes les odeurs désagréables.

Qu'est-ce qui se passe s'il y a une seule sage-femme pour trois femmes en train d'accoucher ?

AR: Ne vous inquiétez pas ! Les sages-femmes, même en cas de surcharge effective de travail, s'en sortent toujours. Elles ont l'habitude de gérer des situations d'urgence vitale et savent très bien prioriser. De plus, elles ne sont jamais seules de garde et peuvent appeler à la rescousse une collègue de la salle de naissance ou d'un autre service !

Et si je n'ai pas le temps d'arriver à l'hôpital et que je commence à accoucher chez moi ?

AR : La première chose à faire, c'est d'appeler les pompiers. Rassurez-vous, en général, un accouchement rapide est un accouchement qui se passe bien. Si vous êtes seule à la maison, appelez un voisin. Il vaut mieux ne pas rester seule. La personne qui sera là avec vous appellera la salle de naissance de votre maternité afin qu'on lui prodigue des conseils.

En attendant les secours, la priorité essentielle est de maintenir le bébé au chaud. Une fois qu'il est né, essuyez-le, posez-le sur votre ventre et couvrez-le chaudement (plusieurs serviettes de toilette superposées par exemple). N'essayez pas de couper le cordon ou de vous lancer dans une quelconque intervention médicale. Attendez les secours, mais ne vous inquiétez pas, ils arrivent vite !

L'accouchement à domicile, ça veut dire quoi ? Et comment ça se passe s'il y a un problème ?

AR : L'accouchement à domicile (ADD) est actuellement pratiqué en France par un très petit nombre de sages-femmes. En effet, elles ne sont pas assurées pour ce type de pratique. Il représente environ 1 % des naissances françaises, contre 30 % des naissances aux Pays-Bas. L'AAD fait l'objet de vives polémiques en France et n'est pas admis culturellement par l'immense majorité des professionnels de la périnatalité.

En cas de problème, vous serez transférée dans l'unité de gynécologie-obstétrique la plus proche de chez vous.

En quoi un accouchement en maison de naissance est-il différent d'un accouchement à l'hôpital ou à la clinique ? L'équipement est-il le même ? Est-ce aussi « sûr » ?

AR : Les maisons de naissance, en expérimentation en France, sont actuellement rattachées à une unité de gynécologie-obstétrique hospitalière. En cas de problème, vous serez transférée au plus vite à l'hôpital. Il n'y a donc actuellement aucun risque à accoucher dans ce type de structure, d'autant plus que les patientes présentant des antécédents pouvant entraver le bon déroulement de l'accouchement se verront refuser l'admission pour un suivi en maison de naissance.

En maison de naissance, la physiologie du travail est respectée. Vous aurez à votre disposition une baignoire, un lit confortable, un ballon pour mobiliser votre bassin, vous détendre et faciliter la descente du bébé, des systèmes de suspension et tout autre dispositif qui vous aidera à soulager la douleur des contractions. Ne comptez pas sur la péridurale : on ne pourra pas la poser, sauf en cas de transfert vers une maternité, s'il n'est pas trop tard ! Vous retournerez à domicile entre 3 et 12 heures après votre accouchement, en bénéficiant d'un suivi quotidien par votre sage-femme. La sage-femme qui vous accouchera sera la même que celle qui se sera chargée du suivi de votre grossesse et de la préparation à la naissance. C'est elle aussi qui assurera le suivi du post-partum à domicile, la rééducation du périnée et la visite post-natale. On appelle ça le « suivi global ».

Allaitement

Je ne sais pas encore si je vais allaiter, mais autour de moi, on me met une pression d'enfer. Pourtant, cela ne regarde que moi !

AR : Cela ne regarde effectivement que vous ! Chacun voit midi à sa porte ! Ne vous laissez pas influencer par votre entourage, il n'y a que vous qui allaiterez. Voyez ce qui vous plaît et décidez en fonction. Parfois, les femmes se décident au dernier moment, une fois le bébé né et la première tétée effectuée. Pas de panique, donc ! Il vaut mieux une maman heureuse et épanouie au biberon qu'une maman malheureuse au sein !

Le mot de la fin

Si vous aviez un ou deux conseils à donner pour que tout se passe bien, quels seraient-ils ?

AR : Si vous en avez la possibilité, entourez-vous d'une sage-femme libérale qui assurera le suivi de la grossesse, la préparation à la naissance, les visites à domicile auxquelles vous avez droit après l'accouchement, la rééducation du périnée et la visite post-natale. Elle sera le fil conducteur et deviendra pour vous une interlocutrice privilégiée. Cela évitera la dispersion autour de nombreux professionnels et un morcellement de votre prise en charge. Elle fera le lien avec la maternité et pourra répondre à toutes vos questions.

Quoi qu'il arrive, octroyez-vous du temps et prenez le temps de faire la préparation à la naissance, vous ne le regretterez pas ! Faites attention à garder une alimentation équilibrée de façon à ne pas prendre trop de poids. C'est mieux pour l'accouchement, mais aussi pour éviter la douche froide quand on a plus d'une dizaine de kilos à perdre après la naissance. Enfin, maintenez un niveau minimal d'activité physique de façon à vous sentir bien dans votre corps !

Qu'avez-vous ressenti la première fois que vous avez géré un accouchement seule ?

AR : Ce fut une très grande émotion, teintée de peur, d'excitation et de joie. Je n'oublierai jamais la naissance de cette petite fille ce jour de juillet. Tous les détails de sa naissance sont gravés en moi pour le reste de ma vie. Depuis, chaque naissance renouvelle en moi un flot d'émotions, à chaque fois différent. Je dois bien avouer que la salle de naissance est une drogue dont il est bien difficile de se passer !

« Y a-t-il de meilleures positions que d'autres pour accoucher? »

LE POINT AVEC LE DR CÉLINE DE CARNE

Médecin gynécologue obstétricienne

Elle exerce à l'hôpital Trousseau à Paris, une maternité de type 3 qui accueille de grands prématurés. Spécialisée dans le suivi de grossesses multiples, elle est responsable d'un service d'hospitalisation de grossesses à haut risque.

Dès le début de la grossesse ou à partir du 3ᵉ mois, si vous n'êtes pas suivie par une sage-femme, vous avez rendez-vous avec lui ou elle, chaque mois. Qui ? Votre gynécologue-obstétricien ! Autant dire qu'il va faire partie intégrante de votre grossesse.

Petits et gros soucis

J'ai eu des pertes de sang. Dois-je craindre une grossesse extra-utérine ?

CDC: Les saignements au cours des 3 premiers mois de grossesse sont toujours très angoissants pour la femme enceinte. Ce que l'on sait moins, c'est que ce symptôme est fréquent puisqu'il est rapporté par 1 femme sur 5, même pour des grossesses qui évolueront normalement. Une grossesse extra-utérine peut se révéler de cette façon, mais c'est un événement très rare (1 à 3 % des grossesses), il ne faut donc surtout pas s'affoler, mais néanmoins consulter rapidement.

Je fais de l'hypertension artérielle. C'est grave pour mon bébé ?

CDC: L'hypertension artérielle en cours de grossesse peut entraîner un ralentissement de la croissance du bébé du fait d'une moindre irrigation du placenta. Cet infléchissement de croissance se manifeste le plus souvent au dernier trimestre de la grossesse et peut nécessiter de faire naître le bébé plus tôt, parfois à un terme prématuré. Des traitements efficaces existent et peuvent être prescrits par votre médecin pour équilibrer votre tension et limiter les risques de complications.

J'ai déjà fait une fausse couche. Comment éviter la récidive ?

CDC : Une fausse couche spontanée est souvent un événement unique qui ne se reproduira pas. S'il s'agit d'un premier épisode, aucune mesure préventive n'a montré son intérêt. Il n'y a pas lieu d'envisager beaucoup de repos ni d'arrêt de travail précoce. Aucun régime alimentaire n'est recommandé. De plus, aucun délai minimal avant d'envisager une autre grossesse ne semble utile.

J'ai perdu mon premier enfant à 6 mois de grossesse. Du coup, j'ai très peur de passer ce cap avec ma nouvelle grossesse.

CDC : Après un événement aussi traumatisant, toutes les mères appréhendent une nouvelle grossesse, ce qui est tout à fait normal. Cette angoisse est souvent majorée par le fait que, très souvent, aucune cause n'a été retrouvée la première fois. Or, il faut savoir que le risque de récidive d'un tel accident est très faible lorsqu'il n'y a pas de facteur prédisposant identifié chez vous. Cela doit vous rassurer. Pour ma part, je propose souvent un suivi plus rapproché afin d'écourter l'attente, souvent source d'angoisse, entre deux consultations.

Qu'est-ce qu'une biopsie du trophoblaste ? Pourquoi ne pas en faire systématiquement pour éviter une éventuelle interruption de grossesse plus tard ?

CDC : Une biopsie de trophoblaste est le prélèvement d'un très petit fragment du tissu qui deviendra le placenta à la fin du 1er trimestre de la grossesse. L'examen est habituellement effectué entre 11 et 13 SA (2 mois – 2 mois et demi). Cet examen peut être réalisé pour l'étude des chromosomes de l'embryon (caryotype) ou pour la recherche de certaines anomalies génétiques. Ce prélèvement expose à un risque de fausse couche de 1%, c'est pourquoi il n'est pas proposé à titre systématique.

On m'a dit que j'avais le col ouvert, que j'allais peut-être être « cerclée ». Qu'est-ce que cela veut dire : est-ce que je risque d'accoucher plus tôt ?

CDC : Le cerclage est une intervention chirurgicale qui consiste à « refermer » le col avec un fil. Il est indiqué lorsque l'on suspecte une béance du col : il s'agit d'une incapacité du col de l'utérus à maintenir la grossesse jusqu'à 37 SA. Une béance du col est suspectée lorsqu'une maman a accouché prématurément sans aucun autre facteur favorisant retrouvé. C'est à ces patientes que l'on proposera un cerclage à la grossesse suivante. Il a en effet été montré que ce fil permettrait de poursuivre la grossesse plus longtemps. Cependant, un accouchement prématuré est toujours possible.

Que se passe-t-il si j'accouche d'un prématuré ? J'ai peur de ne pas assurer…

CDC : En cas d'accouchement prématuré (avant 37 SA), votre bébé aura probablement besoin d'une surveillance et de soins particuliers. Une hospitalisation dans une unité de néonatologie est souvent nécessaire, ce qui implique une séparation géographique difficile à vivre pour la maman.

Une jeune accouchée dont le bébé vient de naître prématurément est souvent d'emblée persuadée qu'elle ne saura pas s'y prendre. Or, les soignants savent aujourd'hui que le bien-être du bébé requiert la présence de ses parents. Ainsi, un bébé réagira moins bien aux traitements sans sa mère et son père à ses côtés. C'est pourquoi les professionnels impliqués dans votre suivi et celui de votre enfant auront à cœur de vous conforter dans votre rôle de mère dès les premières heures qui suivront la naissance. Votre présence sera possible 24 h/24 dans le service de pédiatrie et vous prendrez rapidement une part active dans certains soins prodigués à votre bébé.

L'amniocentèse, souvent redoutée

Qu'est-ce qu'une amniocentèse ? Risque-t-elle de provoquer une fausse couche ?

CDC: Une amniocentèse est un prélèvement d'une petite quantité du liquide qui entoure le bébé dans l'utérus (le liquide amniotique). Elle est réalisée par ponction à l'aide d'une aiguille à travers le ventre de la mère. L'amniocentèse est réalisée le plus souvent pour étudier les chromosomes du fœtus (par exemple pour rechercher une trisomie 21). Elle permet également de rechercher d'autres pathologies fœtales d'origine génétique ou infectieuse. Même si ce prélèvement est

réalisé dans des conditions de sécurité maximales, il existe un risque de fausse couche spontanée de 0,5 à 1 %.

On m'a fait une amniocentèse. J'attends les résultats, qui prennent plusieurs semaines : comment gérer cette attente interminable ? Le stress ressenti peut-il nuire à la croissance du bébé ?

CDC: L'attente des résultats d'une amniocentèse est angoissante à juste titre. Certaines d'entre vous vivront mieux que d'autres cette situation. Il ne faut pas hésiter à en parler à votre médecin si l'angoisse devient envahissante dans votre vie quotidienne : un soutien par un psychologue peut vous être proposé. Par ailleurs, certaines activités prénatales comme le yoga peuvent vous aider à mieux gérer votre stress. En revanche, n'ayez crainte, cette attente n'aura pas de conséquences graves sur la croissance et le bien-être de votre bébé.

La grossesse multiple

Qu'est-ce que cela change, d'attendre des jumeaux ? En quoi la grossesse est-elle différente ?

CDC: Une grossesse gémellaire est une grossesse dont le suivi est particulier. Le praticien qui vous prend en charge doit avoir une bonne connaissance de ce type de grossesse et l'accouchement doit avoir lieu dans une structure adaptée. Selon le type de grossesse gémellaire, la surveillance sera plus ou moins rapprochée.

Le risque le plus fréquent est celui d'un accouchement prématuré. Aussi, votre gynécologue obstétricien vous recommandera un arrêt de travail plus précoce et beaucoup de repos (mais pas un alitement strict qui n'est plus d'usage). La croissance des bébés sera également plus suivie à l'échographie. Il est par ailleurs recommandé de ne pas attendre la fin du 9e mois pour faire naître les bébés. C'est pourquoi l'accouchement sera provoqué si vous n'avez pas accouché 15 jours voire un mois avant votre terme, selon le type de grossesse gémellaire.

Le jour J

Combien de temps dure en moyenne un accouchement ?

CDC : Pour un premier bébé, le travail dure en moyenne 10 à 12 heures. Ce sera souvent plus rapide pour les accouchements suivants (6 à 8 heures).

Y a-t-il de meilleures positions que d'autres pour accoucher ? On m'a parlé de positions « physiologiques » : qu'est-ce que c'est ?

CDC : Si l'on souhaite respecter la physiologie de l'accouchement, il faudrait que la mère puisse changer de position à chaque phase du travail. L'idéal serait qu'elle puisse déambuler, se mettre accroupie pour favoriser l'engagement du bébé dans le bassin, ou encore sur le côté pour rendre plus rapide la descente de l'enfant. Ces différentes positions, dites plus « physiologiques », respectent mieux la mécanique de l'accouchement. Cependant,

peu de maternités sont équipées pour mettre en application ces principes. Il faut en effet du matériel spécifique : péridurale permettant la déambulation ou encore tables d'accouchement plus ergonomiques. Ces problématiques matérielles limitent malheureusement beaucoup nos pratiques.

Et si je veux accoucher dans une baignoire ?

CDC : Actuellement, certaines maternités sont équipées de baignoires pour vous permettre de diminuer les douleurs des contractions lors de la phase qui précède le début du travail. En revanche, il ne sera pas possible d'effectuer le travail dans l'eau. En effet, cette pratique nécessite un équipement spécifique (baignoire de grande capacité et équipée, matériel d'enregistrement du rythme cardiaque du bébé étanche) et un personnel formé. Ces conditions ne sont pas réunies dans la grande majorité des maternités.

Quelques rares équipes proposent toutefois cette alternative à l'accouchement conventionnel sous péridurale. Les patientes sélectionnées ont eu une grossesse sans complications et ont suivi une préparation spécifique. Pour que l'accouchement se passe dans des conditions de sécurité maximales, il faut que l'enregistrement du rythme cardiaque fœtal soit continu et qu'une intervention médicale soit possible rapidement en cas de problème.

L'épisiotomie est-elle un passage obligé ?

CDC : Bien sûr que non ! L'époque de

l'épisiotomie systématique lors du premier accouchement est aujourd'hui révolue. Les professionnels français appliquent une politique dite « restrictive » de l'épisiotomie. Elle n'est réalisée que dans des cas particuliers, et c'est souvent au moment où votre bébé naît que l'on décidera ou non de la réaliser. L'objectif actuel est de réduire au maximum cette pratique.

Pour mon premier accouchement, j'ai eu une césarienne. Est-ce que je suis obligée d'accoucher cette fois aussi par césarienne ? Et si non, est-ce que les cicatrices vont tenir si je pousse trop fort ?

CDC : Après un premier accouchement par césarienne, il est tout à fait possible d'accoucher par les voies naturelles. Les circonstances du premier accouchement (terme de la grossesse, technique chirurgicale réalisée) seront des éléments importants pour vous proposer la voie d'accouchement la plus adaptée. Si l'on vous recommande un accouchement par voies naturelles, c'est que l'on considère que le risque d'ouverture de la cicatrice de l'utérus en cours de travail est très faible.

Qu'est-ce qui se passe pendant une césarienne ? Est-ce qu'on incise les abdominaux en plus du ventre et de l'utérus ?

CDC : La technique de la césarienne a beaucoup évolué dans les 20 dernières années. Aujourd'hui, lors d'une première césarienne, seuls la peau et l'utérus sont incisés par l'obstétricien. L'incision est horizontale (c'est le plus

esthétique). On ne réalise des incisions verticales que dans des cas très particuliers (essentiellement lorsqu'il y a déjà eu une intervention avec incision verticale pour éviter des incisions dans des sens différents). Le reste des structures, et en particulier les muscles abdominaux, sont simplement écartées aux doigts. Cela raccourcit la durée de la césarienne et permet aux mamans de se remettre sur pied plus rapidement. En revanche, lorsqu'il s'agit d'une deuxième césarienne (ou *plus*), il est parfois nécessaire d'utiliser une autre technique, car il existe des adhérences importantes (tissus très remaniés). L'une de ces techniques comporte une incision des muscles abdominaux, mais elle est choisie en dernier recours.

Le mot de la fin

Avez-vous un ou deux conseils à donner pour que le suivi médical de la grossesse se déroule au mieux ?

CDC : Le meilleur conseil que je pourrais vous donner serait de ne pas chercher de réponses à vos questions médicales en consultant les forums et autres sites Internet. En effet, les témoignages ou conseils sont très souvent angoissants, et surtout non adaptés à votre cas. N'hésitez pas à solliciter le médecin ou la sage-femme qui s'occupe de votre suivi afin d'être conseillée au mieux. Notez vos questions avant chaque consultation pour être sûre de ne rien oublier.

« Puis-je faire une échographie par mois ? 2D, 4D ? »

LE POINT AVEC LE DR ROMAIN GUILHERME
....
Médecin gynécologue obstétricien et échographiste

Gynécologue accoucheur attaché à la maternité de Port-Royal-Saint-Vincent-de-Paul, il exerce aussi en libéral. Il est spécialisé en fœtopathologie.

Tout au long de la grossesse, vous attendez les échographies comme un rendez-vous, avec impatience, mais aussi avec émotion : elles sont l'occasion de « voir » votre bébé, d'entendre son cœur, une façon pour le papa de se représenter un peu plus son futur enfant.
Surtout, elles permettent de vérifier que le développement du bébé se passe bien et, pour ceux qui le souhaitent, de connaître son sexe !

La première échographie

Puis-je connaître le sexe de mon bébé dès la première échographie ?

RG : Sur le plan embryologique, il n'existe aucune différence morphologique visible entre fille et garçon avant la 8e semaine (8 SG/10 SA)[1] : on parle de

1. Rappel :
SG = semaine de grossesse (on compte à partir de la date de l'ovulation, c'est donc l'âge réel du bébé).
SA = semaine d'aménorrhée (on compte à partir de la date des dernières règles ; les professionnels s'appuient sur cette date, plus fiable, et parlent en SA).

« tubercule génital », qui consiste en une petite excroissance médiane au niveau du la région pelvienne fœtale. Sachant que l'échographie du 1er trimestre a idéalement lieu entre 11 et 14 SA, les différences visibles entre sexes féminin et masculin sont modérées. Dans de bonnes conditions techniques (échographiste entraîné à l'échographie de grossesse, bon passage des ultrasons à travers la paroi maternelle, bonnes positions du fœtus et surtout terme de grossesse supérieur à 12,5 SA), le diagnostic du sexe fœtal est possible dans plus de 90 % des cas. Dans les 10 % restants, il est donc impossible ou faux. C'est la raison pour laquelle il est préférable d'attendre l'échographie du 2e trimestre (entre 20 et 25 SA) pour avoir la certitude du diagnostic de sexe fœtal, alors proche de 100 %. À noter que l'échographie 3D ne permet pas d'améliorer de façon majeure le diagnostic au 1er trimestre.

Pourquoi fait-on au tout début de la grossesse une échographie endovaginale ?

RG: Il est avant tout nécessaire de rappeler que dans la majorité des cas, l'échographie précoce, dite de « datation », réalisée avant 11 SA est inutile. Certaines circonstances rendent cependant cette échographie indispensable :

- grossesse non désirée (et demande d'interruption volontaire de grossesse probable) ;
- suivi de procréation médicalement assistée (stimulation, insémination ou FIV) ;
- antécédent de maladie maternelle (grossesse extra-utérine et/ou infection des trompes) ;
- symptômes maternels inquiétants : pertes de sang, douleurs, malaises.

L'objectif est de localiser la grossesse (intra ou extra-utérine), préciser son ancienneté, son évolution (grossesse normale ou début de fausse couche) et le nombre d'embryons. Si la voie transabdominale (sonde abdominale) est possible, la voie endovaginale (on introduit une sonde dans le vagin) permet de se rapprocher au plus près de la zone d'étude et d'obtenir des images plus nettes et donc plus informatives pour l'échographiste.

Que disent les mesures ?

Pourquoi mesure-t-on la longueur crânio-caudale (la distance entre le sommet de la tête et le bas des fesses) ? Et la clarté nucale (l'épaisseur de la nuque) ? Qu'indiquent-elles ?

RG: La mesure échographique de la tête aux fesses du bébé, appelée « longueur crânio-caudale » (ou LCC), permet de préciser la date de conception de l'embryon à plus ou moins 5 jours de précision. En effet, dans le cadre d'une grossesse normale, tous les embryons grandissent à la même vitesse et de la même manière au 1er trimestre de la grossesse. C'est à partir de cette date de conception que seront calculés le congé maternité et le terme de la grossesse.

Le terme de « clarté nucale » est utilisé pour décrire l'apparence échographique de la poche liquidienne sous-cutanée située derrière le cou du fœtus durant le 1er trimestre de la grossesse (entre 11 et 14 SA). De façon générale, passé 14 SA, cette poche liquidienne disparait progressivement. L'un des objectifs de l'échographiste au 1er trimestre, outre la mise en évidence d'anomalies majeures (cérébrales, des membres ou placentaires), est l'étude de la clarté nucale. En effet, de nombreuses études scientifiques ont démontré que la mesure de l'épaisseur de la clarté nucale permettait un dépistage précoce et efficace des anomalies chromosomiques (anomalie du nombre ou de la forme des chromosomes présents dans chaque cellule de l'individu) comme la trisomie 21. De plus, il a été montré qu'une hyperclarté nucale (ou nuque épaisse) était associée à une grande variété de malformations fœtales, notamment cardiaques, et de syndromes génétiques. Les clartés nucales augmentées entre 11 et 14 SA sont donc associées à un risque majoré d'anomalies chromosomiques (dont la trisomie 21), de malformations fœtales (essentiellement cardiaques) et de maladies génétiques.

L'épaisseur de la clarté nucale chez le fœtus normal augmente avec la longueur crânio-caudale fœtale entre 11 et 14 SA.

Mais le plus important à retenir est qu'une hyperclarté nucale ne s'associe pas forcément à une maladie. Ainsi, si l'augmentation de la clarté nucale doit toujours conduire à effectuer une consultation spécialisée de diagnostic anténatal avec des examens complémentaires, il faut savoir que dans la majorité des cas :

- l'image disparaît spontanément et il n'existe aucune séquelle physique à la naissance ;
- on ne retrouve aucune maladie associée, malgré tous les examens effectués avant la naissance, et l'évolution du bébé et de l'enfant est comparable à celles des autres enfants.

Pourquoi faut-il éviter de se crémer le ventre avant une écho ?

RG : L'échographie permet d'obtenir des images grâce à des ultrasons émis par une sonde et renvoyés par le fœtus. Ces ultrasons non perçus par l'oreille humaine se déplacent préférentiellement dans l'eau. Au contraire, les gaz et les lipides rendent difficiles voire impossibles le passage des ultrasons, et empêchent donc l'examen.

La grossesse et le fœtus sont particulièrement adaptés à l'examen ultrasonore du fait d'une augmentation normale du volume de la vessie maternelle, de la présence du liquide amniotique (composé de plus 97 % d'eau) et du fœtus lui-même (composé d'environ 90 % d'eau et d'une absence totale de gaz, puisqu'il n'existe ni air dans les poumons, ni gaz dans le tube digestif in utero).

Au contraire, les crèmes antivergetures, gels douches et shampooings, très riches en structures lipidiques, constituent des obstacles au passage des ultrasons et empêchent la réalisation d'un examen échographique de qualité. Il est d'usage de bannir les crèmes antivergetures qui imprègnent l'épiderme en profondeur durant les trois jours précédant l'échographie, d'éviter de se laver les cheveux et de bien se rincer après la douche le jour de l'examen.

Le nombre d'échographies

Faut-il faire une écho chaque mois ? 2D, 3D, 4D ?

RG : Il existe un décalage entre l'attente des couples et celle du corps médical de l'échographie, pouvant aboutir à une incompréhension réciproque. Si les futurs parents idéalisent ce moment comme la première rencontre avec le bébé, étape souvent indispensable à une prise de conscience de la grossesse, les médecins ne voient dans l'échographie de grossesse qu'un examen de dépistage associé à des objectifs médicaux précis. Ainsi, en l'absence d'antécédents médicaux particuliers ou d'une évolution anormale de la grossesse, il n'existe aucune raison médicale de faire plus de trois échographies durant toute la durée de la grossesse. De la même manière, si l'apparition de l'échographie 3D (ou même 4D avec images 3D en temps réel) peut ravir les parents avec une image plus « réelle », plus accessible à la compréhension, le collège national français des gynécologues obstétriciens a établi des règles strictes d'utilisation de ce type d'échographie.

♦ Les trois échographies de dépistage n'utilisent que l'image 2D, l'échographie 3D n'apportant à l'heure actuelle aucun élément médical utile pour la patiente et son fœtus dans le cadre du dépistage.

♦ L'utilisation médicale de l'échographie 3D durant la grossesse n'est justifiée qu'en seconde intention, en cas de suspicion d'anomalie fœtale mise en évidence en 2D. Elle peut alors parfois permettre de préciser une anomalie osseuse ou de la face par exemple. Cette échographie est alors effectuée par un échographiste expert, appelé « échographiste de référence ».

♦ Les échographies 3D et 4D utilisent des puissances acoustiques d'ultrasons bien plus élevées que l'échographie 2D. Or, il a été démontré

que les ultrasons à haute puissance produisent sur les tissus humains un effet thermique et un effet mécanique dont les conséquences à long terme ne sont pour le moment pas connues. Ainsi, l'innocuité de l'échographie 3D/4D n'est pour le moment pas certaine à 100 %. Cet état de fait justifie la position du collège national français des gynécologues obstétriciens, qui exclut totalement l'utilisation de l'échographie 2D/3D à des fins commerciales sans justification médicale. Il vaut mieux parfois s'abstenir d'une jolie photo pour le bien-être de votre bébé !

La deuxième échographie

Pourquoi l'écho du 5e mois de grossesse est-elle si longue ?

RG : L'échographie du 2e trimestre (idéalement effectuée entre la 21e et la 24e SA) est la plus informative de la grossesse, car elle se déroule à la période charnière où volume fœtal, quantité de liquide amniotique et mouvements spontanés du fœtus permettent d'observer la morphologie des organes du bébé avec une précision optimale : c'est le moment où l'on voit le mieux le bébé.

Dans un premier temps, votre médecin fera un rapide balayage de l'ensemble du contenu de l'utérus, avec une évaluation de la position du ou des bébés, du ou des placentas, de la quantité de liquide amniotique, des mouvements du ou des bébés.

Dans un deuxième temps, il procèdera aux différentes mesures permettant d'évaluer la croissance et le poids de votre bébé : périmètre crânien, diamètre de la tête, périmètre de l'abdomen et longueur de l'os fémoral. D'autres mesures peuvent être effectuées par votre médecin afin d'affiner son évaluation (os du nez, écartement des yeux, longueur de l'humérus et des pieds...).

Dans un troisième temps, il effectuera l'examen morphologique proprement dit, avec une évaluation de l'encéphale, des face et profil du fœtus, du thorax (cœur, poumons, diaphragme et vaisseaux sanguins), de l'abdomen (voies urinaires, estomac, foie, intestin, insertion du cordon ombilical), du pelvis (sexe, anus), du dos (colonne vertébrale, nuque) et enfin des membres (doigts, position des membres).

Dans un dernier temps, non systématique, une évaluation des flux sanguins (grâce à la fonction doppler) permet une étude du fonctionnement du placenta ainsi que de l'utérus. Un examen par sonde endovaginale peut également permettre de préciser une image mal vue par voie abdominale (le bas du dos si le fœtus est en présentation du siège, le cerveau si le fœtus a la tête en bas) et de mesurer la longueur du col utérin afin d'éliminer un risque d'accouchement prématuré.

Différents éléments peuvent perturber cet examen très minutieux et le rendre d'autant plus long et difficile : paroi maternelle réfléchissant les ultrasons, mauvaise position fœtale, fœtus peu mobile, liquide amniotique peu abondant.

Cette échographie du 2ᵉ trimestre est donc un examen éprouvant tant pour les parents que pour l'échographiste lui-même, car elle l'implique dans sa responsabilité médicale, juridique, mais avant tout morale vis-à-vis des parents et du futur enfant à naître. C'est la raison pour laquelle cet examen est long et demande une grande concentration.

La troisième échographie

Que recherche-t-on à 8 mois ?

RG : L'échographie du 3ᵉ trimestre (idéalement effectuée entre la 31ᵉ et la 34ᵉ SA) comporte les mêmes étapes que celle du 2ᵉ trimestre. Cependant, la période est beaucoup moins propice à l'étude du fœtus pour les raisons suivantes :

◆ le volume fœtal est augmenté (on ne voit plus le bébé en entier mais par morceaux) ;
◆ la quantité de liquide amniotique est moins abondante ;
◆ les mouvements fœtaux sont peu fréquents ;
◆ la paroi maternelle est plus épaisse ;
◆ les os du fœtus, désormais calcifiés, bloquent totalement le passage des ultrasons et empêchent de voir un élément qui se trouve derrière un os.

Ainsi, les résultats escomptés sont loin d'être aussi précis qu'au 2ᵉ trimestre. Seuls le cerveau, le cœur et les reins méritent une surveillance morphologique particulièrement attentive lors de cette échographie, du fait de leur importante évolution entre le 2ᵉ et le 3ᵉ trimestre.

Cette échographie permet de surveiller la bonne croissance du fœtus et de déterminer les positions du placenta (celui-ci ne doit pas gêner l'accouchement) et du fœtus (présentation céphalique ou du siège).

Elle est bien souvent aussi longue et éprouvante que celle du 2e trimestre.

Les enjeux d'une écho

Pourquoi l'échographiste reste-t-il souvent silencieux pendant l'examen ?

RG : Comme nous l'avons exprimé, si les échographies de grossesse sont souvent synonymes de rencontre et de tissage de liens affectifs avec le bébé pour le couple, elle revêt un tout autre caractère pour le médecin. L'échographiste fait face à des objectifs médicaux précis, l'engageant sur le plan diagnostique, pronostique, juridique, émotionnel et moral, vis-à-vis des parents et de l'enfant à naître, et ce pour le reste de sa vie future. Les étapes de l'examen fœtal sont codifiées par la Haute Autorité de santé (HAS) française. Dans ce cadre, la réalisation de l'échographie peut être longue et difficile, et demande toujours une grande concentration. C'est la raison pour laquelle les échographies de grossesse doivent se dérouler dans le plus grand calme possible, afin d'obtenir un examen de qualité.

Est-il possible de passer à côté d'une anomalie, d'une malformation ou d'une maladie et de ne la découvrir qu'à la naissance ?

RG : Ces 30 dernières années, de nombreux progrès ont été effectués dans le domaine du diagnostic par échographie des malformations fœtales et des maladies chromosomiques. L'amélioration du matériel ainsi que la meilleure formation des échographistes ont permis de passer d'un taux de dépistage des malformations les plus importantes (cardiaques, cérébrales...) de 20 % à un chiffre aujourd'hui en moyenne autour de 70 %. De plus, comme nous l'avons vu précédemment, la politique française actuelle de dépistage de la trisomie 21 permet un taux de dépistage d'environ 90 % des fœtus atteints. Ces résultats très rassurants montrent *a contrario* les limites de nos compétences techniques malgré le grand investissement des personnels de santé :

- 10 % des enfants trisomiques ne sont pas diagnostiqués en anténatal ;
- 10 à 30 % des malformations graves ne sont pas vues à l'échographie ;
- enfin, de nombreuses maladies génétiques graves ne présentent aucun signe à l'échographie.

Il est donc important de comprendre qu'une échographie montrant un fœtus normal ne peut certifier une absence d'anomalie chez le bébé à naître.

Quand ça se complique

En cas de complication, que se passe-t-il ?

RG : L'échographie du fœtus est une image reconstruite de la réalité grâce aux ultrasons à un moment donné de la grossesse et dans des conditions de réalisation parfois difficiles (fœtus mal placé, mauvais passage des ultrasons...). Cela signifie que toute mise en évidence d'une image échographique différente de ce que l'on observe habituellement (doute sur une malformation, excès de liquide amniotique...) doit aboutir à un contrôle par un échographiste appelé « échographiste référent », particulièrement entraîné et affilié à un centre de diagnostic prénatal pluridisciplinaire. Il réalisera alors une échographie « de référence » la plus complète possible, afin de :

◆ confirmer ou infirmer la présence d'une image anormale chez le fœtus ;

◆ poser des hypothèses diagnostiques correspondant à cet aspect inhabituel ;

◆ orienter les parents vers un centre de diagnostic prénatal pluridisciplinaire pour une consultation de diagnostic anténatal. Cette consultation aura pour but de faire le point précis sur les hypothèses posées par l'échographiste référent, de réaliser des examens complémentaires et de mettre en place un calendrier de surveillance de l'évolution de la possible maladie fœtale.

Dès lors, il existe plusieurs possibilités :

◆ la maladie fœtale disparaît et aucune séquelle fœtale n'est à redouter : l'accouchement a alors lieu normalement ;

◆ la maladie est légère ou modérée et ne justifie pas une éventuelle demande d'interruption médicale de grossesse de la part des parents : le centre de diagnostic anténatal organise la naissance du bébé dans les meilleures conditions possibles, ainsi que sa prise en charge médicale néonatale ;

◆ la maladie est grave, mortelle ou grandement handicapante, sans possibilité de traitement : les parents peuvent alors faire une demande d'interruption médicale de grossesse (possible, dans ce cas précis, jusqu'à la fin de la grossesse en France). Les parents peuvent aussi décider de poursuivre la grossesse.

Dans tous les cas, une aide psychologique, des rencontres avec des pédiatres ou des associations de parents d'enfants atteints de la même maladie sont proposés par le centre de diagnostic anténatal afin d'accompagner les parents dans leurs réflexions.

Mes résultats au HT21 sont en dessous de 250. Est-ce que cela signe la fin de ma grossesse ?

RG : Le dépistage de la trisomie 21, également appelé « HT21 », permet de distinguer les mères à haut ou faible risque d'avoir un bébé atteint par la trisomie 21. Depuis l'arrêté du 23 juin 2009, ce test est effectué au 1er trimestre de la grossesse, entre la 11e et la 14e SA.

Le résultat de l'HT21 est exprimé sous forme d'une probabilité de trisomie 21 chez le bébé. Afin de calculer cette probabilité, trois éléments sont combinés :

- le risque lié à l'âge maternel, sachant que plus l'âge maternel augmente, plus le risque de trisomie 21 augmente (il est autour de 1/1 600 à 20 ans, autour de 1/100 à 40 ans) ;
- le risque lié à l'analyse de marqueurs sanguins de trisomie 21 (HCG, PAPP-A), présents dans le sang maternel au 1er trimestre (sachant que plus l'HCG est élevée et plus la PAPP-A est basse, plus le risque de trisomie 21 augmente) ;
- la mesure de la clarté nucale lors de l'échographie du 1er trimestre, en fonction de la taille du fœtus (plus la mesure de la clarté nucale augmente, plus le risque de trisomie 21 augmente).
- **Si le risque est supérieur à 1/250** (« 1 malchance sur 250 d'avoir un bébé atteint par la trisomie 21 ») **par exemple 1/200 ou 1/50 ou encore 1/10 :** vous faites partie d'un groupe considéré comme étant à risque élevé. On vous propose alors d'effectuer une amniocentèse ou une ponction de placenta afin de savoir si votre bébé a oui ou non une trisomie 21 (réalisation d'un caryotype sur les cellules prélevées). Ces examens ne sont pas proposés d'emblée, car ils s'associent à un risque de perte de grossesse (autour de 1/200), autrement dit une fausse couche. Si les résultats du caryotype confirment la présence d'une trisomie 21 chez le fœtus, les parents

peuvent demander à continuer la grossesse jusqu'à son terme. Une aide leur est alors apportée afin d'accueillir cet enfant dans les meilleures conditions possibles. Au contraire, si les parents ne se sentent pas prêts à faire naître un enfant atteint de trisomie 21, il leur est possible de demander une interruption médicale de grossesse (qui peut être effectuée à n'importe quel terme de la grossesse).

- **Si le risque est inférieur à 1/250, par exemple 1/2000 ou 1/280 ou 1/10 000 :** vous faites partie d'un groupe considéré comme étant à risque faible de trisomie 21. On vous propose la surveillance habituelle du bébé par les échographies des 2e et 3e trimestres pour rechercher d'éventuels signes de trisomie 21.

Rappelons-le : ce test HT21, souvent perçu comme éprouvant pour les femmes enceintes, permet un taux de dépistage d'environ 90 % des enfants atteints dès le 1er trimestre de la grossesse.

Que faire si mon bébé est atteint de trisomie 21 ?

RG : Le diagnostic de trisomie 21 arrive généralement après plusieurs étapes longues et stressantes :

- test d'HT21 anormal ou échographie fœtale avec anomalie conduisant à un doute de trisomie 21 du bébé ;
- réalisation d'une amniocentèse ou d'une biopsie de placenta permettant de malheureusement confirmer le diagnostic de trisomie 21.

Ce résultat est le plus souvent rendu par le médecin d'un centre hospitalier de diagnostic anténatal. Il va réexpliquer ce qu'est la maladie, proposer une aide psychologique aux deux parents et une rencontre avec des médecins pédiatres permettant de mieux comprendre ce qu'est un enfant atteint de trisomie 21 et ses possibilités d'évolution. Il va proposer aussi de rencontrer des associations de parents d'enfants trisomiques 21. Le rôle du centre de diagnostic anténatal est donc d'accompagner les parents dans leurs réflexions pour faire leur choix :

♦ interrompre la grossesse (ce qui est possible jusqu'au bout de la grossesse) ;

♦ continuer la grossesse.

Dans tous les cas, les parents restent toujours maîtres de leur choix, sans aucun jugement de valeur dans un sens ou dans l'autre de la part du corps médical.

Quand vous constatez une anomalie, comment la signalez-vous aux parents ?

RG : Lorsqu'une variation de la normale est mise en évidence pendant une échographie, mon attitude est de poursuivre et terminer mon examen avant de la signaler aux parents, et ce dans le but de :

♦ confirmer la présence réelle de l'anomalie grâce à un examen du fœtus à différents moments et sous différents points de vue ;

♦ tenter de définir au mieux le type d'anomalie présentée par le fœtus ;

♦ rechercher si l'anomalie mise en évidence est isolée ou associée à d'autres anomalies.

Alors, en fin d'examen, j'annonce aux parents qu'un aspect inhabituel du fœtus a été mis en évidence puis, patiemment, je montre l'aspect inhabituel en image et je le décris. Je ne donne jamais de nom ni de pronostic précis de maladie. Immédiatement après, j'annonce les étapes de la prise en charge de ce cas particulier :

♦ toute image échographique anormale doit être contrôlée à un autre moment, et si possible par un second échographiste référent auprès d'un centre de diagnostic anténatal ;

♦ une synthèse sera effectuée au sein d'une consultation dans un centre de diagnostic anténatal pluridisciplinaire ;

♦ un avis pourra être demandé à une assemblée de spécialistes au sein d'une réunion de diagnostic anténatal du centre.

Quel que soit le problème mis en évidence, à chaque étape et à tout moment, les parents seront informés des hypothèses diagnostiques et pronostiques et demeureront au centre de chacune des décisions concernant leur futur enfant.

Le mot de la fin

À force de pratiquer des échos, êtes-vous blasé ou ressentez-vous un sentiment d'émerveillement ?

RG : On ne devient pas échographiste de grossesse par hasard. Si la médecine tourne généralement autour de la maladie, tout au contraire, la pratique de l'échographie de grossesse est tournée vers le bonheur, car, bien heureusement, dans la grande majorité des cas, les bébés vont parfaitement bien. Comment alors ne pas s'émerveiller devant la magie de la création d'un être humain ? C'est pour moi toujours époustouflant ! Comment être insensible aux larmes des parents lorsqu'ils entendent battre le cœur de leur enfant pour la première fois ?

D'un autre côté, je suis heureux d'être là et de pouvoir aider et accompagner les parents dans les rares cas où quelque chose ne va pas. Je les suis alors dans toutes les étapes du diagnostic anténatal. Et en cas d'issue dramatique, je suis à leurs côtés lors d'une grossesse suivante qui, le plus souvent, se passe bien, car en obstétrique, la nature triomphe très souvent de la maladie.

« J'ai peur de ne pas savoir être mère »

LE POINT AVEC GENEVIÈVE PAGÈS

Psychologue clinicienne à la maternité Port-Royal (hôpital Cochin)

Elle accompagne les futures mères et les couples dans leur parcours de grossesse et participe en tant qu'enseignante à la formation des étudiants sages-femmes de l'université Paris-V-faculté de médecine Paris-Descartes.,

Avoir un enfant, c'est souvent un vrai désir, mais qui est parfois nuancé par beaucoup d'interrogations : est-ce que je vais aimer être maman ? Ne vais-je pas regretter ma vie d'avant ? Le bouleversement hormonal de la grossesse ne va pas vous aider à y voir plus clair. Sans compter que devenir mère à votre tour peut raviver de mauvais souvenirs… Alors, si beaucoup de questions vous trottent dans la tête, si vous avez du mal à vivre cette transition, pourquoi ne pas aller en parler à quelqu'un qui saura vous écouter et mettre des mots sur vos sentiments pour mieux les accepter ?

Ma grossesse : pas si simple…

Je ne me sens pas enceinte. D'ailleurs, mon ventre s'est à peine arrondi.

GP : La révélation de l'état de grossesse n'entraîne pas immédiatement la conscience d'être enceinte, celle-ci s'effectue progressivement, au fil des mois. Il arrive parfois que cet état soit vécu dans un premier temps comme une « abstraction ». La première échographie représente un premier signe d'une réalité, celle d'un bébé niché dans votre ventre. Par la suite, les mouvements du bébé que vous pourrez ressentir rendront davantage concrète cette grossesse, apportant généralement plaisir et émotions positives. Même si, le plus souvent, la grossesse est attendue, fruit d'une décision réfléchie, le moment où elle survient reste toujours mystérieux. Sa révélation peut se heurter à une certaine conflictualité. Vous devez en effet faire une place dans votre corps au bébé et à sa réalité future, ce qui mobilise en vous des mouvements psychiques multiples et contradictoires.

Dans cette expérience inédite, chaque femme chemine selon son propre rythme.

J'ai peur. Peur de ne pas savoir être mère, de ne pas aimer ça, de ce que ça va changer dans mon couple...

GP: Le désir d'enfant n'est jamais un sentiment entier, il se teinte souvent d'ambivalence, d'un double ressenti : à la fois « je veux et je ne veux pas ». Il vous faudra parfois un certain temps pour vous installer dans cet état, surtout lors d'une première grossesse. Être enceinte induit toujours un grand bouleversement, avec sa part d'inconnu et d'inquiétudes devant les changements multiples à venir. C'est le passage d'une relation de couple à une relation à trois, familiale, le passage d'un statut de fille à un statut de mère, avec la construction d'une identité nouvelle, marquée aussi par des renoncements. Les doutes que vous pouvez ressentir sur vos capacités à « être à la hauteur » sont habituels et s'inscrivent dans tout parcours de grossesse.

La faute aux hormones ?

Je suis souvent au bord des larmes alors que je devrais être heureuse. Mais qu'est-ce qui ne va pas ?

GP: Le cliché de la grossesse comme moment d'épanouissement demeure fort tenace et pourtant, il n'y a pas de grossesse sans angoisses, sans questionnements. C'est une expérience intime, véritable « crise maturative » qui porte en elle sa propre résolution.

Vous êtes dans un état de vulnérabilité particulière, ainsi que l'a décrit la psychanalyste Monique Bydlowski[1], qui parle de « transparence psychique » : des fragments de l'inconscient affleurent à la conscience avec des retours de sensations et de souvenirs liés au soi enfant, bébé même.

Ces émotions très intenses et inattendues peuvent vous surprendre. Lorsque l'anxiété et les conflits latents sont trop envahissants, parlez-en avec un psychologue.

J'ai l'impression qu'au fur et à mesure que mon ventre grossit, mes neurones rapetissent.

GP: Une femme enceinte est davantage tournée sur elle-même, dans une position de repli narcissique, traversée de rêveries centrées sur le bébé. L'activité fantasmatique est très importante, nécessaire à la construction des premiers liens d'attachement au bébé, mais peut rendre secondaires d'autres dimensions de la vie. Cette rêverie continue peut altérer la concentration, ou mettre en arrière-plan l'engagement professionnel. Rien de grave, mais si cela prend des proportions trop importantes et que l'on vous le reproche au travail, faites-vous aider.

1. Bydlowski, M., *Je rêve un enfant. L'expérience intérieure de la maternité*, Paris, éd. Odile Jacob, 2000.

Depuis quelque temps, je suis à prendre avec des pincettes. Comment faire pour arranger ça ?

GP : Dans ce moment de sensibilité particulière, la moindre parole, le moindre mot, peut prendre une résonance blessante. Quand l'irritabilité est trop fréquente, elle peut être le signe d'un mal-être dont il est parfois difficile d'apprécier la nature, symptôme transitoire ou signe d'un état dépressif sous-jacent. Dans le doute, recourez à un professionnel, indispensable pour permettre une évaluation.

Les changements du corps

Je supporte mal que mon corps change. Comment faire la paix avec moi-même ?

GP : La grossesse (et les transformations physiques qu'elle induit) revisite les rapports que vous entretenez avec votre corps, avec l'image que vous vous êtes construite de vous-même, au gré de votre histoire. Si vous tolérez mal les changements de votre corps, c'est bien souvent parce que vous ne vous retrouvez plus dans ce nouveau corps et craignez que cela mette à mal définitivement votre féminité. Parlez-en, ne restez pas dans cette souffrance.

Je me sens de moins en moins désirable. Comment rester un couple ?

GP : Aborder vos craintes avec votre conjoint permet souvent de dédramatiser ces inquiétudes. Lui-même peut également se sentir « intimidé » par votre métamorphose physique.

J'en suis à la moitié de ma grossesse et depuis quelque temps, j'ai tout le temps envie de faire l'amour, je ne me reconnais plus. Que se passe-t-il ?

GP : Avec la grossesse, la libido subit des variations très importantes et imprévisibles d'une femme à l'autre. Pour certaines, l'épanouissement physique qu'elles ressentent peut entraîner un regain de désir. Mais pour d'autres au contraire, les préoccupations exclusives autour du bébé porté, la peur de le « déranger » ou peur qu'il « assiste » aux relations sexuelles du couple sont autant de perturbations qui contrarient la libido.

Ma grossesse et les autres

Je ne supporte pas qu'on touche mon ventre à longueur de journée ou qu'on me demande « combien il y en a là-dedans ». Avez-vous des réponses types à me conseiller ?

GP : S'il est normal que votre ventre soit l'objet de toutes les attentions de l'obstétricien ou de la sage-femme, il peut vous être plus difficile d'accepter d'autres sollicitations extérieures. Les gestes des proches à l'égard de votre ventre qui s'arrondit se veulent affectueux, mais peuvent aussi être vécus comme intrusifs. Vous avez l'impression d'être dépossédée de votre intégrité physique, de n'être plus qu'un ventre. Rien ne vous oblige à supporter ça, rien ne vous empêche de le faire entendre…

De même, j'en ai assez que tout le monde me donne son avis sur tout !

GP : C'est vrai qu'il n'est pas rare que les proches, mères, belles-mères, amies… prodiguent tout un tas de conseils avec les meilleures intentions. Et pourtant, ces avis réduisent forcément le champ de l'expérience que vous êtes en train de traverser. Ces paroles maladroites sont malheureusement incontournables, tant cette expérience sollicite pour les autres le désir de la partager. Rien ne vous empêche de faire savoir à votre entourage que chaque expérience est unique.

Ce que ressent le bébé

Que ressent le bébé si on est heureuse ? Ou triste ? Et à partir de quand peut-on lui parler ?

GP : Les études sur la sensorialité fœtale sont relativement récentes. Autrefois, on imaginait un petit fœtus ensommeillé dans l'utérus ; depuis, il a été montré que le fœtus « réagissait » à l'environnement utérin. Un développement progressif de la sensorialité fœtale apparaît vers 6 mois de gestation : toucher, tact, sont déjà « fonctionnels », puis l'ouïe : ainsi le bébé peut percevoir, ressentir. Pour autant, existe-t-il un lien direct entre l'humeur maternelle et ce qu'éprouve le bébé *in utero* ? Nombre de mères s'interrogent sur leurs émotions et culpabilisent quant aux répercussions éventuelles que le stress et les mouvements dépressifs pourraient avoir sur leur bébé. Il est bien difficile de donner une réponse « tranchée ». Toutefois, il a été démontré qu'une dépression caractérisée chez la future mère avait une incidence importante sur le lien ultérieur au bébé et sur la qualité des échanges. Là encore, quand les « idées noires » s'installent durablement pendant la grossesse, il est nécessaire d'instaurer une prise en charge psychologique.

Une future mère peut communiquer de bien des manières avec son bébé : pour l'une, ce sera de lui parler, pour une autre les rêveries seront la marque d'une proximité et d'un échange avec le bébé ; pour une autre encore, ce sera de mettre la main sur son ventre lorsqu'elle sent son enfant bouger… Chaque mère trouve en elle sa manière de communiquer et le fait selon son propre tempo.

Devenir mère

On dit souvent qu'on devient une femme après un accouchement. Mais qu'est-ce que ça veut dire ?

GP : Quelle drôle de formule, en effet ! Cela reviendrait donc à dire qu'une fem-me qui n'enfante pas ne serait pas une femme pleinement accomplie ? Être mère ou pas relève d'un choix personnel !

Et si à la naissance je ne trouve pas mon bébé beau ? Si je ne l'aime pas dès la première seconde ?

GP : Certaines mères ont un véritable « coup de foudre » pour leur enfant, pour d'autres, le chemin pour aller jusqu'à lui demande un temps d'ajustement. À la naissance, il existe un écart entre le bébé imaginé et le bébé réel. Ce décalage peut entraîner une forme de déception se portant sur l'apparence, un signe de ressemblance inattendu à l'un ou l'autre des parents. Cette déception reste le plus souvent passagère. Si l'attachement est un processus qui débute pendant la grossesse, il se construit après la naissance, avec un bébé réel, qui module la relation. D'une certaine manière, chaque naissance est une « adoption », il faut faire sien ce bébé dans son berceau, à ses côtés, et cela peut prendre quelques heures, quelques jours, voire quelques mois.

J'attends des jumeaux. J'ai peur d'en aimer un plus que l'autre, de ne pas pouvoir leur accorder toute l'attention qu'ils méritent.

GP : Accueillir deux enfants suscite toujours des inquiétudes pour les futurs parents. C'est une crainte fréquente et normale que toute femme qui attend des jumeaux exprime.
À l'annonce de la grossesse gémellaire, au départ, il y a souvent comme une impossibilité à penser deux bébés, puis à les penser l'un sans l'autre, et enfin à les penser chacun dans leur individualité. Progressivement, au cours de la grossesse va s'opérer une différenciation (sexe, l'un gros, l'autre plus petit…).
Il est indispensable que vous comptiez avec la présence et l'aide du père et des proches pour pouvoir accorder du temps à chaque enfant : les penser au singulier avec leur propre tempérament, leurs propres besoins, reste le

meilleur moyen de créer un lien avec chacun des enfants.

La famille et moi

Je n'ai pas une très bonne relation avec ma mère. Comment devenir moi-même une bonne mère ?

GP : Les relations mères-filles sont toujours complexes ; cela ne préjuge en rien ce que vous deviendrez en tant que mère. Il arrive d'ailleurs qu'une sorte de trêve s'instaure pendant la grossesse (et les premiers temps suivant la naissance) entre vous, enceinte, et votre mère. La construction de l'identité maternelle se produit à partir des différentes figures maternelles qui ont jalonné votre histoire et tout au long de votre grossesse.

J'ai perdu ma mère. Ma grossesse va-t-elle être plus difficile pour moi que pour les autres ?

GP : Enceinte, on recherche fréquemment l'appui de sa propre mère pendant sa grossesse. Le manque de sa présence est généralement ressenti comme douloureux, davantage si ce deuil est récent. Vous pouvez néanmoins vous appuyer sur ce que votre mère a pu vous transmettre, mais également sur une tante, une sage-femme, qui viendront incarner une figure maternelle bienveillante et soutenante. Il ne faut pas hésiter à vous faire aider pendant votre parcours de grossesse par un professionnel quand cela s'avère trop difficile, pour ne pas assombrir la grossesse et la rencontre avec votre enfant.

La place du père

Depuis que je lui ai annoncé qu'il allait être père, mon mari sort tous les week-ends. Que se passe-t-il ?

GP : Ce peut être le signe d'une transition délicate entre le passage d'un statut de fils à un statut de père, ou d'une angoisse par rapport à des responsabilités futures, mais nombre de futurs pères ne réagissent pas comme cela. Le processus de paternité requiert lui aussi un travail psychique complexe, marqué à la fois par le désir que le père a d'investir l'enfant, mais aussi par la place que vous allez lui proposer de tenir auprès du bébé.

Mon mari a peur qu'en devenant mère, je ne sois plus femme.

GP : Il est certain que dans les premières semaines qui suivent la naissance, vous serez dans un état particulier de « préoccupation maternelle primaire », comme l'a décrit Winnicott[2], exclusivement tournée vers l'enfant en vous identifiant à ce dernier pour répondre à ses sollicitations. Passage obligé, cette polarisation bien souvent exclusive envers le bébé s'estompe progressivement, et un nouvel équilibre s'installe. Dans ces ajustements, c'est justement le père qui vient jouer le rôle de tiers séparateur.

Pourquoi mon mari prend-il lui aussi du poids au niveau du ventre ?

GP : Le rituel de la couvade correspond dans certaines sociétés anciennes à un ensemble de rites accomplis par le père après l'accouchement, qui s'alite avec l'enfant et reçoit les compliments de ses voisins. Ainsi, par la couvade, le père confirmerait sa légitimité et se substitue à la mère pour protéger la dyade mère/bébé des mauvais esprits. Pendant la grossesse, la prise de poids chez votre mari, ses nausées ou ses fringales, peuvent être considérées comme des symptômes témoignant d'une anxiété importante, mais parfois aussi d'une envie inconsciente de porter l'enfant.

Mon mari m'accompagne à tous les examens mais se sent un peu exclu car tout se passe dans mon corps. Comment créer le lien avec le bébé ?

GP : L'expérience n'est pas partagée de la même manière puisqu'il y a un vécu d'extériorité par rapport à la grossesse. Des séances d'haptonomie permettent de communiquer avec le bébé par exemple.

Je ne souhaite pas que mon mari assiste à l'accouchement. Qu'est-ce que cela signifie ?

GP : La possible présence du conjoint à l'accouchement est récente ; il y a peu, elle constituait une sorte d'« interdit de voir », qui d'ailleurs demeure de nos jours, et ce particulièrement lors de la phase de l'« expulsion ». Pour certaines, la présence du mari peut représenter un point d'appui pendant les heures du travail et au moment de l'accouchement. Pour d'autres, la crainte que

2. Winnicott, D. W. (1956), *La Préoccupation maternelle primaire, De la pédiatrie à la psychanalyse*, Paris, Payot, 1969.

cette expérience laisse des images trop crues et marque ultérieurement leur relation de couple leur fait préférer l'absence du père dans les derniers moments.

Pourquoi dit-on que c'est important que le père coupe lui-même le cordon ombilical ?

GP : Cela n'a d'importance que si ça en a pour le père du bébé. On parle d'une fonction tierce du père, séparateur symbolique. Ce n'est pas ce seul geste qui inscrit dans une fonction paternelle.

Angoisses

Ma meilleure amie a eu le baby-blues : un passage obligé ?

GP : Deux tiers des femmes rencontrent cet état qui est généralement transitoire et qui survient au 2e ou 3e jour après l'accouchement. C'est un phénomène courant dont les causes sont multifactorielles et qui correspond à la chute d'hormones, à la sensation nouvelle du ventre vide et à une expérience rarement gratifiante à ses débuts. Le nouveau-né n'est jamais tel qu'idéalisé pendant la grossesse. Des signes d'inconfort du bébé, l'épuisement à débuter l'allaitement, les pleurs difficiles à apaiser, le sentiment de responsabilité face à ce bébé… tout cela représente des ajustements, et cette période est fréquemment marquée par des manifestations dépressives passagères. C'est le rôle de l'équipe de suites de couches : vous permettre de vous faire confiance, en vous soutenant et en vous permettant de croire en vous-même.

Il ne faut pas confondre le baby-blues avec la dépression post-natale. Celle-ci survient généralement 6 à 8 semaines après la naissance du bébé et jusqu'au premier anniversaire de l'enfant. Elle est marquée par des signes d'anxiété, d'angoisse, un sentiment d'écrasement et un manque de plaisir à effectuer les soins maternels. Elle passe bien souvent inaperçue et pourtant, il est très important, si vous éprouvez ces difficultés, d'être prise en charge. Cela reste difficile de s'avouer que vous n'allez pas bien et pourtant, ça arrive. Des consultations mère/bébé répondent spécifiquement aux difficultés du lien mère/bébé en offrant un dispositif spécifique de prise en charge.

Je fais des cauchemars atroces, d'enfant déformé, de membres mutilés. Qu'est-ce que ça veut dire ?

GP : La crainte de la malformation a toujours existé, mais du fait du développement des techniques de dépistage intervenant tôt dans le suivi de grossesse, des informations médicales sur l'éventualité d'une anomalie vous sont délivrées alors même que vous n'y pensez pas. La crainte d'une anomalie chromosomique ou d'une malformation surgit, en provoquant une « effraction » à l'origine de bien des angoisses. Le plus souvent, les femmes sont rassurées et le cours fluide de la grossesse reprend. Parfois, les résultats rassurants ne suffisent pas à lever l'anxiété, ce que les cauchemars traduisent.

Le mot de la fin

Si vous aviez un ou deux conseils à donner pour vivre au mieux cette période, quels seraient-ils ?

GP : Porter et mettre au monde un enfant est une expérience complexe qui bouleverse une femme dans son corps, dans son psychisme, dans ses émotions, dans son identité. Être enceinte est source d'espoir, mais aussi de craintes, d'appréhension et parfois de doutes. C'est un parcours conscient et inconscient d'adaptation et de réorganisation de soi, de son couple et sa famille.

À côté du suivi médical, un accompagnement psychologique peut s'avérer riche de réflexions, d'anticipations comme de soutien. Aussi, n'hésitez pas à demander de l'aide. Les psychologues travaillant en maternité vous permettront de vous préparer à votre place de mère et de préparer celle de l'enfant à venir.

« Comment gérer ma prise de poids sans que cela vire à l'obsession ? »

LE POINT AVEC LE DR NATHALIE RODALLEC

Docteur en médecine

Elle a débuté son exercice à l'hôpital en gynécologie-obstétrique, aux urgences pédiatriques et en ville dans les centres de protection de la petite enfance, puis a complété sa formation en nutrition afin d'orienter sa pratique vers des consultations pluridisciplinaires en nutrition et périnatalité avec soutien à la parentalité.

Prise de poids, diabète gestationnel, nausées ou fringales, aliments à privilégier… Depuis le début de votre grossesse, vous êtes partagée entre l'envie de ne rien vous refuser et la crainte de changer irrémédiablement de silhouette.

Les kilos de la grossesse

Comment se répartissent les kilos de la grossesse ? Combien pour mon bébé, le placenta, mes seins ?

NR : Si l'on se place dans la situation théorique, la prise de poids devrait être de 1 kg par mois les 6 premiers mois puis 1,5 kg par mois le dernier trimestre de grossesse. À 6 mois de grossesse, la prise de poids serait donc de 6 kg environ :

- 2 kg pour l'ensemble « fœtus-annexes » (1 kg pour le fœtus, 350 g pour le placenta et 650 g pour le liquide amniotique) ;
- 4 kg pour les secteurs vasculaires-hydriques (qui ont augmenté d'1,5 l), les réserves graisseuses (+ 3 kg) et les seins qui ont pris 300 g.

Au cours du dernier trimestre de grossesse, la prise de poids bénéficie davantage au fœtus et ses annexes :

- 3 kg supplémentaires pour l'ensemble « fœtus-annexes » (à terme, le fœtus pèse 3,5 kg et les annexes 1,5 kg) ;
- 1,6 kg supplémentaire, pour les secteurs vasculaires-hydriques, avec diminution des réserves graisseuses de 100 g, le poids des seins étant stable.

Ces chiffrent théoriques sont sujets à variation en fonction de chaque femme, surtout pour le poids du fœtus et les réserves graisseuses.

Combien de kilos vais-je prendre pendant ma grossesse ? Toutes les femmes sont-elles égales par rapport à la prise de poids ?

NR: Il existe une dichotomie entre l'idéal et la réalité. Idéalement, la prise de poids devrait plutôt être faible pour les femmes en surcharge pondérale avant la grossesse (7 kg) et plus élevée chez les femmes dites « maigres » (12 à 15 kg). La prise de poids est en moyenne de 12 kg, mais les variations interindividuelles sont très importantes. Il existe une vraie inégalité entre les femmes face à la prise de poids pendant la grossesse.

Cette prise de poids dépend du métabolisme de chacune. La réalité nous fait constater que ce sont souvent les plus « maigres » qui prennent le moins de poids et les plus « rondes » qui en prennent le plus. C'est injuste, mais c'est une question de prédisposition. Les femmes « rondes » devront faire plus attention que les « maigres » et contrôler leur nombre de calories quotidiennes.

Depuis que je suis enceinte, j'ai un appétit d'ogre. Dois-je m'en inquiéter ?

NR: Non. L'augmentation de l'appétit est le résultat de l'adaptation physiologique de votre organisme à l'état nouveau de grossesse. L'organisme doit faire face à une augmentation des besoins caloriques liée à votre état et constituer des réserves, surtout en début de grossesse, pour assurer une bonne croissance au fœtus.

Est-ce que je peux manger « pour deux » ?

NR: Certainement pas ! Les besoins énergétiques du fœtus ne représentent que 2 % en moyenne des besoins totaux de la femme enceinte – ils sont un peu plus élevés en fin de grossesse. L'organisme, qui a mis en réserve des calories en début de grossesse, les rend naturellement disponibles en fin de grossesse. Vous devez certes augmenter un peu vos apports alimentaires (de 300 à 400 Kcal/j.), mais pas de façon excessive.

Et si j'attends des jumeaux ?

NR: Si vous attendez des jumeaux, les besoins énergétiques des fœtus représentent alors 4 % de vos besoins totaux. Vous aurez donc besoin d'augmenter un peu plus vos apports caloriques (600 à 800 Kcal/j.), mais il ne s'agit pas de manger pour deux et encore moins pour trois !

J'en suis à mon 6e mois et j'ai déjà pris 10 kg : dois-je manger moins ?

NR: Les modifications physiologiques liées à l'état de grossesse vont dans le sens d'une mise en réserve des calories : baisse du métabolisme de base (j'économise mes calories plus que d'habitude), baisse de l'activité physique (je ne dépense pas mes calories) et perturbation des centres de régulation de la faim (j'ai plus faim que d'habitude). Ces changements ne s'équilibrent pas toujours parfaitement. Dans ce cas, il faut ajuster au mieux les apports caloriques quotidiens afin de ne pas avoir trop de kilos à perdre après l'accouchement. Il ne faut pas forcément manger moins mais manger mieux. Parfois, un réajustement alimentaire en rééquilibrant les apports suffit à limiter la prise de poids. Une aide nutritionnelle peut être précieuse. Il faut s'armer de patience. Le temps pour perdre les kilos est proportionnel à leur nombre.

Une femme qui arrête de fumer pendant sa grossesse devra aussi lutter contre la faim provoquée par l'arrêt du tabac. Ce dernier entraîne irrémédiablement une prise de poids par des mécanismes neurologiques induisant une augmentation des prises alimentaires.

Le poids et moi, une vieille histoire...

J'étais déjà ronde avant d'être enceinte. Dois-je faire davantage attention à ce que je mange ?

NR: Oui. Si vous êtes de nature à prendre du poids, la grossesse est un état qui favorise la prise de poids. Il faudra particulièrement équilibrer votre alimentation de façon qu'elle ne soit pas trop riche en calories, d'autant qu'*a priori*, votre organisme a déjà les réserves nécessaires à la croissance du fœtus. Mais l'alimentation répond à un ensemble très complexe de signaux neurologiques, hormonaux, psychologiques et affectifs. Et la grossesse est une période sensible, pendant laquelle il n'est pas toujours évident de faire face à l'augmentation de l'appétit. Il ne faut pas hésiter à se faire aider dans ces cas-là.

Puis-je continuer mon régime pendant ma grossesse ?

NR: Oui. Il est même conseillé de continuer votre régime, mais il faut s'assurer auprès de professionnels compétents que ce régime est bien équilibré et adapté à votre état de grossesse.

Depuis que je suis en congé, j'ai l'impression de prendre 1 kg par jour ! Je passe mon temps à ouvrir le réfrigérateur. Avez-vous des trucs pour calmer la faim ?

NR: En congé prénatal ou en cas d'arrêt de travail pour se reposer et éviter un accouchement prématuré, on réduit son activité physique, ce qui favorise la prise de poids. Cette baisse d'activité justifie à elle seule la nécessité de réduire ses apports caloriques. Ce changement de situation s'accompagne d'un ennui intellectuel qui provoque des désordres du comportement alimentaire : pulsions alimentaires, grignotages... Le truc pour calmer la faim n'existe pas, mais l'astuce pour éviter de trop manger va être de faire diversion, en prévoyant des activités intellectuelles (lectures, films, émissions culturelles...) ou manuelles (dessin, et pourquoi pas tricot et crochet en attendant bébé) ou encore sociales (programmez la visite d'amis, parents...). Programmez aussi les repas et leur contenu. Ainsi, vous éviterez de grignoter si vous savez que votre goûter préparé à l'avance (pas trop copieux, un fruit par exemple) vous attend à 16 heures.

Petites et grosses complications

Comment éviter les vergetures ?

NR: Les vergetures sont la conséquence d'une extension trop rapide de
la peau. Les nouvelles cellules n'ont
pas le temps de se former et il se crée
des petites fissures, sortes de cicatrices,
qui s'atténuent avec le temps sans jamais disparaître complètement. Il est
difficile de les éviter. Certaines peaux
sont plus sensibles que d'autres. Quoi
qu'il en soit, il faut éviter de prendre
du poids trop brutalement. Hydratez la
peau dès le début de la grossesse avec
une crème hydratante sans parfum ni
alcool, et ce tous les jours, en privilé-
giant les zones à risque (cuisses, fesses,
ventre, seins).

**Qu'est-ce que le diabète gestationnel ?
Peut-on l'éviter ?**

NR: Le diabète gestationnel est une
affection fréquente de la grossesse
qui peut avoir des conséquences sur
le futur bébé et la maman. Il peut se
dépister pendant la grossesse. Caractérisé par une mauvaise régulation
des taux de sucre dans l'organisme,
il disparaît généralement après l'accouchement. L'objectif de sa prise en
charge est d'éviter ses complications
obstétricales et maternelles. Pour cela,
on surveille la glycémie (taux de sucre
dans le sang) par des prises de sang régulières. Nutritionnel, le traitement devient parfois médicamenteux lorsque
le régime alimentaire ne suffit pas. Le
régime alimentaire se fera avec l'aide

d'un professionnel de la nutrition, en
adaptant au plus juste le nombre de
calories nécessaires par jour, en évitant
les sucreries (sodas, gâteaux, sucre), les
grignotages.

Éviter un diabète gestationnel n'est pas
chose simple lorsque l'on a une prédisposition physiologique. Toutefois, il
semble qu'observer une alimentation
équilibrée pas trop calorique, avec trois
repas par jour (et une collation pour
certaines) à heures régulières sans gri-
gnotage, associée à un exercice physique modéré et adapté à la grossesse
(marche, natation, gymnastique douce)
contribue à diminuer le risque de survenue du diabète gestationnel.

Que manger ?

**Y a-t-il des aliments à privilégier, à éviter
pendant la grossesse ?**

NR: Tout à fait. Il faut éviter les carences, les excès ou des infections
transmises par des aliments. L'alimentation doit être variée et équilibrée.
L'équilibre se fait sur plusieurs jours. Il
faut manger un peu de tous les groupes
alimentaires, en quantité raisonnable.
L'alimentation doit rester un plaisir.

Voici les grands groupes d'aliments
qu'il ne faut pas oublier, en sachant
qu'ils n'excluent pas les autres groupes
(fruits et légumes, céréales, pain et fé-
culents):

- lait et produits laitiers (yaourt, fromage blanc, faisselle, petit-suisse,
fromage), idéalement six fois par jour,
pour un bon apport en calcium ;
- viande rouge, boudin, œuf (deux fois
par jour), pour un bon apport en fer ;

- poissons gras (saumon, flétan, hareng, maquereau, anchois, sardines) deux fois par semaine, pour les apports en acides gras essentiels (oméga-3 et 6) à longues chaînes, huile de soja, de colza, de noix, de graines de chanvre, mais aussi graines de lin, graines de chia, à varier pour les apports en acides gras essentiels (oméga-3 et 6) à courtes chaînes ;
- légumes verts à feuilles, agrumes et légumes secs, châtaigne et melon, pour un bon apport en vitamine B9 en début de grossesse ;
- eau (au minimum 1,5 l par jour).

Les aliments à consommer sans excès :
- foie de veau, en raison de sa grande teneur en vitamine A, toxique à forte dose pour le fœtus ;
- certains poissons comme le requin, l'espadon, le thon, le bar et la dorade, en raison de leur grande teneur en mercure, toxique à forte dose pour le fœtus ;
- les produits dérivés du soja, en raison de la présence de phytoestrogènes pouvant perturber l'équilibre hormonal du fœtus ;
- le sucre, les sodas, les gâteaux et autres sucreries.

Enfin, les groupes interdits ou fortement déconseillés :
- alcools, drogues et tabac ;
- lait cru, viande et poisson crus ou mal cuits, œufs de poisson crus, coquillages crus, graines de soja crues, charcuterie crue, pour des raisons sanitaires de contamination possible par des germes pathogènes.

Dois-je boire plus de lait ? Et si je n'aime pas les produits laitiers ?

NR : Oui, il faut quasiment doubler ses rations en produits laitiers, car les besoins en calcium augmentent pendant la grossesse. Mais le calcium ne se trouve pas uniquement dans le lait. On en trouve aussi dans les yaourts, fromages blancs, faisselles, petits-suisses et dans le fromage. Il faut varier les plaisirs !

Si vous n'aimez pas les produits laitiers, il n'y a pas vraiment d'alternatives. On trouve du calcium dans les eaux minérales, le jus de carotte, mais pour un rapport d'environ 20 % par rapport au lait.

Si vous ne consommez pas assez de calcium, pas de panique, votre bébé n'en sera pas en manque. Il puisera dans vos réserves, c'est-à-dire dans vos os, ce qui n'empêchera pas sa bonne croissance, mais risquera malheureusement de fragiliser vos os. Une supplémentation n'est pas recommandée, elle est réservée à de rares cas pathologiques.

Pensez aux gratins et autres fromages cuits, purées de légumes au lait, gâteaux au yaourt, riz au lait, semoule au lait, fromages blancs persillés... Il existe une adaptation physiologique pendant la grossesse permettant une absorption intestinale du calcium bien plus efficace. De façon physiologique, la déminéralisation osseuse de la femme qui peut avoir eu lieu se corrige vite après la naissance (la nature est bien faite !).

Dois-je prendre des compléments alimentaires ?

NR : Les compléments alimentaires apportent des vitamines et des minéraux. Ils n'ont pas d'intérêts particuliers dans notre société. Les carences sont rarissimes. Même si nous mangeons peu de fruits et légumes, nous en mangeons suffisamment pour couvrir nos besoins en vitamines et minéraux. Votre bébé puise tout ce dont il a besoin dans votre alimentation, et au pire, dans vos réserves ; il ne nous faudra pas grand-chose pour les reconstituer. Il est plus important de sensibiliser les femmes enceintes au risque de surdosage lié à la prise de compléments alimentaires, qui peut lui être nuisible, en particulier pour la vitamine A, utile pour la formation des yeux mais néfaste à forte dose. Les seuls suppléments vitaminiques utiles pour le bon développement du fœtus sont les vitamines D et B9 (ou acide folique) prescrites par le médecin ou la sage-femme, parfois le fer, selon les femmes. La vitamine D est utile pour permettre au fœtus de fixer le calcium à ses os. Une ampoule de 100 000 UI de vitamine D est donnée systématiquement aux femmes enceintes au début du 7e mois de grossesse. La vitamine B9 permet la bonne fermeture du tube neural au début de l'embryogénèse. Le seul supplément minéral souvent prescrit pendant la grossesse est le fer, car les carences sont fréquentes.

J'ai tout le temps faim/envie de manger du chocolat ? Pourquoi ?

NR : Le chocolat est riche en magnésium. L'état de grossesse entraîne souvent une augmentation des besoins en magnésium. On se rend compte du déficit en magnésium lorsqu'on a souvent des crampes musculaires. Le corps se dirige naturellement vers les aliments qui lui apporteront ce dont il a besoin. Si vous avez peur de prendre trop de poids en mangeant du chocolat, reportez votre besoin en magnésium vers d'autres aliments qui en sont riches comme les légumes secs ou les céréales complètes. Votre obstétricien pourra aussi vous prescrire des comprimés de magnésium.

Je ne suis pas immunisée contre la listériose et la toxoplasmose. Quels aliments dois-je éviter ?

NR : Certaines intoxications alimentaires peuvent être délétères, et il est en effet important de les éviter. Les aliments concernés dépendent du type de germe :

- listéria : lait cru, viande et charcuterie crues, produits de la mer crus, graines de soja crues ;
- toxoplasmose : crudités mal lavées, vi-ande mal cuite, litière du chat ;
- brucellose : lait de vache et de chèvre cru, viande mal cuite, charcuteries.

D'une manière générale, il convient de respecter certaines règles :

- d'hygiène : respecter la chaîne du froid, se laver les mains après manipulation de produits crus, séparer les produits crus des produits cuits dans le réfrigérateur, se laver les mains après avoir changé la litière du chat ;
- en ce qui concerne les viandes, poissons et charcuteries : préférer les pro-

duits préemballés conditionnés dans un environnement contrôlé, aux produits vendus à la coupe au rayon traiteur ; bien cuire les viandes et poissons, éviter la charcuterie crue, les coquillages crus, le surimi, le tarama ;

◆ éviter les produits laitiers à base de lait cru, préférer les fromages au lait pasteurisé et les fromages à pâte cuite ;

◆ bien laver les crudités, éviter les graines de soja crues.

Certains aliments me font horreur. D'autres me soulèvent le cœur.

NR : L'état de grossesse s'accompagne de modifications physiologiques importantes, et certains aliments ou odeurs que l'on aimait deviennent détestables. Certains donnent même la nausée. Tout revient dans l'ordre après l'accouchement. On peut aussi constater le phénomène inverse et apprécier ou être attirée par des aliments que l'on n'aimait pas jusqu'ici. On ne connaît pas les mécanismes de ces changements, mais l'autorégulation des besoins nutritionnels doit jouer un rôle dans la sélection des aliments : on mange des aliments qui contiennent les nutriments dont notre organisme a besoin.

Entre les nausées et les remontées acides, je n'ai plus très faim. Au lieu de grossir, je perds du poids !

NR : Essayez de garder les mêmes horaires de repas, en y ajoutant une ou deux collations afin d'anticiper les périodes de faim.

Pour ne pas avoir de remontées acides, évitez de vous allonger ou de vous pencher en avant après un repas ; bannissez les vêtements serrés au niveau de l'estomac ; mangez les aliments en petites quantités, et évitez ceux qui favorisent le reflux (café, thé, chocolat, menthe, aliments gras). Au cours du 1er trimestre, le fœtus puise dans vos réserves. Une fois les nausées passées, vous retrouverez votre appétit et récupérerez les calories nécessaires pour reconstituer les réserves. Les situations à risque sont pour les femmes qui vomissent beaucoup et se dénutrissent. Il faut alors consulter son obstétricien afin de prévenir les carences vitaminiques et les désordres métaboliques, dangereux.

Je n'ai pas beaucoup de temps pour manger le midi. Un menu à me recommander ?

NR : L'équilibre alimentaire est question de plusieurs repas. On peut supporter un repas moins équilibré dans la journée s'il est compensé par le repas du matin et/ou du soir. Mais il ne faut pas sauter un repas ! Si vous êtes pressée, prévoyez donc des collations (un fruit et des céréales). Vous pouvez envisager un sandwich à midi avec une viande et du fromage ou un « plat-minute » surgelé si vous avez un four à disposition et un yaourt.

Le mot de la fin

Avez-vous un ou deux conseils à donner pour permettre un développement optimal au bébé ?

NR: L'alimentation doit rester avant tout un plaisir. En premier lieu pour la future maman avant d'être pour l'enfant qu'elle porte. Certes, il y a quelques précautions à observer, essentiellement sanitaires, et aussi l'arrêt du tabac et de l'alcool. Mais il suffit que l'alimentation soit bien diversifiée pour apporter tous les nutriments nécessaires à la bonne croissance du petit être qui est en vous. Le suivi obstétrical se chargera ensuite d'éviter les carences classiques de la grossesse par des prescriptions adaptées à l'état de grossesse de la future maman.

« *Comment éviter tout risque toxique pour mon bébé ?* »

LE POINT AVEC LE DR JÉRÔME LANGRAND

Médecin toxicologue, praticien hospitalier au Centre antipoison de Paris

Il est responsable de l'unité de toxicovigilance qui s'occupe notamment des intoxications pendant la grossesse, des intoxications par le monoxyde de carbone et du saturnisme infantile.

Qu'en est-il de l'exposition au plomb ou au monoxyde de carbone quand on est enceinte ? Faut-il manger bio pour éviter au maximum les pesticides et proscrire certains poissons pouvant contenir des métaux lourds tel le mercure ? *Quid* des solvants (colorations, produits d'entretien…) ? Quels risques pour le développement de mon enfant ?

Modes de chauffage

J'ai une chaudière à gaz. Y a-t-il un risque pendant la grossesse ?

JL : Les intoxications par le monoxyde de carbone sont responsables de décès chaque année. Pendant la grossesse, ces intoxications sont particulièrement dangereuses, puisque le fœtus est beaucoup plus sensible au monoxyde de carbone que sa mère. Toute intoxication par le monoxyde de carbone pendant la grossesse est une urgence médicale. Il est donc nécessaire de s'assurer du bon entretien de sa chaudière ou de sa cheminée à éthanol et d'installer un détecteur de monoxyde de carbone chez soi. Il faut aussi proscrire l'usage de braseros en intérieur, ou d'engins à moteur thermique (groupe électrogène).

Alimentation

Dois-je privilégier les aliments bio ? Avec tout ce qu'on entend sur les pesticides…

JL : Conservez une alimentation variée et équilibrée, sans distinction « bio » ou « conventionnel ». Dans les deux cas, il existe une réglementation sur les concentrations de résidus de pesticides à ne pas dépasser dans les aliments, fondée sur des critères sanitaires. La principale différence réside dans le nombre des pesticides autorisés dans l'agriculture biologique, inscrits sur une liste spécifique.

Dois-je éviter certains poissons riches en métaux ?

JL : Une consommation raisonnable de poisson (une à deux fois par semaine) n'est pas susceptible d'induire des effets préoccupants pour la grossesse. Mieux vaut éviter de consommer les poissons prédateurs (thon, espadon...), qui sont les plus riches en dérivés de l'arsenic et du mercure.

Les compléments alimentaires achetés sur des sites Internet étrangers sont-ils dangereux ?

JL : Il est impossible de connaître avec certitude la composition des produits achetés sur des sites Internet : à proscrire ! Le mieux est de se référer à l'avis de son médecin ou de son pharmacien.

Tabac

Je fume un paquet de cigarettes par jour. Ça me semble impossible d'arrêter. Puis-je réduire ma consommation ? Dois-je prendre un rendez-vous avec un tabacologue ?

JL : C'est clairement le moment d'arrêter. Les données sur le tabagisme maternel durant la grossesse sont bien établies : celui-ci augmente notamment les risques d'accident gravidique, de retard de croissance intra-utérine, de prématurité, de mort subite du nourrisson. Il existe un réel bénéfice à l'arrêt précoce du tabac pendant la grossesse. La consultation d'un taba-

cologue pour faciliter l'arrêt est donc recommandée.

Puis-je remplacer mes cigarettes par la cigarette électronique ?

JL : À l'heure actuelle, on peut douter de la composition réelle de certains liquides pour cigarettes électroniques. Des études ont montré une différence entre la composition annoncée et les résultats de l'analyse de certains produits. Les concentrations en nicotine peuvent être erronées, et certaines substances normalement absentes ont été retrouvées. En l'absence de certitude sur les compositions de ces produits, il est préférable d'opter pour un autre type de substitut à la cigarette : à voir avec un tabacologue au cas par cas.

Et la chicha ?

JL : On sait rarement que la fumée de chicha (un tabac mélangé à de la mélasse et des arômes de fruits que l'on fume à l'aide d'un narguilé) peut entraîner de réelles intoxications par le monoxyde de carbone. En cas de survenue de symptômes, même mineurs (maux de tête, nausées, vertiges), il s'agit d'une urgence médicale qui nécessite un traitement, du fait de la sensibilité du fœtus. Fumer la chicha est proscrit pendant la grossesse, et les expositions passives sont à éviter.

Alcool

Dois-je complètement arrêter l'alcool ou puis-je me permettre un petit verre de temps en temps ?

JL: Une consommation importante d'alcool pendant la grossesse entraîne un risque élevé de troubles de croissance et d'anomalies morphologiques. Une conduite addictive nécessite donc une prise en charge médicale. En plus petite quantité, il est aussi montré que l'alcool peut induire des anomalies intellectuelles et comportementales. Pour ces effets, il n'est pas possible à ce jour de définir un seuil qui serait « sans risque ». Il est donc conseillé de ne pas consommer d'alcool pendant la grossesse. Depuis 2006, l'État oblige tout fabricant d'alcool à imprimer sur la contre-étiquette un pictogramme mettant en garde les femmes enceintes contre toute boisson alcoolisée.

Médicaments

Y a-t-il des médicaments que je dois éviter absolument et pour quelles raisons ?

JL: Certains médicaments sont compatibles avec la grossesse, d'autres sont contre-indiqués, d'autres encore nécessitent une évaluation bénéfice/risque. Quelques médicaments doivent être arrêtés avant la grossesse. Il est donc recommandé d'anticiper et de contacter votre médecin pour répondre à ces questions avant même la grossesse, sinon dès que vous en avez connaissance.

On m'a parlé d'un médicament traditionnel qui soulage les nausées. Est-ce dangereux ?

JL: Là aussi, les produits qui sortent des réseaux de distribution classiques sont à vos risques et périls, puisqu'on ne peut en garantir la composition. Certains comprimés, vendus comme médecine traditionnelle, peuvent contenir des plantes toxiques, des métaux (arsenic, mercure, plomb…).

Puis-je utiliser des huiles essentielles ?

JL: « Naturel » ne signifie pas « non toxique ». Dans le cas des huiles essentielles, il n'existe pas de données sur leur sécurité d'utilisation pendant la grossesse. De plus, il s'agit de produits concentrés, provenant de plantes ayant pour certaines des effets potentiellement toxiques. Compte tenu de ce manque d'éléments, ne vous exposez pas de manière importante ou régulière aux huiles essentielles pendant la grossesse.

Plomb

J'habite dans un vieil immeuble ; les canalisations sont vieilles. Dois-je boire de l'eau en bouteille ?

JL: Les anciennes canalisations peuvent augmenter les concentrations de plomb dans l'eau. Il existe une réglementation qui définit la concentration maximale en plomb dans l'eau de boisson et qui protège du risque d'intoxication. Si ce seuil est respecté (10 µg/l), vous pouvez continuer à consommer l'eau du robinet, y compris pendant la grossesse. Pour vous en assurer, et si les canalisations de votre immeuble sont bien en plomb, vous pouvez demander une analyse de votre eau de boisson par un laboratoire agréé.

Peintures,
produits ménagers

Dois-je éviter l'utilisation de certains produits ménagers ?

JL : La plupart des produits ménagers destinés au grand public et d'usage courant (eau de Javel, lessive, produit vaisselle...) peuvent être utilisés pendant la grossesse en respectant leurs précautions d'emploi. Néanmoins, consultez l'étiquetage et les précautions d'emploi, voire contactez le fabriquant. Il est par ailleurs dangereux d'utiliser au domicile des produits destinés à un usage professionnel, ou de mélanger plusieurs produits ménagers ensemble. En cas d'exposition accidentelle, contactez le centre antipoison.

Faut-il arrêter de bricoler ?

JL : Certaines activités de bricolage peuvent être à l'origine d'expositions toxiques pendant la grossesse. C'est le cas par exemple des expositions prolongées à des produits contenant des solvants pétroliers (décapants, peintures...), ou bien des rénovations d'appartements anciens contenant du plomb (peintures, boiseries, ferrailles...). Consultez l'étiquetage et les précautions d'emploi des produits ou contactez le fabriquant. En cas d'exposition accidentelle, contactez le centre antipoison.

Je refais la chambre de mon futur bébé. Quelles peintures éviter ?

JL : Les solvants présents dans les peintures ou les décapants peuvent augmenter le risque d'avortement spontané ou d'accouchement prématuré en cas d'exposition prolongée. Ils peuvent être inhalés ou traverser la peau. Évitez de peindre ou de décaper vous-même et ne restez pas longtemps dans les pièces récemment repeintes. Préférez les peintures dont les outils se lavent à l'eau aux peintures glycérophtaliques qui nécessitent l'emploi de white spirit.

Mon loisir préféré est la fabrication de vitraux. Y a-t-il un risque ?

JL : L'activité de vitrailliste, qui peut exposer au plomb, est à éviter. Préférez une activité sans exposition toxique. Contactez le centre antipoison en cas de doute sur l'activité que vous pratiquez.

Je travaille dans une usine qui fabrique du plastique. Est-ce dangereux pour moi ?

JL : Le milieu professionnel peut être à l'origine d'expositions toxiques pendant la grossesse, car les produits et les niveaux d'exposition diffèrent du « grand public ». Prenez contact avec votre médecin, idéalement avant la grossesse ou dès que vous en avez connaissance, pour déterminer le risque pour votre grossesse et prendre les mesures nécessaires.

Le mot de la fin

Quels conseils donneriez-vous aux femmes pour éviter tout risque ?

JL : Le risque toxique pendant la grossesse est source d'inquiétude, inquiétude accrue par les informations trouvées sur Internet, parfois vraies mais souvent faussement alarmantes ou au contraire faussement rassurantes. Les expositions rapportées aux centres antipoison sont dans la majorité des cas bénignes. Néanmoins, certaines peuvent présenter un risque important, elles sont pourtant le plus souvent évitables. Quelques points à retenir :

- faites vérifier votre installation au gaz et l'absence de source de monoxyde de carbone à votre domicile ;
- consultez votre médecin afin de savoir si vos médicaments ne sont pas contre-indiqués pendant la grossesse ;
- consultez votre médecin du travail ou pour vérifier qu'il n'existe pas d'exposition toxique incompatible avec la grossesse à votre poste de travail ;
- arrêtez le tabac et l'alcool, avec l'aide de consultations spécialisées si nécessaire ;
- évitez les expositions toxiques inutiles : loisirs à risque toxique, utilisation de solvants, traitements « traditionnels » ou achetés sur Internet, cigarette électronique, huiles essentielles, « cures détox », chicha...

« Puis-je continuer à faire du sport pendant la grossesse ? »

LE POINT AVEC JULIE FERREZ

Référence française en matière de forme et de bien-être

Au contact d'une clientèle VIP internationale, elle est devenue incontournable avec sa méthode Rehab, alliant remise en forme, alimentation et bien-être, accessible à tous notamment sur julieferrez. com. Elle est également chroniqueuse dans *Télématin* et est l'auteur de plusieurs livres aux éditions Marabout.

Peut-on continuer à faire du sport quand on est enceinte ? Quelles activités privilégier ? Et quelles sont les restrictions ou précautions à prendre ? Jusqu'à quand peut-on faire du sport ?

Enceinte et sportive

Quels sports puis-je pratiquer pendant ma grossesse ? Et dois-je en changer selon les trimestres ?

JF : Si vous étiez déjà sportive avant votre grossesse, vous pouvez continuer presque tous les sports, mais à vitesse modérée. Si vous aimiez le jogging, vous pouvez courir à petite allure, à condition que votre gynécologue vous donne son feu vert – le fœtus doit être bien installé.

Si vous n'êtes pas sportive, la grossesse n'est pas la meilleure période pour vous y mettre. Cependant, vous pouvez marcher, nager, travailler votre souplesse, faire du renforcement musculaire à petites doses.

Dans tous les cas, en fonction des trimestres et de la taille de votre ventre, certains exercices ont besoin d'être modifiés. Par exemple, on ne court plus lors du dernier trimestre, de même que l'on ne travaille plus ses abdominaux. On accentue le travail au niveau des bras et de la posture. Et, bien entendu, toute votre attention va se porter sur la respiration et la détente pour vous préparer tranquillement à l'arrivée de votre bébé.

Jusqu'à quand puis-je pratiquer du sport ?

JF : Si vous vous sentez bien, vous pouvez faire du sport jusqu'au 8e ou même 9e mois, tant que cela est confortable pour votre ventre et que vous n'avez aucune contre-indication de votre médecin. Il est toujours bon de bouger son corps pour se détendre. Bien évidemment, certaines femmes hyperactives devront se faire à l'idée que le dernier mois sera un mois de repos… Patience et courage, cela n'est jamais simple de s'arrêter quand on a un tempérament à peu s'écouter.

Les sports
à privilégier

On dit que le dos crawlé est idéal pour la grossesse car il soulage le dos en renforçant les muscles.

JF : La natation est un des sports idéaux pour la femme enceinte. C'est le seul endroit où le poids n'est plus un problème. Le dos crawlé est effectivement très efficace pour soulager le dos et le muscler en douceur. Il renforce également les quadriceps (l'avant de la cuisse) et les triceps (l'arrière du bras).

On parle aussi beaucoup du yoga pour femmes enceintes. Mais si je n'accroche pas, par quoi puis-je le remplacer ?

JF : Le yoga est une activité incroyable même lorsque vous n'êtes pas enceinte, car il libère l'esprit et sculpte le corps tout en l'étirant. La pratique du yoga permet une chose indéniable par rapport aux autres activités : le travail de la respiration, qui permet d'aborder un accouchement plus sereinement. Maintenant, si vous n'aimez pas cette pratique, travaillez avec un Swiss Ball (un gros ballon) ou mettez-vous au Pilates pour femmes enceintes. Ces deux activités complètement différentes du yoga vous aideront à tonifier votre corps et à protéger votre dos de femme enceinte.

Pour les paresseuses…

Je n'aime pas faire du sport. Quel est le minimum conseillé ?

JF : Le sport vous permet de mieux vivre votre grossesse, mais surtout de récupérer beaucoup plus vite après. Dans votre situation, le minimum à faire est d'aller marcher tous les jours au moins 30 minutes pour favoriser une bonne circulation sanguine, mais aussi pour augmenter votre condition physique qui va être mise à l'épreuve au fil des trimestres. Travaillez aussi votre souplesse pour être plus à l'aise et renforcez votre dos. Durant la grossesse, le corps se modifie et il est bon de garder une bonne proprioception (notion de son corps dans l'espace). Cela rassure et limite les blessures comme les foulures dues à une plus grande laxité des articulations.

Je n'ai pas le temps de faire du sport. Pouvez-vous me conseiller un exercice simple mais efficace ?

JF : Ne pas prendre de temps pour soi est déjà une très mauvaise habitude. Enceinte, prendre ce temps est d'autant plus important que votre corps est en changement permanent. En cherchant bien, on trouve toujours un petit quart d'heure pour se faire du bien ainsi qu'à son futur bébé… Aussi, je vous recommande de marcher aussi souvent que possible.

Côté exercices, je vous conseille de vous installer sur une chaise, le dos droit, et d'effectuer des élévations frontales pour renforcer votre posture et votre dos : attrapez un coussin, tenez-le avec vos deux mains devant vous, les bras tendus. Inspirez le dos bien droit, puis expirez en montant les bras au-dessus de la tête. Vous ne devez pas tirer la tête sur l'avant ; pensez à bien descendre vos omoplates et à rentrer votre nombril. À chaque expiration, vous devez contracter votre périnée pour être bien solide.

Renforcez aussi vos jambes avec l'exercice des battements au sol.

Allongez-vous sur le dos. Si vous faites cet exercice en fin de grossesse, pensez à surélever votre tête avec un gros coussin, car votre corps contenant plus de liquide, vous risqueriez de vous sentir mal en allongeant la tête à même le sol. Gardez le pied gauche à plat, le genou fléchi. Tendez votre jambe droite au sol, la pointe de pied tendue et la jambe ouverte un peu sur l'extérieur. Inspirez sans bouger, puis expirez en élevant votre jambe droite bien tendue à 90°. Plus vous garderez votre jambe tendue, plus vous renforcerez les muscles de la cuisse.

N'oubliez pas le périnée !

Une amie m'a parlé du périnée en me conseillant de le muscler. Mais comment le faire travailler ?

JF : Le périnée est votre plancher pelvien. C'est un ensemble de muscles qui s'insèrent du coccyx au pubis. Il a un rôle très important, car c'est lui qui supporte le poids de nos organes, pendant la grossesse, plus celui du bébé. Le maintenir tonique est primordial :

◆ vous garderez un meilleur équilibre : une fois contracté, il vous aide à stabiliser votre centre de gravité ;

◆ vous pourrez maintenir vos organes et résister à la pression du bébé (trop relâchés, des descentes d'organes peuvent survenir, mais aussi des problèmes d'incontinence) ;

◆ vous garderez une sexualité épanouie car sa contraction permet l'orgasme ;

◆ vous conserverez un ventre plat : une fois contracté, vous vous rendrez compte que votre ventre se rentre !

Le sport, bon pour moi ?

Quels sont les bienfaits du sport pour la femme enceinte ?

JF : Les bienfaits sont multiples :

◆ un meilleur moral et une belle façon de calmer le jeu de vos hormones ;

◆ une préparation de votre corps pour bien accoucher ;

◆ le fait de ne pas subir votre grossesse mais au contraire d'en profiter pleinement ; votre corps restera tonique malgré la prise de poids ;

◆ la certitude de récupérer de votre accouchement plus rapidement, car vos muscles auront été entretenus correctement ; ils reprendront le dessus une fois votre bébé arrivé ;

◆ une limitation des douleurs liées à la grossesse comme le mal de dos, les problèmes circulatoires.

N'est-ce pas dangereux pour le bébé ? Pour moi ?

JF : Pas du tout. Dès l'instant où vous avez l'aval de votre médecin, il n'y a aucun problème. Vous favoriserez en plus des bonnes ondes pour votre bébé, et l'activité physique modérée permet d'avoir une grossesse plus facile. Une bonne musculature, moins de douleurs au dos, une récupération plus rapide... Que demander de plus ? Et puis, faire de la gym enceinte vous donne des sensations nouvelles et crée une relation supplémentaire avec votre bébé. Enfin, l'activité cardio-vasculaire favorise l'arrivée d'oxygène : un booster pour votre petit bout de chou ! En revanche, ne vous lancez pas dans un marathon, et limitez les impacts, surtout à la fin de votre grossesse !

Certains sports sont-ils interdits ?

JF : Le saut en parachute, la plongée sous-marine, le kite-surf, le trampoline, ou plus simplement le vélo en fin de grossesse ! Plus sérieusement, il faut limiter les sports avec des impacts si vous n'en avez pas l'habitude. Ne vous mettez pas à la course à pied par exemple. Vous devez aussi écouter votre corps et connaître vos propres limites. Être enceinte ne veut pas dire être atteinte d'une maladie. Si votre corps vous le permet ainsi que votre médecin, gardez une activité physique le plus longtemps possible. Cela ne peut être que bénéfique pour vous et votre bébé.

Quelles précautions prendre ?

JF : Consultez votre médecin, qui vous connaît, adaptez votre pratique et votre tenue à votre grossesse. Vous ne devez pas vous sentir trop comprimée au niveau du ventre. Portez un bon soutien-gorge de sport et, si vous marchez ou courez, utilisez des chaussures de sport avec un bon amorti.

Une façon de se préparer

Le sport peut-il être une préparation à l'accouchement ?

JF : Il peut vous aider, mais si vous vous mettez au sport parce que vous êtes enceinte, je ne suis pas certaine des résultats ! Pour une femme qui a l'habitude de faire du sport, c'est une certitude. La préparation à l'accouchement sera facilitée, tout comme la récupération ! C'est pour cela que le yoga peut vous aider, car le travail sur la respiration est très important.

Quels sont les meilleurs exercices pour garder la forme ?

JF : Les exercices cardio-vasculaires comme la marche rapide, la natation, le jogging ; pour celles qui ont l'habitude, l'elliptique (une machine cardio pour faire travailler l'ensemble des muscles). Pour la partie renforcement musculaire, je vous recommande les exercices suivants. Vous pouvez les pratiquer durant les deux premiers trimestres de votre grossesse, tant que le ventre n'est pas trop gênant :

POUR VOS ABDOMINAUX

◆ **Les 8 avec le Swiss Ball (un gros ballon de gym polyvalent)**

Départ: debout, les pieds écartés, le dos bien droit, votre maison* bien fermée. Vous tenez votre ballon entre vos mains, à la hauteur de votre poitrine. Vos coudes sont légèrement écartés.

Exécution: effectuez le chiffre 8 très rapidement, sans bouger votre bassin ni monter vos épaules, dix fois. Changez de sens et dessinez dix 8 de nouveau.

Respiration: normale.

Répétitions: 2 séries de 10 répétitions.

◆ **Les rotations de buste en position assise**

Départ: assise sur votre Swiss Ball, le dos bien droit. Vos jambes sont parallèles et devant vous. Placez les mains derrière la tête, votre maison* bien fermée. Votre ventre est rentré, tout comme votre périnée. Gardez votre dos bien droit et vos omoplates bien descendues.

Exécution: effectuez une rotation du buste sur la droite en regardant derrière vous, puis revenez en position de départ. Faites de même sur la gauche. Vous devez alterner les rotations en gardant le dos droit, le ventre et le périnée serrés.

Respiration: inspirez au départ, puis expirez par la bouche lors de la rotation.

Répétitions: 10 fois.

POUR VOTRE DOS

◆ **Le crawl**

Départ: assise sur votre Swiss Ball ou sur une chaise, les pieds parallèles et écartés de la largeur du bassin, les bras tendus devant vous et parallèles au sol.

Exécution: épaules basses, ventre rentré, maison* verrouillée, bras tendus devant vous, tirez le coude droit vers l'arrière en pivotant aussi votre buste. Regardez votre coude droit, puis ramenez-le en position de départ. Vous devez garder votre dos droit et le coude à la hauteur de votre épaule et de votre main. Effectuez la même chose avec le bras gauche, puis alternez au rythme de votre respiration, un coup à droite, un coup à gauche.

Respiration: inspirez avant de commencer et expirez lorsque vous pivotez et que votre coude part vers l'arrière.

Répétitions: au moins 10 fois.

◆ **Le bridge**

Départ: assise sur votre Swiss Ball, avancez vos pieds vers l'avant et venez poser votre tête sur le Swiss Ball. Les pieds sont parallèles et les genoux sont positionnés à 90°, les mains sous la tête.

Exécution: descendez le bassin comme si vous vouliez vous asseoir au sol, puis remontez-le en direction du plafond en rentrant le nombril et en serrant le périnée.

Respiration: inspirez à la descente et expirez à la montée.

Répétitions: 15 fois.

POUR LES FESSIERS ET LES CUISSES

◆ Le pendule debout

Départ: debout, jambes serrées et les mains sur la taille.

Exécution: fléchissez légèrement votre jambe droite et montez sur le côté votre jambe gauche en gardant le dos droit et la pointe de pied flexe. Effectuez toutes vos répétitions de cette jambe avant de passer à l'autre. Votre maison* est verrouillée et le périnée bien serré.

Respiration: inspirez au départ et expirez lors du mouvement.

Répétitions: 15 fois.

◆ Les squats ouverts (tant que vous le pouvez)

Départ: debout, les jambes écartées de la largeur des épaules, les pointes de pied tournées légèrement sur l'extérieur, les mains sur la taille.

Exécution: fléchissez les genoux pour effectuer un grand plié sans pousser les fessiers sur l'arrière. Gardez le bassin entre vos pieds et le dos droit.

Respiration: inspirez à la descente et expirez lors de la remontée en serrant votre périnée pour gagner en puissance.

Répétitions: 15 fois.

Et après ?

Au bout de combien de temps puis-je reprendre le sport, et par quels exercices commencer ?

JF: Avant toute reprise sportive, il est nécessaire de faire votre rééducation périnéale, même si vous avez eu une césarienne. Le poids de votre bébé a pu distendre ce muscle et les conséquences d'un périnée mal rééduqué

peuvent vous suivre très longtemps ; par exemple, le fait d'avoir du mal à vous retenir pour aller uriner… Ces petits désagréments ne seront que passagers si vous faites le nécessaire après la mise au monde de votre bébé. Ensuite, une fois que vous avez le feu vert de votre kiné ou sage-femme, vous pouvez reprendre une activité physique de manière modérée et surtout progressive. Votre corps n'étant pas une machine, il a besoin de temps. Je dis souvent 9 mois de grossesse, et 1 an de remise en marche de votre corps !

Quels sont les meilleurs exercices, ceux qui marchent vraiment pour retrouver un ventre plat ?

JF: Pour moi, il faut travailler sur quatre axes importants pour retrouver un ventre plat :
◆ l'alimentation ;
◆ le travail cardio-vasculaire ;
◆ les abdos ;
◆ les massages.

Pour mes exercices, j'aime utiliser le Swiss Ball, car il permet de travailler aussi les muscles de la posture et d'activer l'ensemble des abdominaux. Voici quelques exercices à retenir :

◆ Les abdominaux par pressions au sol

Départ: allongée sur un tapis de sol, les jambes fléchies, les pieds à plat et parallèles. Votre dos est détendu, et le bas du dos est dans sa position naturelle (pas plaqué au sol). Placez le Swiss Ball sur votre ventre. Tendez vos bras en direction du plafond en maintenant le ballon avec vos triceps. Vos mains sont jointes au-dessus. Vos omoplates sont bien ancrées dans le sol, votre nuque est longue.

Exécution: rentrez le ventre en mettant une pression de quelques secondes avec vos bras contre le Swiss Ball. Puis relâchez la pression sans bouger le reste du corps. Attention, votre maison* doit se verrouiller au maximum lors de la pression de vos bras contre le ballon. Le bas de votre dos ne doit pas bouger de sa position initiale. Votre nombril doit rester rentré tout le long de l'exercice et ne jamais ressortir, votre périnée se serre progressivement pendant la phase de pression, puis se relâche comme si une gaine se resserrait autour de votre taille. C'est le travail de votre muscle transverse qui permet à votre taille de diminuer.

Respiration: inspirez au départ en décontractant les épaules et la nuque, puis expirez lorsque vous exercez la pression de vos bras contre le ballon. Puis, lors du relâchement, inspirez de nouveau.

Répétitions: 10 fois.

◆ Le bridge inversé

Considéré comme un exercice pour le dos et les fessiers, il permet aussi de bien contracter le périnée et d'aider les organes à retrouver leur place initiale. C'est un excellent exercice pour travailler la résistance de vos abdominaux.

Départ: allongée sur le dos au sol, les jambes posées sur le Swiss Ball ou sur un banc. Le dos est détendu, la nuque longue, les bras sont le long du corps et la maison* bien verrouillée.

Exécution: décollez les fessiers du sol et poussez le bassin en direction du plafond, puis redescendez sans poser les fesses au sol. Laissez à peu près 5 cm d'espace. Gardez les bras le long du corps. Serrez le périnée progressivement pendant la montée et relâchez doucement lors de la descente.

Respiration: inspirez au départ et soufflez lorsque vous décollez le bassin du sol. Puis inspirez de nouveau lors de la descente pour pouvoir repartir en soufflant.

Répétitions: 15 fois.

Le mot de la fin

Si vous aviez un ou deux conseils ou exercices à donner pour garder la forme, quels seraient-ils ?

JF: chères futures mamans, si j'avais un message à vous faire passer, c'est de profiter pleinement de cette grossesse. Mais aussi de ne pas oublier que vous êtes avant tout une femme avant d'être une maman, et qu'il faut garder à l'esprit que votre corps a besoin d'attention au quotidien. Prenez donc du temps pour vous, vous éliminerez de ce fait le stress de retrouver votre ligne après votre accouchement. Car votre corps a une mémoire...

* Notion importante

Dans ma méthode de travail, je parle souvent de « verrouiller sa maison ». Je fais en fait un parallèle avec le haut de votre corps. Le toit de votre maison serait vos épaules, bien basses, qui reposeraient sur quatre murs solides : vos abdominaux tels que les grands droits, le transverse, mais aussi les obliques de chaque côté de votre taille et enfin les muscles du bas de votre dos. Tous ces muscles s'accrochent dans votre dos et ont pour rôle de protéger votre colonne vertébrale, et même de réduire le diamètre de votre taille (transverse et abdominaux). Comme toute maison normalement constituée, il existe un plancher, qui n'est autre que les muscles de votre périnée. Le périnée assure la solidité de votre maison et joue aussi le rôle d'ascenseur, car à chaque contraction de ce dernier, vous le sentez remonter et votre ventre se durcir.

Une maison verrouillée, c'est donc : un ventre rentré, des épaules basses et un périnée serré pour vous permettre de bouger en toute sécurité !

« Qui choisit de poser une péridurale ? Moi ? L'anesthésiste ? L'obstétricien ? »

LE POINT AVEC LE DR MATHIAS ROSSIGNOL

Praticien hospitalier, anesthésiste réanimateur à l'hôpital Lariboisière (APHP)

Il est responsable de l'unité anesthésie-réanimation en gynécologie obstétrique dans cette maternité de niveau 2 qui réalise 2 500 accouchements par an, il s'est particulièrement intéressé aux complications graves de la grossesse et de l'accouchement.

Quelques semaines avant la date de l'accouchement, vous devez prendre rendez-vous avec l'anesthésiste. Cette consultation obligatoire sous forme d'entretien permet de rassembler toutes les informations utiles pour préparer au mieux votre accouchement. C'est aussi l'occasion de poser toutes les questions qui vous inquiètent.

Pourquoi cette consultation ?

Je souhaite accoucher sans péridurale. Or, ma sage-femme m'a dit que je devais prendre rendez-vous avec l'anesthésiste. Pourquoi ?

MR : Vous devez nous rencontrer. Il y a plusieurs raisons à cela.

◆ Le choix de se passer de péridurale n'est pas forcément définitif. D'ailleurs, en consultation, beaucoup de femmes nous disent ne pas s'être encore décidées. Qu'elles « verront le jour de l'accouchement ». La durée du travail et l'intensité des douleurs étant très variables d'une patiente à l'autre, et même d'un accouchement à l'autre, il est difficile, un mois avant, de savoir si une péridurale sera nécessaire ou non. Pour nous, toute patiente est donc « susceptible » d'avoir besoin d'une péridurale.

◆ Certaines situations obstétricales nécessitent une péridurale pour faciliter l'accouchement et apporter davantage de sécurité à la maman et au bébé: c'est le cas des grossesses gémellaires, ou des très gros bébés, ou des patientes ayant déjà eu une césarienne. Dans ces situations prévisibles, il est préférable de poser une péridurale de façon systématique.

♦ La péridurale peut être indiquée en raison de pathologies maternelles. Nous avons un rôle clé dans ces cas-là, car les obstétriciens connaissent souvent moins bien certaines pathologies qui sortent de leur spécialité. Inversement, d'autres spécialistes (cardiologues, pneumologues, neurologues), très compétents dans leur domaine, connaissent mal la grossesse, et surtout les contraintes des différents modes d'accouchement (voie naturelle avec ou sans effort de poussée, césarienne sous anesthésie générale ou sous péridurale, etc.). Du fait de notre spécialité très polyvalente et de notre travail en milieu obstétrical, nous pouvons faire le lien entre différents spécialistes.

♦ Enfin, surtout en l'absence de péridurale, une anesthésie générale est toujours possible (césarienne en grande urgence ou forceps). Celle-ci est sécurisée si nous vous avons vue préalablement en consultation.

J'ai envie d'accoucher sans péridurale, mais si j'ai trop mal, est-ce possible de changer d'avis ?

MR: Bien sûr. Votre décision peut ne pas être définitive puisque le critère de choix principal est la douleur, que vous ne ressentiez pas lorsque vous avez décidé de vous passer de péridurale. Si la douleur est moins supportable que vous le pensiez, vous changerez d'avis et nous vous poserons une péridurale. C'est l'intérêt d'avoir eu une consultation d'anesthésie. Mais il est souhaitable de ne pas changer d'avis trop tard. Moins d'une demi-heure avant l'accouchement, cela devient parfois difficile et la péridurale n'a souvent pas le temps d'être efficace.

Rassurez-moi !

J'ai déjà des contractions et j'ai peur d'accoucher prématurément. Que se passe-t-il si j'accouche avant le rendez-vous avec l'anesthésiste ?

MR: On ne vous laissera pas tomber… Si nous avons le temps, nous ferons une consultation en salle de travail. S'il manque certains bilans (prise de sang), nous les prélèverons en urgence. Ceux-ci seront disponibles dans un délai variable selon les examens demandés et la maternité. Cela peut reculer la pose d'une péridurale, mais ce n'est pas une contre-indication en soi.

Comment se passe une péridurale ? Est-ce que ça fait mal ? Et au bout de combien de temps fait-elle effet ?

MR: Le terme exact est « analgésie péridurale », car cela consiste à procurer une analgésie en injectant des médicaments dans l'espace péridural. L'espace péridural est une région située dans la colonne vertébrale, autour de la moelle épinière et des racines nerveuses qui en partent. Tous les messages nerveux (sensation, douleur, motricité) passent par là. En y injectant des médicaments, nous pouvons bloquer plus ou moins longtemps et plus ou moins complètement ces messages. Selon le type de médicament utilisé et son dosage, on pourra supprimer :

- la douleur (sentir sans avoir mal = analgésie) ;
- la douleur et les sensations (ne rien sentir = anesthésie) ;
- voire la motricité (ne plus pouvoir bouger = bloc moteur).

Pour un accouchement, le but est de ne supprimer que la douleur (vous n'avez pas mal, mais vous sentez les contractions et vous pouvez pousser).

Pour poser la péridurale, il y a deux positions possibles. La plus classique est la position assise au bord du lit où l'on vous demande de faire « le dos rond ». L'autre solution est de vous coucher sur le côté. Dans tous les cas, l'anesthésiste commence par désinfecter votre dos. Puis il réalise le plus souvent une anesthésie locale de la peau : il insensibilise la zone dans laquelle il va piquer la péridurale. Ensuite, il réalise la « vraie » piqûre de péridurale. Il pique à travers la peau et aborde l'espace péridural entre les vertèbres. Une fois l'aiguille en place, il y introduit un petit tuyau (un cathéter) puis retire l'aiguille. C'est à ce moment qu'on vous demande de ne pas bouger et de faire le dos rond. Le dos rond sert à « ouvrir » l'espace entre les vertèbres pour que l'on puisse passer. Sur le plan technique, le geste est terminé. La fameuse piqûre dans le dos n'a donc pas servi à injecter un médicament mais à mettre en place un tuyau dans l'espace péridural. C'est par ce tuyau que l'on pourra administrer des médicaments, de type et de concentrations différents, selon l'effet recherché (anesthésie lourde pour une césarienne ou analgésie légère pour un accouchement). Comme il est difficile pour vous de ne pas bouger pendant les contractions, nous essayons de « passer » entre deux contractions. C'est un geste précis (à quelques millimètres près) mais auquel nous sommes habitués. Le soulagement survient au bout d'une quinzaine de minutes.

Avec la péridurale, j'ai un peu peur de ne rien ressentir lors de mon accouchement. Je n'ai pas envie d'avoir trop mal mais pas non plus de ne rien sentir. Qu'en est-il ?

MR : C'est en effet un risque. En fait, c'est une question de dosage et de susceptibilité individuelle. Cela arrive beaucoup moins maintenant, car les doses ont été considérablement réduites (par quatre à peu près). Mais il est vrai que la même dose ne produira pas exactement le même effet sur deux patientes différentes. Tout est dans la façon d'administrer le produit. L'idéal, c'est d'adapter la péridurale à la patiente et à sa douleur. Une péridurale à la carte en somme.

La technique la plus répandue est la PCEA, pour analgésie péridurale contrôlée par le patient (*Patient Controled Epidural Analgesia*). Il s'agit d'une pompe spéciale, programmée par le médecin anesthésiste, qui administre les doses de médicament à la demande de la patiente. Celle-ci appuie sur un bouton dès qu'elle ressent une douleur. La pompe calcule en permanence les doses reçues (nombre d'injections, dose par heure, dose totale, etc.) et refuse d'administrer le produit si la demande est exagérée. L'injection est motivée par la réapparition de la douleur. Il y a donc une adaptation de la dose à la douleur réelle ressentie. Ce système est de plus en plus répandu et a beaucoup contribué à limiter l'effet « jambes lourdes ». Si la péridurale devient trop forte, la patiente a juste à ne plus appuyer sur le bouton… Lorsque la péridurale est parfaitement dosée, la patiente pousse sans difficulté et sent le bébé sortir, sans avoir mal. C'est ce que nous recherchons, et c'est le cas la plupart du temps. Une péridurale trop forte est efficace sur la douleur, mais apporte moins de satisfaction.

On a dit à une de mes amies que c'était trop tard pour avoir une péridurale. Du coup, son accouchement a été douloureux. Comment éviter cette situation ? Quand est-ce « trop tard » ?

MR : Il est vrai que l'idéal est de la poser suffisamment longtemps avant l'accouchement. Les conditions sont plus sereines et la future maman en profite plus longtemps. Poser une péridurale immédiatement avant l'accouchement est possible mais plus risqué et parfois inefficace, la péridurale devenant efficace après la naissance… Dans cette histoire, le rôle de la sage-femme est très important. C'est elle qui est la mieux placée pour estimer quand l'accouchement va avoir lieu. On utilise la dilatation du col bien sûr. Une patiente à 10 cm de dilatation n'est probable-

ment pas loin d'accoucher, mais ce n'est pas si simple. Lors d'un premier accouchement, la naissance peut avoir lieu 1 h 30 après que le col a atteint 10 cm de dilatation. Dans ce cas, il faut poser la péridurale, même à 10 cm. D'autres patientes peuvent, elles, accoucher quelques minutes après. Dans ce cas, il est en effet trop tard pour la poser. C'est cela qu'il faut évaluer. La fameuse limite de 7 cm (pas de péridurale après 7 cm de dilatation) n'a donc aucun sens ! Sur ce sujet, comme sur tant d'autres, il faut que la collaboration et le dialogue sage-femme/anesthésiste soit bon.

Et si n'y a pas d'anesthésiste ?

MR : Dans la journée, c'est peu probable. La nuit et le week-end, c'est possible. Les anesthésistes peuvent être de garde (sur place à la maternité) ou d'astreinte (chez eux, ils reviennent si on les appelle). Dans ce cas, le délai d'intervention peut être plus long. En cas de garde, l'anesthésiste est parfois responsable des blocs opératoires, de la salle de réveil ou de la réanimation. Il peut aussi être réservé à la maternité, d'autres anesthésistes s'occupant du reste. La disponibilité d'un médecin anesthésiste pour poser une péridurale est donc variable d'une maternité à une autre, en fonction de sa taille. Par exemple, une maternité réalisant plus de 2 000 accouchements par an a un médecin anesthésiste réanimateur sur place 24 h/ 24, réservé exclusivement à la maternité. La plupart des petites maternités (moins de 500 accouchements par an) ont été fermées.

Anesthésie partielle ou générale ?

Quelles sont les situations qui exigent une anesthésie générale ?

MR: En gros : quand vous avez besoin d'une anesthésie, que vous n'avez pas de péridurale et qu'il est trop tard pour la poser. Prenons l'exemple de la césarienne en urgence chez une patiente qui n'a pas de péridurale. Si la césarienne doit être réalisée avec un degré d'urgence modéré, il est possible de poser rapidement une péridurale pour éviter l'anesthésie générale. En revanche, s'il faut réaliser la césarienne en grande urgence, c'est impossible. Seule une anesthésie générale est réalisable. En cas de forceps, le degré d'urgence (élevé) et la position de la patiente (couchée sur le dos) empêchent la pose d'une péridurale ou d'une rachianesthésie dans des délais compatibles. La seule solution est l'anesthésie générale.

Est-ce un problème ? Oui et non. C'est moins agréable pour la future maman qui n'assiste plus à son accouchement puisqu'elle est endormie. Mais en cas de grande urgence, le stress de l'équipe peut être transmis à la patiente. Si l'anesthésie générale est décidée, la plupart des équipes font sortir le papa. L'accouchement sous anesthésie générale est le moins « naturel » possible. Il pose également des problèmes de sécurité. Parce qu'elle modifie la physiologie, la grossesse rend l'anesthésie générale plus complexe et aussi un peu plus dangereuse. Mais les procédures sont très au point et les complications sont finalement exceptionnelles. La contre-indication à la péridurale n'est donc pas, la plupart du temps, une catastrophe en termes de sécurité pour la maman et son bébé. En particulier, le fait que sous anesthésie générale, le bébé naisse endormi est une légende. L'état de santé du bébé à la naissance est surtout lié à la raison pour laquelle on a fait une césarienne. Le fameux score d'Apgar qui décrit les fonctions vitales du bébé à la naissance n'est pas moins bon sous anesthésie générale. Néanmoins, toute patiente particulièrement susceptible d'avoir un geste en urgence au cours de son accouchement (césarienne, forceps, révision utérine) doit bénéficier d'une analgésie péridurale pour un double bénéfice : le confort, mais aussi la sécurité.

En cas de césarienne

Et en cas de césarienne, que se passe-t-il ?

MR: En cas de césarienne, qu'elle soit programmée (décidée d'emblée) ou en urgence (décidée au dernier moment), il faut réaliser une anesthésie.

- Si la patiente a une péridurale en place, celle-ci sera utilisée pour la césarienne. C'est souvent le cas quand la césarienne est décidée pendant le travail, en raison d'une stagnation de la dilatation (le col refuse de s'ouvrir) ou d'anomalies du rythme cardiaque du bébé par exemple. Dans ce cas, il est inutile de reposer la péridurale. Il suffit de modifier les médicaments qu'on y administre et de transformer une analgésie péridurale (légère) en anesthésie péridurale (puissante). Cela prend moins de 10 minutes et permet de réaliser une césarienne en grande urgence et d'éviter des anesthésies générales nettement plus risquées.

- Lorsque la césarienne est programmée, la plupart des équipes réaliseront en effet une rachianesthésie. Il s'agit d'une injection unique d'un mélange de produits très puissants dans un espace proche de l'espace péridural : le liquide céphalorachidien. En pratique pour vous, l'impression est la même : on pique dans le bas du dos. Pour nous, c'est différent en termes de geste, de matériel utilisé et de médicament injecté. Il en résulte une anesthésie puissante, rapide et d'assez courte durée (60 à 90 minutes) mais suffisante pour réaliser une césarienne (durée de 20 à 45 minutes). Le taux d'échec est faible (environ 1 %).

- L'anesthésie générale est de plus en plus rare (< 5 %). Elle est utilisée en cas de contre-indication à la péridurale ou à la rachianesthésie, en cas d'urgence extrême, ou d'échec de la péridurale ou de la rachianesthésie.

L'anesthésie : risquée ?

Quels sont les risques et les effets secondaires de la péridurale ?

MR : Il est assez compliqué de répondre à cette question. On a tendance à se lancer dans une énumération sans fin de complications effrayantes qui affole tout le monde de façon parfaitement injustifiée. Paralysie, hématome, arrêt cardiaque, que de mots barbares pour désigner des situations absolument exceptionnelles que l'on ne voit en pratique jamais. Depuis plusieurs années, l'Inserm (Institut national de la santé et de la recherche médicale) étudie les complications graves des anesthésies générales ou locorégionales. Pour participer à cette recherche, je peux vous affirmer que celles-ci sont exceptionnelles et très minoritaires par rapport aux complications liées à la grossesse (hémorragie, éclampsie, embolie, etc.). Les complications que l'on redoute le plus (paralysie complète des jambes, arrêt cardiaque) peuvent être évitées grâce à la consultation d'anesthésie qui permet de détecter les patientes à risque et par une pratique rigoureuse le jour de la pose.

Voici les risques les plus fréquents.

Le mal de tête ou céphalée. C'est très fréquent après un accouchement ou une césarienne et pas toujours lié à la péridurale. Le risque est inférieur à 1 %.

Le mal de dos. Il est extrêmement fréquent, de l'ordre de 50 à 70 % dans certaines études. Beaucoup de femmes sont persuadées qu'elles ont mal au dos à cause de la péridurale. Ce n'est pourtant pas si clair que cela. Si la péridurale est responsable de maux de dos, ce n'est pas à cause de l'aiguille ou de la piqûre. C'est probablement indirectement, à cause de la posture pendant le travail.

Inconfort. Nausées, vomissements, frissons ou prurit (démangeaison) sont sans gravité et cèdent facilement avec des traitements simples.

Le bébé ressent-il les effets de la péridurale ? Et comment ?

MR: A *priori* non. Les médicaments passent très peu dans le sang maternel et sont donc retrouvés de façon négligeable dans le sang du bébé. L'état de santé des bébés nés sous péridurale (à l'examen clinique ou mesuré par des prises de sang) n'est pas altéré.

Peut-on remplacer la péridurale par une alternative et si oui, laquelle (sophrologie, haptonomie, acupuncture…) ?

MR: Un certain nombre de patientes (25 %) accouchent sans péridurale, par choix ou en raison d'une contre-indication. Les causes sont actuellement un travail trop rapide dans 50 % des cas, le refus de la patiente dans 39 %, une contre-indication médicale dans 5 % et l'absence d'anesthésiste dans 2 % des cas. Il existe des techniques alternatives qui sont plus ou moins évaluées. On peut citer le protoxyde d'azote (gaz hilarant), la morphine ou ses dérivés et plein de techniques non médicamenteuses comme l'haptonomie, l'acupuncture, la sophrologie…

En termes de contrôle de la douleur, il est certain (plusieurs études le prouvent) que la péridurale est, de très loin, la technique la plus efficace. En revanche, quand on s'intéresse à la satisfaction, il n'y a pas de différence. Cela est logique. La patiente qui avait mal est satisfaite d'avoir accouché sous péridurale. La patiente qui n'en souhaitait pas et qui s'en est passée est généralement satisfaite aussi, même si elle a eu mal. L'insatisfaction vient de l'impossibilité d'avoir une péridurale quand on en souhaite une, ou d'avoir une péridurale qui ne fonctionne pas. Ces autres techniques ont l'avantage de prendre en charge la patiente de façon plus globale et moins technique. Elles doivent être réservées aux patientes motivées, qui accepteront un certain niveau de douleur et qui ne présentent pas de facteur de risque de césarienne ou de forceps, ni de problème particulier dans le cadre d'une éventuelle anesthésie générale.

Le tatouage est-il une contre-indication à la péridurale ?

MR: Non. Ce qui pose problème, c'est de piquer à travers le tatouage. Le doute plane sur un éventuel effet toxique de l'encre sur les racines nerveuses (réaction inflammatoire, tumeur). En traversant le tatouage, l'aiguille peut emporter des pigments en profondeur. Or, leur composition est extrêmement variable et pas toujours bien connue. Certaines substances pourraient être toxiques, voire cancérigènes, ou déclencher une réaction inflammatoire susceptible d'abîmer les racines nerveuses ! En pratique, cela ne s'est jamais avéré et il est probable que le risque ait été largement surestimé. Il est le plus souvent possible de trouver une zone de peau saine et il est conseillé, par principe de précaution, de l'utiliser. Quand c'est impossible, il est recommandé par certains de pratiquer une petite incision de la peau pour éviter de piquer à travers le pigment. Si vous avez un tatouage dans le bas du dos, il faut le signaler en consultation d'anesthésie pour être informée de l'attitude des médecins anesthésistes de votre maternité.

Y a-t-il des contre-indications à la péridurale ?

- La première contre-indication, c'est le refus de la patiente. Si la péridurale est souhaitable pour des raisons médicales, il faut convaincre la patiente, mais il est impossible de la poser sans son accord.
- Une infection de la peau à l'endroit de la piqûre est une contre-indication : il y a un risque réel de faire pénétrer un germe (généralement un staphylocoque) dans le système nerveux. Cela peut se compliquer de méningite ou d'abcès dans l'espace péridural. Ça peut être dépisté en consultation d'anesthésie et traité avec des soins locaux permettant alors la pose d'une péridurale le jour de l'accouchement.
- Une fièvre élevée (plus de 38,5°C), quand elle signe une infection sévère, est également une contre-indication.
- Certains troubles de la coagulation contre-indiquent la péridurale. Ce sont des pathologies assez rares comme la maladie de Willebrandt ou le purpura thrombopénique. Ces cas doivent être pris en charge dans des maternités adaptées, associant anesthésistes réanimateurs et hématologues. Certains médicaments anticoagulants peuvent poser problème. C'est une question de dose et de délai entre la dernière administration et la pose de la péridurale.

Tout cela est maintenant bien connu mais gagne à être pris en charge dans une maternité qui en a l'habitude. Le cas de l'aspirine est plus débattu. Elle a longtemps été une contre-indication. Le risque a probablement été surestimé, et les recommandations américaines et allemandes ne considèrent plus la prise d'aspirine comme une contre-indication. Si vous prenez un traitement au long court par aspirine, il faut en parler en consultation d'anesthésie.

- La scoliose n'est pas une contre-indication, mais le geste peut être plus difficile à réaliser. En revanche, la correction chirurgicale de la scoliose augmente réellement le risque de difficulté de pose et de complications. Il faut le plus souvent utiliser une alternative à la péridurale. L'examen clinique et la consultation des clichés de radiographie en consultation d'anesthésie permettent de prendre la bonne décision. Mais beaucoup de médecins anesthésistes préféreront contre-indiquer la péridurale si les tiges métalliques mises en place descendent dans la région lombaire. La chirurgie pour sciatique n'est elle pas une contre-indication.

Les contre-indications sont donc rares, mais doivent être respectées afin d'éviter les complications.

Quand peut-on avoir une péridurale ambulatoire ? Quelle est la différence avec une péridurale normale ?

MR : L'accouchement en position allongée sur le dos est la référence en Europe depuis qu'au XVIIe siècle, un obstétricien français (François Mauriceau, accoucheur attitré des maîtresses de Louis XIV) l'a recommandé. C'est de là qu'est venu le terme d'« accoucheur », en référence à la position couchée. La femme s'est retrouvée en couches, puis en suites de couches !

À la fin du XXᵉ siècle est apparue une nostalgie de la position utilisée depuis l'Antiquité : assise ou accroupie sur des chaises de travail. On a donc reparlé de déambulation. L'idée était que la déambulation permettrait d'améliorer la qualité des contractions utérines, l'apport de sang oxygéné au placenta (donc au bébé), et pourrait limiter la nécessité de pratiquer des forceps ou une césarienne. La médicalisation de l'accouchement et la généralisation de la péridurale ont contribué à « verrouiller » les patientes en position allongée. Des travaux de recherche ont alors été effectués pour réaliser des péridurales déambulatoires afin de « verticaliser » au maximum les patientes pendant le travail. La difficulté est que la surveillance et la gestion des patientes doit, elle aussi, être déambulatoire. Il faut que toute l'équipe, c'est-à-dire les obstétriciens, les sages-femmes, les infirmières, soit impliquée et que la structure s'y prête. Cela nécessite une surveillance importante pour éviter le risque faible mais réel de chute. En particulier, les réinjections de médicament dans le cathéter doivent être réalisées allongée, et la patiente doit être testée (absence de jambes lourdes) 15 minutes après, avant d'être autorisée à se lever. Bref, ce n'est possible que si toute l'équipe est très motivée.

Plusieurs études récentes de bonne qualité ont évalué cette technique et sont très décevantes. D'abord, le temps réel de déambulation est en fait très court, de l'ordre de 5 minutes par heure. Et ces études n'ont montré aucune différence en termes de contractions utérines, de durée du travail, d'oxygénation du bébé ou d'utilisation d'autres médicaments comme l'ocytocine. En revanche, les scores de satisfaction maternelle étaient très bons, même si les femmes n'avaient que très peu marché. Les équipes qui ont développé cette technique continuent à le faire essentiellement pour cette dernière raison. Celles qui ne la pratiquaient pas ne s'y sont pas investies en raison de son faible intérêt. Si vous y êtes très attachée, il faut le demander, dès le début de la grossesse, à la sage-femme ou au médecin qui vous suivra.

Qui choisit, au final ?

Moi ? L'anesthésiste ? L'obstétricien ? La sage-femme ?

MR : Vous avant tout, et le médecin anesthésiste qui en prend la responsabilité.

Si la péridurale n'est pas nécessaire pour des raisons médicales et que vous n'avez pas de contre-indication, vous déciderez, et personne d'autre. Pourtant, tout le monde vous donnera son avis en vous racontant son accouchement ! Gardez à l'esprit que c'est votre choix. Il n'y a pas de bonne réponse. La patiente qui accouche sous péridurale n'est pas moins courageuse.

Celle qui accouche sans n'en a peut-être pas besoin. Chaque accouchement est différent en durée et en intensité de la douleur. Selon les circonstances, la douleur peut être plus ou moins supportable psychologiquement. Bref, il n'y a pas d'enjeux. Il ne doit pas y avoir d'angoisse pendant la grossesse sur ce sujet. Vous déciderez le jour de la naissance. Si vous considérez que vous avez besoin d'une péridurale, vous la demanderez, et dans l'immense majorité des cas, vous en bénéficierez. Si l'accouchement est rapide et que la douleur est supportable, peut-être déciderez-vous de vous en passer. Ce choix sera respecté, surtout s'il n'y a pas de raison obstétricale ou médicale d'accoucher sous péridurale. Dans les deux cas, ce sera très bien.

« *Pour mon bout de chou, crèche ou nounou ?* »

LE POINT AVEC CHANTAL DUPONT

Infirmière puéricultrice, directrice de crèche à Paris

En collaboration avec l'Iedpe (Institut européen pour le développement des potentialités de tous les enfants), elle forme les équipes de crèche à la pédagogie interactive. Le respect du rythme de chaque enfant, son individualisation au sein de la collectivité, les ateliers ouverts et les groupes d'âges mélangés sont sa priorité.

Votre grossesse à peine confirmée, vous pensez déjà au mode de garde quand vous allez reprendre le travail. Certes, vous avez encore un peu de temps, mais mieux vaut s'y prendre à l'avance pour savoir quelles sont les possibilités de garde près de chez vous afin de choisir celle qui répondra à vos attentes. Crèche collective, familiale, parentale, assistante maternelle, vous avez du mal à y voir clair.

Pour y voir plus clair

À partir de quand mon enfant peut-il entrer à la crèche ?

CD : Le décret actuel autorise l'accueil d'un enfant en crèche à la fin du congé de maternité de 10 semaines. Le bébé a 2 mois et demi. L'idéal reste le moment où le parent est prêt à s'éloigner de son enfant. Il y a des situations où la séparation est difficile. Une ou deux semaines supplémentaires sont possibles grâce au congé de naissance du second parent.

La crèche : est-ce l'Eldorado ou vaut-il mieux une autre formule pour mon tout-petit ?

CD : Tous les moyens de garde agréés sont envisageables. C'est la confiance instaurée qui va permettre aux parents de s'éloigner de leur enfant en toute quiétude. À eux de choisir le mode de garde qui leur paraît le plus approprié en fonction de leurs attentes.

J'ai visité une crèche : les locaux étaient super, le personnel semblait compétent, mais il y avait beaucoup d'enfants, beaucoup de bruit. J'ai peur que ce soit moins confortable pour mon petit enfant qu'une place chez une nounou.

CD: Les crèches collectives ont des capacités variables entre 40 et parfois 100 places. L'architecture intérieure, l'environnement et les équipements sont étudiés pour permettre une bonne circulation dans les différents espaces. Il peut y avoir ponctuellement un peu plus de bruit à certains moments de la journée. Des enfants rassurés, actifs dans leurs jeux sous des regards bienveillants sont pour la plupart calmes. Une montée sonore soudaine nécessite une réponse adaptée. Les bruits de vie sont plutôt rassurants. Ils font partie de la bonne ambiance de la crèche.

Les crèches familiales sont-elles un bon compromis entre les crèches collectives et les assistantes maternelles agréées ?

CD: Les assistantes maternelles de crèche familiale sont salariées par la municipalité qui les emploie. Elles bénéficient du même environnement institutionnel que la crèche collective. Elles sont soutenues dans leur travail par une infirmière, une puéricultrice directrice de crèche familiale. Une éducatrice de jeunes enfants complète le dispositif: elle organise des temps de jeu pour les enfants et des rencontres entre les assistantes maternelles.

Les assistantes maternelles indépendantes sont directement employées par les parents. Elles sont agréées et suivies par le service de PMI (Protection maternelle et infantile). Elles bénéficient de compléments de formation. Certaines villes proposent des RAM (Relais assistantes maternelles). Des projets en partenariat avec la crèche

locale permettent la mise en place d'activités utilisant l'infrastructure et les équipements (jeux moteurs, jeux d'eau, jardin, bibliothèque…). Ces professionnelles sont de moins en moins isolées, elles peuvent obtenir l'aide et les conseils nécessaires à tout moment.

Que penser des crèches parentales ? En dehors des parents, y a-t-il du personnel qualifié ?

CD: La crèche parentale est un établissement d'accueil géré par une association de parents. Le conseil général départemental délivre une autorisation d'ouverture après l'avis du service de PMI (Protection maternelle et infantile). Celle-ci est garante du respect des normes de sécurité, elle valide le projet pédagogique. L'équipe est formée d'une éducatrice de jeunes enfants et d'auxiliaires de puériculture. Elles répondent aux besoins de la vie quotidienne des enfants. Des intervenants tels que psychologue, psychomotricien, peuvent soutenir leur travail.

Les modalités de la participation parentale sont différentes d'un établissement à l'autre. Les parents proposent parfois les activités de jeux, ils assurent la partie technique du repas et du ménage… Les temps de réflexion autour du projet éducatif impliquent les parents et l'équipe dans une démarche commune. Le nombre d'enfants accueilli est limité à 20.

Quelle formation reçoit une assistante maternelle ?

CD: L'assistante maternelle doit obligatoirement être agréée, ce qui lui confère un statut professionnel ; elle doit suivre une formation de 60 heures avant d'accueillir le premier enfant. Au cours des deux années suivantes, elle doit compléter sa formation par un nouveau module de 60 heures. La formation aborde le développement, l'éveil et les besoins de l'enfant. Les points traités sont la santé, l'anatomie de l'enfant, l'alimentation, les activités et l'action éducative. Un volet est consacré au cadre juridique et institutionnel au sein de la profession, à la communication et à la relation avec les parents, à la prévention des accidents domestiques… L'assistante maternelle doit se présenter à la fin de la deuxième session à l'épreuve du module 1 du CAP petite enfance.

Comment faire si je travaille en horaires décalés ?

CD : Pour répondre aux parents dont les horaires de travail sont contraignants, certaines municipalités offrent une structure de garde aux horaires élargis. Malheureusement, il en existe très peu, sauf dans les grandes villes. La plupart du temps, il faut recourir aux assistantes maternelles agréées. La CAF (Caisse d'allocations familiales) propose une aide financière pour supporter les coûts horaires supplémentaires.

Comment être sûre d'avoir une place en crèche ? Y a-t-il des astuces pour obtenir une place ?

CD : En général, il y a plus de demandes que de places en crèche. Il est conseillé

de respecter la procédure établie par la municipalité. L'inscription se fait normalement en mairie au 6e mois de grossesse.

Si la situation parentale est particulière (parent isolé, situation de handicap, parent mineur…), il est préférable d'adresser un courrier et de prendre un rendez-vous avec le maire, l'élu(e) de la petite enfance, le service de PMI, le service social ou la directrice de la crèche.

Apprentissage et vie quotidienne

Que font les plus petits enfants gardés en crèche ?

CD : Des actions adaptées sont proposées aux bébés comme les jeux sur des tapis, la découverte de l'autre, de la communication, des sons, des images, du toucher, de l'eau… Chaque enfant, en fonction de son éveil et de sa psychomotricité, trouvera une réponse à ses besoins.

Une attention particulière est portée sur la découverte du corps. Il est important de manipuler l'enfant dans le respect de ses acquis. Un bébé bien portant appréhendera de nouvelles postures tout seul dès qu'il sera en mesure de réunir les potentiels nécessaires. Le bébé a besoin du regard porteur et intéressé des adultes pour continuer à s'aventurer.

Le sommeil de l'enfant est-il respecté ou les horaires sont-ils les mêmes pour tous les enfants ?

CD : Il est essentiel de respecter le

rythme du sommeil de chaque enfant. Le personnel doit s'organiser pour y répondre impérativement. Vers 2 ans, le rythme de la sieste s'installe, les enfants dorment généralement de préférence après le repas. Pour les autres moments de la journée, un endroit calme est aménagé pour permettre à l'enfant de se reposer.

Le bébé a-t-il toujours la même assistante ? Le lien tissé avec le personnel est-il aussi fort que celui qui peut se tisser avec une nounou ?

CD : À la crèche, la continuité de la prise en charge est importante pour offrir un cadre sécurisant à l'enfant. L'organisation et la place des personnes doivent permettre ce soutien. L'enfant profitera de plusieurs regards avec des propositions en relation avec le projet éducatif. Auprès d'une assistante maternelle, l'enfant aura un autre vécu qui lui apportera des atouts non négligeables. Dans tous les cas, l'attitude professionnelle doit permettre à l'adulte référent d'avoir le recul nécessaire pour éviter un lien fusionnel.

Est-ce que si mon enfant est gardé en crèche, il s'adaptera plus facilement à l'entrée à l'école ?

CD : Tout petit, l'enfant a une personnalité qui lui est propre. Sa sécurité affective dépend de différents facteurs qui l'aideront à affronter les moments de transition. La crèche n'a pas mission de préparer l'enfant à l'école maternelle, mais elle lui offrira l'occasion de vivre des expériences. La présence des autres enfants lui permettra de prendre conscience d'un univers collectif. Il devra répondre à certaines consignes simples qui l'aideront à trouver sa place dans le groupe. Très vite, l'enfant trouvera du plaisir et de la complicité dans les interactions avec les autres enfants. Quelques mois avant l'entrée à l'école maternelle, la crèche, le centre de loisirs et l'école peuvent mettre en place un projet de « passerelle » pour faciliter le passage vers cette nouvelle institution. Ainsi, le jour venu, l'enfant sera suffisamment mature pour profiter des nouveaux apprentissages.

Que cherche-t-on à développer chez les bébés ?

CD : L'attention portée aux bébés est un facteur essentiel pour leur développement. Les professionnelles doivent être dans des actions adaptées tant sur le plan moteur que physiologique. Le portage et nos gestes seront dans le respect de l'haptonomie. La professionnelle doit observer l'enfant pour répondre à ses besoins de sommeil, de repas, de soins et d'éveil. Des paroles accompagneront les propositions et expliqueront les faits à l'enfant. Ainsi, il prendra conscience de ce qui se joue en lui.

Un enfant gardé en crèche ne tombe-t-il pas plus souvent malade ?

CD : Le petit enfant possède une immaturité immunitaire importante. Il lui faudra du temps pour fabriquer ses propres anticorps. La collectivité d'enfants favorise la circulation des bactéries et virus, et l'enfant peut effectivement être un peu plus malade que chez la nourrice. En revanche, à l'école maternelle, il sera probablement mieux armé, car il aura déjà rencontré à peu près tous les « petits microbes ».

Pourquoi faut-il éviter une entrée en crèche à 8 mois ?

CD : Le 8e mois est un cap un peu difficile à passer. L'enfant peut manifester des angoisses de séparation et il peut mal supporter les visages inconnus. Pour aider votre enfant, il faut le rassurer. Dites-lui ce qui va se dérouler et informez-le des événements à venir qui le concernent.

J'ai pris un congé parental. La halte-garderie est-elle un bon moyen de faire rencontrer d'autres personnes à mon bébé ?

CD : Le congé parental vous permet de vivre pleinement l'évolution et les progrès de votre bébé. Il va découvrir le monde qui l'entoure pendant vos réunions familiales, au square avec d'autres enfants ou chez des amis... Pour compléter ses qualités relationnelles, la halte-garderie est un bon moyen d'ouverture. Il y a peut-être près de chez vous un accueil parents/enfants. Ce lieu offre des temps conviviaux de jeux. Il favorise l'échange avec d'autres parents et avec des professionnels de la petite enfance.

Le mot de la fin

Quels conseils donneriez-vous aux parents pour que la garde de leur enfant se passe bien ?

CD : Avant la reprise de votre travail, confiez votre enfant de temps en temps à un proche. Prenez soin de vous, sortez, et laissez-lui la possibilité de vivre ces moments hors de votre présence. Quelques jours avant son arrivée en crèche ou chez l'assistante maternelle, dites-lui pourquoi vous devez vous éloigner de lui. Le ton de votre voix suffira pour l'aider à vivre ce changement. L'enfant a beaucoup de compétences et de potentiels. Il saura exprimer et faire connaître ses besoins.

Les personnes qui prendront soin de votre enfant sont des professionnelles expérimentées. Elles sauront vous guider pour que le temps de l'adaptation se passe au mieux. Une semaine de découverte de la crèche pour vous et votre enfant est proposée. Par la suite, vous pourrez vous remémorer les instants d'une journée, cela vous aidera lorsque vous serez au travail.

L'arrivée et les retrouvailles sont des moments importants. Le matin, en installant votre petit, faites le lien de la continuité avec la personne qui vous accueille. Dès que vous vous sentez prête, dites au revoir à votre enfant et quittez la salle. Ne revenez pas sur vos pas, cela le déstabiliserait. Si la séparation est trop douloureuse, confiez cette tâche au second parent.

Les retrouvailles suscitent beaucoup d'émotions. En chemin vers lui, vous préparez votre rencontre, lui non. En entrant dans la salle, offrez-lui un « sas » pour qu'il ait le temps de vous rejoindre. Parlez-lui doucement à distance et venez vers lui tranquillement. Si des questions restent en suspens, rencontrez la directrice de la crèche. Celle-ci saura vous répondre et pourra, si nécessaire, vous proposer une entrevue avec le psychologue de l'établissement ou de la PMI.

ANNEXES

Les renseignements qui suivent sont donnés à titre indicatif, car les mesures protégeant la femme enceinte, puis la mère et son enfant, sont nombreuses et souvent remaniées.

Pour savoir quels sont vos droits, dans votre cas précis, en matière de remboursement de soins, pour la perception d'indemnités journalières ou pour l'attribution de diverses prestations, renseignez-vous auprès de votre centre de Sécurité sociale ou auprès de votre Caisse d'allocations familiales (tél. : 0810 25 84 10).

Vous pouvez également les consulter sur Internet : www.caf.fr ou www.ameli.fr ou www.service-public.fr Ces sites sont régulièrement mis à jour en fonction de l'application des nouvelles lois.
· Sur le congé de maternité : voir pages 286-289.
· Sur le congé de paternité : voir page 290.
· Sur le congé parental d'éducation : voir pages 289-290.
· Sur la protection sociale des femmes seules : voir pages 275-277.

DROITS ET DÉMARCHES

―――

Les remboursements de l'assurance-maternité

⋯⋯⋯⋯⋯⋯⋯⋯⋯⋯⋯⋯⋯⋯⋯⋯⋯⋯⋯⋯⋯⋯⋯⋯⋯⋯⋯⋯⋯⋯⋯

Toute assurée sociale ou tout ayant-droit d'un assuré social a droit à l'assurance-maternité. Pour en bénéficier :

◆ passez le premier examen prénatal avant la fin de la 14e semaine de grossesse, soit avant la fin du 3e mois. Envoyez la déclaration de grossesse signée par votre médecin à votre centre de Sécurité sociale et à la Caisse d'allocations familiales. Vous recevrez le guide de surveillance médicale mère et nourrisson, qui vous indiquera le calendrier des examens à effectuer avant et après l'accouchement.

◆ Passez les examens médicaux obligatoires aux 4e, 5e, 6e, 7e, 8e et 9e mois de grossesse.

◆ Passez les examens médicaux obligatoires après l'accouchement : un pour vous, dans les 8 semaines après l'accouchement ; trois pour votre enfant dans les 8 jours après la naissance, avant la fin du 1er mois et avant la fin du 2e mois.

◆ À la naissance de votre enfant, envoyez un extrait d'acte de naissance ou une copie du livret de famille à votre centre de paiement. Vous recevrez le guide de surveillance enfant, qui vous indiquera tous les examens médicaux à effectuer pour lui.

Les remboursements pour la mère

Dès la déclaration de grossesse effectuée avant la fin du 3e mois, les consultations et les examens liés à la grossesse sont pris en charge à 100 % par la Sécurité sociale. À partir du 1er jour du 6e mois de grossesse et jusqu'à 12 jours après votre accouchement, vous serez remboursée à 100 % par la Sécurité sociale de l'ensemble des frais médicaux et pharmaceutiques, des analyses et examens de laboratoire, et des frais d'hospitalisation, qu'ils soient ou non liés à votre grossesse. Tous ces remboursements sont effectués sur la base et dans la limite des tarifs de la Sécurité sociale. Les dépassements d'honoraires ne sont pas pris en charge par l'assurance-maternité (notamment pour les consultations de médecins conventionnés qui appartiennent au secteur 2) ; renseignez-vous éventuellement auprès de votre mutuelle.

Les remboursements concernent :

• les sept examens prénataux obligatoires ; ils peuvent être passés pendant votre temps de travail, sans incidence sur votre salaire. Vous pouvez aller consulter un médecin généraliste, un gynécologue ou une sage-femme, exerçant en milieu libéral, en milieu hospitalier ou dans un centre de Protection maternelle et infantile (PMI) ;

• les médicaments : pendant les 5 premiers mois, le remboursement varie, selon les vignettes, de 40 à 100 % ; après le 6e mois, tous les médicaments (sauf vignette bleue) sont remboursés à 100 % ;

• les trois échographies, à raison d'une par trimestre ; le remboursement est de 70 % jusqu'à la fin du 5e mois et de 100 % au-delà. S'il y a grossesse pathologique ou bien pathologie fœtale, les échographies supplémentaires peuvent être remboursées après entente préalable avec le service médical de votre centre de Sécurité sociale ;

• l'amniocentèse ; si votre grossesse présente un risque, si vous avez plus de 38 ans (voir page 187), elle est prise en charge à 100 % après entente préalable avec le service médical de votre centre de Sécurité sociale ;

• les huit séances de préparation à l'accouchement, pratiquées par un médecin ou par une sage-femme ;

• une hospitalisation éventuelle avant l'accouchement ;

• le transport vers la maternité en taxi ou en ambulance, sur présentation d'une prescription médicale ou d'une facture ;

• le séjour à la maternité (12 jours maximum), que ce soit à l'hôpital ou en clinique conventionnée ;

• les honoraires d'accouchement ;

• l'examen postnatal obligatoire ;

• les dix séances de rééducation postnatale, après accord préalable.

Les remboursements pour le nouveau-né

Sont pris en charge à 100 % du tarif conventionné de la Sécurité sociale :

- les soins au nouveau-né pendant son séjour à la maternité ;
- son éventuelle hospitalisation après la naissance, pendant un mois ;
- toutes les consultations médicales obligatoires.

Les prestations de la CAF

La grande majorité des prestations sont soumises à des conditions d'attribution. Des formulaires et des déclarations de situation et de ressources sont à remplir.

La Prestation d'accueil du jeune enfant (Paje)

Cette prestation est composée de quatre aides financières :

- une prime à la naissance ou à l'adoption, versée au cours du 7e mois de grossesse ;
- une allocation de base, versée de la naissance au troisième anniversaire de votre enfant. Elle peut être cumulée avec l'Allocation journalière de présence parentale (AJPP) ;
- un Complément de libre choix d'activité (CLCA), qui peut vous être versé si vous vous arrêtez de travailler ou si vous exercez à temps partiel ;
- et un complément de libre choix du mode de garde, qui peut vous être versé si vous faites appel à une assistante maternelle ou à une garde à domicile (voir page 91).

Si vous avez arrêté de travailler pour vous occuper de vos enfants, vous pouvez bénéficier soit du complément de libre choix d'activité (voir ci-dessus), soit du Complément optionnel de libre choix d'activité (COLCA), plus court mais d'un montant plus élevé (voir aussi le congé parental d'éducation, pages 289-290) ; attention, votre choix sera définitif.

Pour obtenir cette prestation :

- vos ressources ne doivent pas dépasser un certain seuil ;
- déclarez votre grossesse avant la fin des 14 premières semaines auprès de votre centre d'assurance-maladie et de la Caisse d'allocations familiales ;
- passez les sept visites médicales obligatoires pendant la grossesse ;

- envoyez le feuillet correspondant à l'accouchement, signé par le médecin, dans les deux jours qui suivent la naissance de votre enfant, joignez-y la déclaration d'accouchement remise par la maternité ;
- faites passer à votre enfant les visites médicales obligatoires. Envoyez à la Caisse d'allocations familiales les trois attestations remplies par le pédiatre : la première dans les 8 jours après la naissance, la deuxième au 9e mois et la troisième au 24e mois.

Les allocations familiales (AF)

Vous avez droit aux allocations familiales à partir de votre deuxième enfant, quels que soient votre situation familiale et le montant de vos revenus.

Vos enfants ne doivent pas avoir plus de 18 ans s'ils ne sont pas étudiants et plus de 20 ans s'ils sont étudiants ou apprentis.

Vous n'avez aucune formalité à remplir. Les allocations familiales vous sont versées automatiquement.

Le Complément familial (CF)

Pour en bénéficier, vous devez avoir au moins trois enfants à charge.

Vos enfants doivent avoir plus de 3 ans et moins de 17 ans pour ceux qui ont quitté l'école, et moins de 20 ans pour les étudiants.

Le complément familial est suspendu quand vous n'avez plus que deux enfants à charge.

- Déclarez vos revenus, qui ne doivent pas dépasser un certain seuil.

Si vous attendez un nouvel enfant, vous ne pouvez pas cumuler le Complément familial et la Paje.

Le Revenu de solidarité active (RSA)

Voir aussi page 288.

Le Revenu de solidarité active vise à assurer un revenu minimal par mois. Le montant minimal de ressources garanti est majoré pour les parents isolés.

Pour en bénéficier, vos ressources et vos prestations familiales ne doivent pas dépasser un certain montant. Renseignez-vous auprès de la Caisse d'allocations familiales (caf.fr).

- ◆ Déclarez votre grossesse et effectuez les examens médicaux obligatoires.
- ◆ Déclarez vos revenus chaque trimestre.

L'Allocation de soutien familial (ASF)

Voir aussi page 276.

Pour en bénéficier, vous devez élever seule un ou plusieurs enfants. Si le père de votre enfant est décédé ou bien si le père n'a pas reconnu son enfant, vous avez droit à cette allocation.

L'Allocation journalière de présence parentale (AJPP)

Si l'un de vos enfants est malade, accidenté ou handicapé et si vous avez arrêté ponctuellement votre travail pour vous en occuper, vous pouvez demander à bénéficier de l'AJPP.

L'Allocation d'éducation de l'enfant handicapé (AEEH)

Vous pouvez en bénéficier si votre enfant est atteint d'un handicap permanent. Les conditions d'obtention de cette allocation dépendent du taux d'incapacité de votre enfant.

Adresses utiles

L'assistance médicale à la procréation

Cecos, Centres d'étude et de conservation des œufs
et du sperme humains.
Pour connaître les adresses et les coordonnées des établissements habilités pour le don du sperme : **www.cecos.org**

Se faire aider pour arrêter le tabac, l'alcool et la drogue

- Tabac Info Service : 39 89. Sur Internet :
  www.tabac-info-service.fr
- Écoute Alcool : 0 980 980 930. Sur Internet :
  www.alcool-info-service.fr
- Drogues Info Service : 0800 23 13 13. Sur Internet :
  www.drogues.info-service.fr
- Écoute Cannabis : 0 980 980 940. Sur Internet :
  www.drogues.info-service.fr
- Institut national de prévention et d'éducation
  pour la santé (Inpes) : **www.inpes.sante.fr**

Le sida

Sida Info Service : 0800 840 800. Sur Internet :
www.sida-info-service.org

Pour parler

- La Maison verte : ce lieu d'accueil et d'écoute créé par
  Françoise Dolto est destiné aux tout-petits avec leurs
  parents, et aux femmes enceintes.
  Elle est située au 13, rue Meilhac, 75015 Paris.
  Tél. : 01 43 06 02 82.
  Sur Internet : **www.lamaisonverte.asso.fr**
- Grossesse Secours : 04 42 38 97 25. Sur Internet :
  www.grossesse-secours.fr
- SOS Femmes Accueil : si vous êtes victime de violences
  et si vous avez besoin d'aide, de soutien, d'un renseignement ou d'un conseil : 39 19.
  Sur Internet : **sosfemmes.com**
- Jumeaux et plus : 28, place Saint-Georges, 75009 Paris.
  Tél. : 01 44 53 06 03.
  Sur Internet : **www.jumeaux-et-plus.fr**

Glossaire

ADN: longue molécule située dans le noyau de toute cellule. Elle est indispensable au maintien de la vie cellulaire ainsi qu'à la transmission des caractères héréditaires. L'ADN est toujours associé à des protéines, formant ainsi une fibre de chromatine*.

Aménorrhée: absence de règles.

Amnios: enveloppe qui entoure la cavité amniotique.

Annexes embryonnaires: organes présents, d'une façon transitoire, entre la mère et l'enfant. Il s'agit essentiellement du placenta et de l'amnios*.

Anticorps: substance engendrée dans l'organisme par l'introduction d'une substance étrangère, appelée « antigène »*. L'anticorps a pour rôle de neutraliser l'antigène.

Antigène: toute substance qui est étrangère et toxique à l'organisme. Son introduction dans ce dernier entraîne une réponse défensive de sa part par la fabrication d'anticorps*.

Axone: prolongement de la cellule nerveuse ayant pour rôle de propager l'influx nerveux.

Baby-blues: petite dépression de la mère survenant après l'accouchement.

Blastocyste: petite boule de 64 cellules qui présente déjà une différenciation: des cellules externes, qui donneront le placenta, et un groupe de cellules centrales, qui seront à l'origine de l'embryon.

Caduque: muqueuse utérine dans laquelle le blastocyste* pénètre. Elle sera éliminée à la naissance.

Caryotype: carte d'identité des chromosomes*. Leur classification établie par nombre, par forme et par taille permet de repérer les diverses anomalies d'origine chromosomique.

Cellule: élément de base de tout être vivant, animal ou végétal. Les cellules sont constituées d'un cytoplasme* et d'un noyau, le tout étant entouré d'une membrane.

Chorion: enveloppe externe qui entoure l'œuf.

Chromosome: configuration spéciale des fibres de chromatine* due à leur enroulement intense au moment de la division cellulaire*. Dans l'espèce humaine, les chromosomes de toutes les cellules sont au nombre de 23 paires, soit 46, sauf dans les cellules sexuelles, où ils ne sont qu'en un seul exemplaire, soit 23. Le nombre 46 sera reconstitué dans la cellule issue de la fécondation par l'association des chromosomes paternels et maternels. Les chromosomes portent les gènes*.

Colostrum: premier lait qui apparaît après l'accouchement, parfois même en fin de grossesse.

Corps jaune: nom donné au follicule* après la libération d'un ovocyte*. Après la fécondation, le corps jaune sécrète de la progestérone, qui assure la nidification de l'œuf dans la muqueuse utérine.

Cytoplasme: partie de la cellule qui entoure le noyau. C'est le lieu de toutes les synthèses protéiques, lipidiques et glucidiques nécessaires à la vie de la cellule elle-même, donc de l'organisme tout entier.

Dendrites: ramifications arborescentes de la cellule nerveuse.

Différenciation cellulaire: ensemble de phénomènes biologiques aboutissant à l'apparition des divers types cellulaires qui s'organisent en tissus, puis en organes.

Division cellulaire: moment particulier dans la vie de la cellule, qui aboutit à la formation de deux nouvelles cellules identiques.

Fécondation: rencontre de l'ovocyte* et du spermatozoïde.

Fibre de chromatine: résulte de l'association de l'ADN* et de protéines. Dans tout noyau cellulaire, il y a autant de fibres de chromatine que de chromosomes*.

Fivete: fécondation in vitro et transfert d'embryons.

Follicule de De Graaf: corpuscule situé dans l'ovaire*, qui protège et nourrit un ovocyte*. Chaque mois, un follicule se rompt pour libérer un ovocyte. C'est la ponte ovulaire*.

FSH: hormone de stimulation folliculaire. Permet la maturation du follicule ovarien.

Gamète: cellule reproductrice mûre – spermatozoïde (mâle) ou ovocyte* (femelle). Chaque gamète possède 23 chromosomes*, alors que toutes les autres cellules* de l'espèce humaine sont à 46 chromosomes.

Gène: petite portion d'ADN* contenant l'information nécessaire pour coder sous la forme de message chimique la synthèse d'un produit qui déterminera un caractère visible ou non.

Génotype: ensemble des gènes* d'un individu. L'expression d'un grand nombre de gènes aboutit au phénotype* de l'individu.

Gestation: état d'une femme enceinte, depuis la conception de son enfant jusqu'à l'accouchement.

GIFT: *Gamete Intra Fallopian Transfert.* Technique de fécondation *in vitro.*

Gravide: se dit d'un utérus qui contient un embryon.

HCG: hormone gonadotrophine chorionique. Hormone sécrétée par la couche cellulaire externe de l'œuf, ou chorion*, implanté dans la muqueuse utérine. Elle assure la poursuite de la grossesse en faisant sécréter par le corps jaune*, pendant les trois premiers mois, des œstrogènes et surtout de la progestérone.

Hydramnios: excès de liquide amniotique occasionnant des troubles.

Hypotrophie: mauvais développement du fœtus.

Immunisation: protection de l'organisme contre une maladie infectieuse. Se fait en général par la vaccination, mais peut également avoir lieu d'une façon naturelle.

Lanugo: fin duvet qui recouvre le corps du fœtus *in utero.*

LH: hormone lutéinique. Provoque la rupture du follicule ovarien, ce qui entraîne l'ovulation*.

Lochies: écoulement sanguin qui fait suite à l'accouchement.

Méconium: substance noirâtre et visqueuse constituée de débris cellulaires et de bile, accumulée dans l'intestin du fœtus.

Membranes: elles forment la poche des eaux, qui contient le liquide amniotique. Elles sont constituées d'un sac externe, appelé « chorion »*, et d'un sac interne, appelé « amnios »*.

Menstruation: sang qui s'écoule du vagin tous les

28 jours. Cela signifie que l'ovocyte* n'a pas été fécondé. La menstruation est plus communément appelée « règles ».

Morula: petite boule de 16 cellules*, ressemblant à une mûre, issue des premières divisions du zygote*.

Multipare: femme qui a accouché plusieurs fois.

Mycose: infection due à un champignon microscopique. Les mycoses sont souvent génitales, mais pas exclusivement.

Neurone: cellule* nerveuse.

Ombilic: nombril.

Organogenèse: formation des organes au cours de la vie embryonnaire.

Ovaire: glande sexuelle féminine qui conserve en stock les ovocytes* et sécrète les hormones indispensables à la gestation*: les œstrogènes et la progestérone.

Ovocyte: couramment et improprement appelé « ovule »*. Cellule* sexuelle féminine, prête à la fécondation.

Ovulation, ou ponte ovulaire: moment du cycle ovarien, situé entre le 14e et le 17e jour après le premier jour des règles, où l'ovaire* libère un ovocyte*.

Phénotype: ensemble des caractères morphologiques, c'est-à-dire visibles, d'un individu.

Placenta *praevia*: placenta situé en bas de l'utérus, non loin de l'orifice interne du col, pouvant même le recouvrir.

Primipare: femme qui attend son premier enfant.

Procidence du cordon: sortie prématurée du cordon ombilical, en général provoquée par la perte des eaux.

Toxémie gravidique: ensemble de troubles survenant chez la mère, caractérisés par de l'albumine dans les urines et de l'hypertension artérielle. Elle peut entraîner une hypotrophie du fœtus et, dans les cas graves, une fausse couche.

Tranchées: contractions douloureuses de l'utérus survenant après l'accouchement chez les multipares*.

Trompes de Fallope: fin conduit, encore appelé « oviducte », qui évacue vers l'utérus les ovocytes* pondus par l'ovaire*.

Trophoblaste: nom donné aux cellules* externes du blastocyste*, qui entourent le bouton embryonnaire et qui contribueront à former le placenta.

Vernix caseosa : enduit graisseux qui recouvre la peau du fœtus *in utero*. Il a un rôle protecteur à l'égard du liquide amniotique dans lequel il macère.

Villosités : excroissances cellulaires très fines et très ramifiées.

ZIFT : *Zygote Intra Fallopian Transfert*. Technique de fécondation *in vitro*.

Zygote : c'est la première cellule* du nouvel individu, qui est issue de la rencontre de l'ovocyte* maternel et du spermatozoïde paternel. Il possède un noyau contenant les 46 chromosomes* de l'espèce.

Bibliographie

◆ Baumann, N., « Développement du cerveau : maturation biochimique et fonctionnelle », *L'Alimentation et la Vie*, numéro spécial « Alimentation et cerveau », n° 73, avril 1988.

◆ Chéné, P.-A., *Sophro-accouchement. Méthode complète de préparation à la naissance pour la mère et l'enfant*, Paris, Ellébore, 1989.

◆ Dumez, Y., *Naître ou ne pas naître*, Paris, Flammarion, 1987.

◆ Ebel, A., « Alimentation, développement cérébral et fonction neuronale », *L'Alimentation et la vie*, numéro spécial « Alimentation et cerveau », n° 73, avril 1988.

◆ Hamilton, W. J. et Mossman, H. *Boyd and Mossman's Human Embryology, Prenatal Development of Form and Function*, Londres, The MacMillan Press, 1978.

◆ Labro, F., *Enceinte et en forme*, Paris, Jean-Claude Lattès, 1985.

◆ Langman, J., *Embryologie médicale*, Paris, Masson et Cie, 1972.

◆ Lhermitte, F., « Formation et évolution du cerveau et de la pensée », *L'Alimentation et la Vie*, numéro spécial « Alimentation et cerveau », n° 73, avril 1988.

◆ Martino, B., *Le bébé est une personne. La fantastique histoire du nouveau-né*, Paris, J'ai lu, collection « Bien-être », 2004.

◆ Minkowski, A., *Pour un nouveau-né sans risque*, Paris, Le Seuil, collection « Points actuels », 1983.

◆ Poirier, J. et Chevreau, J., *Feuillets d'histologie humaine*, Paris, Librairie Maloine, 1985.

◆ Poirier, J., Cohen, I. et Baudet, J., *Embryologie humaine*, Paris, Maloine S.A., 1981.

◆ Verny, T. et Kelly, J., *La Vie secrète avant la naissance*, Paris, Grasset, 1982.

Index

Table des matières

Le premier mois

Le deuxième mois

Le troisième mois

LE DEUXIÈME TRIMESTRE DE LA GROSSESSE

Le quatrième mois

Le cinquième mois

Le sixième mois

LE TROISIÈME TRIMESTRE DE LA GROSSESSE

Le septième mois

Imprimé en Espagne par Blackprint
en octobre 2021
pour le compte des Éditions Marabout (Hachette Livre)
58, rue Jean Bleuzen, 92178 Vanves Cedex
Dépôt légal : janvier 2019
ISBN : 978-2-501-13548-1

1088488-05